D0899393

LABYRINTHES

Jean d'Aillon est né en 1948 et vit à Aix-en-Provence.
Docteur d'Etat en sciences économiques, il a fait une grande par-
tie de sa carrière à l'Université en tant qu'enseignant en histoire
économique et en macroéconomie, puis dans l'administration des
Finances.
Il a été responsable durant plusieurs années de projets de recherche
en économie, en statistique et en intelligence artificielle au sein de la
Commission Européenne.
Il a démissionné de l'administration des Finances en 2007 pour se
consacrer à l'écriture.

Du même auteur

www.lemasque.com

JEAN D'AILLON

L'ÉNIGME DU
CLOS MAZARIN

ÉDITIONS DU MASQUE
17, rue Jacob 75006 Paris

ISBN : 978-2-7024-9769-2
© Jean-Louis Roos 2004 et Éditions du Masque
département des éditions Jean-Claude Lattès, 2007.

LES PRINCIPAUX PERSONNAGES

Dominique Barthélemy, *secrétaire de* M. de Forbin-Maynier

Friedrich Bauer, *reître au service de* Louis Fronsac

Boniface Borrilli, *notaire à Aix*

Philippe Boutier, *procureur du roi, ancien adjoint du chancelier* Séguier

Nicolas Bouvier, *domestique de* Louis Fronsac

Jacques Bouvier, *gardien, père de Nicolas*

Guillaume Bouvier, *homme à tout faire et concierge, frère de Jacques*

Louis de Bourbon, *prince de Condé, dit « le Grand Condé », cousin du roi*

Antoine Daret, *secrétaire de* M. de Saint-Marc

Henri de Forbin-Maynier, baron d'Oppède, *vice-président du parlement d'Aix*

Claire-Angélique de Forbin-Maynier, *sœur du père de* Henri de Forbin-Maynier, *mère supérieure des Dominicaines*

Jean Frégier, *courtier en fesses*

Louis Fronsac, *fils du notaire* Pierre Fronsac, *chevalier de Saint-Michel et marquis de Vivonne*

Pierre Fronsac, *notaire*

Gaufredi, *reître au service de* Louis Fronsac

Jacques Gaufridi, *président de la Chambre des requêtes*

Philippe Gueidon, *avocat du roi à Marseille*

Jean-Henri d'Hervart, *conseiller d'État, futur beau-frère de* Gaspard de Venel

Jules Mazarin, *président du conseil royal*

Michel Mazarin, *archevêque d'Aix*

Honoré Pellegrin, *prieur de Saint-Jean-de-Malte*

Jean Henri de Puget, *baron de Saint-Marc, conseiller au parlement de Provence*

Pierre de Raffelis, *seigneur de Roquesante, conseiller au parlement de Provence*

Blanche Rascas, *dite de Naples, prostituée à Aix*

Balthazar Rastoin, *moine de l'église de Saint-Jean*
Pierre Romani, *hôtelier, patron de l'auberge de la Mule Noire*
Boniface Romani, *son cousin*
Gaston de Tilly, *procureur du roi*
Louis de Valois, *comte d'Alais, gouverneur de Provence*
Gaspard de Venel, *conseiller au parlement de Provence*
Catherine de Vivonne-Savelli, *marquise de Rambouillet*
Julie de Vivonne, *épouse de* Louis Fronsac

Et les membres de la troupe de l'Illustre Théâtre :

Jacques La Grange
Pierre, *son cousin*
Gervais, *son oncle*
Angélique de l'Etoile, *tante de Pierre*
Armande de Brie, *sa cousine*

Et aussi les Aixoises et Aixois :

Charles de Grimaldi, *marquis de Regusse, baron de Roumoules, président à mortier au parlement d'Aix*
Pierre de Baumont, *Aixois*
Lucrèce de Venel, *la sœur du conseiller Gaspard*
Aymare de Tournefort, *filleule de la mère de M. d'Oppède*
Angélique du Fagoue, *sa sœur*
Henri de Rascas, *seigneur du Canet*
Lucrèce de Forbin-Soliès, *épouse d'Henri de Rascas, dite « la Belle du Canet »*
Jeanne de Riquetti
Anne de Pontevès
Le prévôt de la ville d'Aix

JANVIER 1646

Le cardinal Jules Mazarin, Premier ministre de France, avait reposé la plume d'oie qu'il tenait à la main. Il hésitait toujours.

Il ferma les yeux un instant, s'accordant encore un peu de réflexion, puis, finalement, il se décida. Rageusement, il reprit la plume, la trempa dans l'encrier et signa toutes les lettres patentes. Après quoi, il plaça les documents dans le dossier qui devait être transmis à la régente et au jeune roi.

Ces lettres patentes devaient autoriser messire Michel Mazarin, archevêque d'Aix, et frère du ministre, à faire enclore dans la ville d'Aix le faubourg Saint-Jean ainsi que les jardins et les prés de l'archevêché. Le roi donnait en sus à l'archevêque les vieilles murailles, tours, fossés, places et lices intérieures et extérieures. C'était un cadeau royal.

DÉCEMBRE 1646

Michel Mazarin vendit, ce mois-là, pour quarante-cinq mille livres, tous ses droits sur le *clos Mazarin* à un affairiste italien, Michel d'Elbène de Ponssevère, qui, par un acte du même jour, reconnut n'être qu'un prête-nom. Le véritable acheteur était Jean-Henri d'Hervart, seigneur d'Hevinquem.

1

Soirée du mardi 16 avril 1647

La soirée était déjà bien avancée chez la marquise de Rambouillet. Louis Fronsac, chevalier de Saint-Michel, et depuis peu marquis de Vivonne, contait une nouvelle fois au marquis de Montauzier, l'époux de Julie d'Angennes – la fille de la marquise de Rambouillet –, comment il avait perdu, trois ans auparavant et bien malgré lui, la démonstration de la conjecture de Diophante que lui avait remise Pierre de Fermat pour son ami Blaise Pascal[1].

Les réceptions dans la Chambre Bleue de l'hôtel de Rambouillet se faisaient de plus en plus rares depuis la mort du marquis de Pisany à la bataille de Nördlingen, deux ans plus tôt. Le marquis était le fils unique et adoré de la marquise de Rambouillet. Petit homme bossu et contrefait, il était le courage même sur les champs de bataille et le duc d'Enghien – pardon, le nouveau prince de Condé! – n'avait jamais eu à ses côtés de gentilhomme plus courageux et plus fidèle.

---

1. Voir *La Conjecture de Fermat*, J.-C. Lattès.

En outre, ces qualités se complétaient d'une bonté et d'une générosité sans limites. Depuis deux ans, Louis Fronsac pleurait toujours cet ami cher qu'il avait considéré comme un frère.

Louis était accompagné de sa charmante épouse, Julie de Vivonne, la nièce de la marquise de Rambouillet. Julie était justement en grande conversation avec sa cousine, l'altière Julie d'Angennes, la *princesse* Julie comme l'avait surnommée le poète Vincent Voiture. Après dix années d'hésitation, la *princesse* Julie avait enfin épousé le marquis de Montauzier.

Non loin des deux jeunes femmes, un peu à l'écart, babillaient trois autres amies : Anne-Geneviève de Bourbon, duchesse de Longueville et sœur du prince de Condé, que l'on considérait comme la plus délicieuse femme de la Cour, la spirituelle Isabelle-Angélique de Montmorency, à présent duchesse de Châtillon[1], et enfin Marguerite de Rohan, la fille du défunt duc Henri, l'ancien capitaine des protestants à La Rochelle et à Alais.

Les trois jeunes femmes portaient des robes de soie ou de satin brodées d'or dont la moindre coûtait cinq cents livres. Aucune n'était maquillée, suivant en cela la mode qu'avait lancée la régente : la suppression de tout artifice sur le visage. Elles ne parlaient évidemment que de l'affaire qui défrayait la Cour depuis deux ans : l'irruption inattendue d'un héritier mâle dans la maison des Rohan, un frère inconnu – bâtard peut-être – de Marguerite, arrivé depuis peu de Hollande et présenté par sa mère comme un enfant légitime. Le

---

1. Gaspard de Coligny, maréchal de Châtillon, son beau-père, était mort le 4 janvier 1646.

Parlement, par une décision des trois chambres réunies, avait pourtant interdit à l'adolescent, nommé Tancrède, qu'il utilise le nom, les armes et les titres de sa préten-due famille, mais avec la possibilité, à sa majorité, c'est-à-dire dans un an, de faire à nouveau valoir ses droits.

Marguerite, petite-fille du duc de Sully et héritière fortunée, avait en effet épousé deux ans auparavant le cadet de famille Chabot de Sainte-Aulaye, dont la seule richesse était l'amitié du prince de Condé. Mais c'était un capital sans prix depuis que le cousin du roi avait promis au jeune marié de lui obtenir le titre de duc de Rohan puisque la vieille famille ducale n'avait pas d'héritier mâle. L'arrivée de Tancrède de Rohan avait mis à mal cette belle construction et Marguerite de Sainte-Aulaye risquait fort de ne jamais devenir duchesse de Rohan si son frère était finalement reconnu comme héritier mâle par le Parlement.

Par chance pour elle et son époux, Louis de Bour-bon avait détruit la seule preuve de la véritable nais-sance de Tancrède. Une preuve que lui avait remise Louis Fronsac[1] quelques mois plus tôt.

À quelques pas de Marguerite, Louis Fronsac, justement, subissait une nouvelle fois les foudres de son ami le jeune marquis de Montauzier, gouverneur d'Alsace, brillant scientifique et contradicteur acharné – Molière devait en faire son modèle pour le misan-thrope Alceste –, au sujet de la perte du précieux docu-ment que lui avait remis Pierre de Fermat.

— Chevalier ! bouillonnait-il en serrant les poings. Que ne suis-je allé à Toulouse avec vous ! Quelle perte pour nous autres mathématiciens ! Et vous me dites que

---

1. Voir *L'Exécuteur de la Haute Justice*, même éditeur.

M. de Fermat n'est toujours pas parvenu à refaire sa démonstration?

Le ton était plus qu'irrité, rageur même.

— Hélas non, marquis, répondit Fronsac en tentant de le calmer. M. de Fermat m'a encore écrit récemment mais, vous savez, le document faisait plus de deux cents pages et sa tâche de magistrat est très prenante. Il lui faudra recommencer car…

— Fronsac! Venez donc plutôt nous rejoindre pour nous parler de vos affaires…

Louis n'avait pas besoin de se retourner pour savoir qui était celui qui venait de l'interrompre aussi grossièrement. Il le fit cependant pour opiner. Louis de Bourbon, nouveau prince de Condé – son père venait de mourir quatre mois auparavant – et actuel général de l'armée du Nord, avait fait quelques pas vers lui et le considérait avec un sourire moqueur.

Sans attendre une réponse qu'il jugeait inutile, le cousin du roi s'éloigna, sans saluer Montauzier, pour retourner vers ses amis.

C'étaient bien là les manières offensantes du prince qui s'attachait à fâcher les gens. Arrogant, brutal et immoral, Mgr de Condé se considérait au-dessus des hommes et même de Dieu. Génie militaire et remarquable érudit – il parlait et écrivait le latin comme César – il était certes admiré, mais l'aversion qu'on avait pour lui était à peine inférieure à la crainte qu'il provoquait.

Louis devait obéir. Qui aurait d'ailleurs tenté de contrarier Louis de Bourbon? Pourtant, si Fronsac se soumettait ainsi, ce n'était pas vraiment parce qu'il craignait le prince – après tout, il se savait protégé par le Premier ministre, Mgr Mazarin, qui justement aimait à se jouer de Condé –, non, il obéissait surtout parce que s'il connaissait les défauts de Louis de Bourbon, il en appréciait aussi les qualités et faisait grand cas de son amitié.

Car Louis de Bourbon était l'ami de Louis Fronsac, l'ancien notaire roturier qui avait été à ses côtés à Rocroy quatre ans auparavant, alors qu'à vingt-deux ans, le prince n'était que duc d'Enghien. Tous deux avaient aussi été frères d'armes du marquis de Pisany, le fils de Mme de Rambouillet mort à la bataille de Nördlingen et plus tard, Fronsac avait résolu pour le cousin du roi l'étrange affaire de l'héritier des Rohan.

Pour toutes ces raisons, Louis était un féal du prince. Un de ses hommes liges, car en ce dix-septième siècle les vieilles traditions de la féodalité, les séculaires attaches bâties sur la fidélité étaient toujours en vigueur entre gens d'honneur.

Louis s'excusa donc auprès de M. de Montauzier et rejoignit la *bande des petits maîtres* qui entourait le prince, ceux qui se surnommaient : la *cabale garçaillère*. Il y avait dans ce cénacle des intimes de Condé Henri Chabot, le falot seigneur de Sainte-Aulaye, réputé uniquement pour ses capacités de danseur – il avait inventé la danse de la Chabotte – et devenu par son mariage héritier possible du titre des Rohan. À côté de lui se dressait, comme un coq malgré sa bosse dans le dos, le jeune frère d'Isabelle-Angélique de Montmorency, fils posthume du comte de Montmorency qui, osant braver l'édit de Richelieu sur les duels, avait été exécuté ignominieusement en place de Grève. L'adolescent gringalet, âgé à peine de vingt ans, ne savait pas qu'il deviendrait dans quelques années le plus grand général de Louis XIV[1] après, justement, le Grand Condé, son protecteur.

Les *petits maîtres*, c'étaient aussi le duc de Nemours Charles-Amédée de Savoie, déjà amant de la duchesse de Châtillon, Gaspard de Coligny, le duc de Châtillon, précédemment marquis d'Andelot et dernier des Coligny depuis la mort de son frère tué en duel par le duc de Guise sur la place Royale, et, bien sûr, Amaury de Goyon, marquis de La Moussaie, aide de camp du prince et, pour les mauvaises langues, son amant. Car Condé affichait une liberté de mœurs sans contrainte suggérant même parfois être l'amant de sa propre sœur.

Un peu à l'écart des *petits maîtres*, mélancolique comme toujours, se tenait le prince de Marcillac, duc de la Rochefoucauld, amoureux discret de la sœur de Condé et, pour l'instant, surtout préoccupé par la demande qu'avait faite son épouse de disposer d'un tabouret près du siège de la régente, demande qui avait été rejetée par Mazarin.

Tous les *petits maîtres* exhibaient les vêtements les plus riches et les plus élégants. Certains arboraient des pourpoints en fines peaux de chamois, d'autres en velours brodé d'or, mais tous avec des découpes extravagantes par où sortaient des morceaux de chemise en soie blanche au col de dentelle et poignets toujours noués de galans entrelacés de fils d'argent.

Les jambes étaient couvertes de bas de soie ou de chausses multicolores masqués par de hautes bottes en cuir de Russie. De tous ces effets jaillissaient des tresses et des broderies d'or. Ces ouvrages de passe-

---

1. Le maréchal de Luxembourg.

menterie servaient d'écrins à de minuscules diamants admirablement sertis et d'un prix incroyable.

Évidemment, les chevelures magnifiquement bouclées qui entouraient leurs visages pleins de morgue étaient coiffées de chapeaux de castor rehaussés de plumes éclatantes.

Fronsac, en simple pourpoint de velours noir, s'approcha donc avec réticence du prince et de ses amis. Heureusement, d'autres invités de la marquise de Rambouillet, tels le banquier Tallemant des Réaux et le poète Vincent Voiture, le rejoignirent car ils étaient fort curieux de savoir ce que Louis de Bourbon voulait au marquis de Vivonne.

— Allons marquis, reprit Condé avec un terrifiant rictus qu'il voulait amical et qui accentuait encore sa terrible laideur. Racontez-nous donc une de vos enquêtes ! Mais une affaire terrible, pleine de sang et de luxure. C'est ce qu'il nous faut pour nous égayer ce soir !

Tous éclatèrent de rires effrayants. Louis connaissait bien les amis du prince. Coquets, parfumés et délicats, c'était leur apparence dans les salons. Mais durant les batailles, ils constituaient la *Cornette Blanche*, ces gentilshommes toujours premiers au combat, où ils se battaient avec une rare férocité. C'étaient des hommes redoutables qu'il fallait éviter de contrarier.

Louis sourit pour se donner une contenance, le temps de trouver un moyen de se tirer de ce mauvais pas car, ancien notaire, il avait pour principe de rester toujours muet sur ses pratiques. Il cherchait aussi à éviter de ne pas trop attacher son regard sur le hideux visage du prince ; une figure toute en longueur, sans menton, avec un monstrueux nez crochu et des dents plantées dans le désordre le plus total.

— Monsieur le prince, louvoya-t-il, vous savez bien que je ne raconte jamais le cours de mes investigations tant elles sont ternes et ennuyeuses. Mes affaires n'intéresseraient personne.

— Je ne vous crois pas, Fronsac ! affirma Condé du ton de celui qui en sait plus qu'il ne veut le dire. Mais je sais bien, hélas, qu'il est impossible de vous faire parler même sous les brodequins. Pourtant, si un jour vous écrivez vos mémoires, je veux être le premier à les lire. J'aimerais bien en savoir plus sur la *Belle Gueuse* ou sur quelques autres de ces bougresses que vous avez approchées ! Dites-nous au moins si vous êtes en ce moment sur quelque affaire sordide ou monstrueuse.

— Non, monseigneur. Je ne m'intéresse à aucune affaire, répondit Louis en éludant les allusions du prince.

— Expliquez-nous alors comment vous vous y prenez, demanda Gaspard de Coligny, en se cambrant dans son justaucorps de brocart. Tout le monde sait que vous n'avez que des succès dans vos recherches. Quel est donc votre secret ? Seriez-vous sorcier ? Auriez-vous signé quelque pacte diabolique ?

De nouveau, tous s'esclaffèrent bruyamment. Louis hésita à répondre. Un pacte diabolique, même inexistant, pouvait si facilement vous conduire au bûcher ! Finalement, il secoua négativement la tête.

— Vous serez déçu de l'apprendre, monsieur le duc, mais il n'y a ni secret ni pacte diabolique. Je me renseigne auprès de magistrats, de notaires, ou d'autres officiers. J'écoute et j'observe, ensuite, par une déduction qui me vient naturellement à l'esprit, je relie tous les faits dont j'ai pris connaissance. Je construis à partir de ce raisonnement d'autres déductions et l'ensemble s'agence jusqu'à la mise en évidence naturelle de la vérité.

Louis Fronsac exerçait en effet une singulière profession. Avant d'accéder à la noblesse, il était notaire dans l'étude de son père, où il obtenait de francs succès dans les enquêtes sur les affaires difficiles ou délicates, principalement celles concernant les filiations. Il était en effet doté de ce que son ami Blaise Pascal appelait *l'esprit de géométrie*, c'est-à-dire la capacité de relier de ténébreuses prémisses pour les assembler en de claires évidences. Ce don inexplicable lui était aussi très utile dans les affaires judiciaires parfois fort embrouillées qui arrivaient à l'étude.

Cinq ans plus tôt, il avait été mêlé, bien malgré lui, à la triple conspiration qui avait émaillé les années 1641 et 1642 : celle du duc de Vendôme, ensuite celle du comte de Soissons et enfin celle du favori du roi, M. de Cinq-Mars. À cette occasion, il avait, par le plus grand des hasards, rencontré et aidé le cardinal Giulio Mazarini, à l'époque homme de confiance de Richelieu.

Le comportement de Louis avait satisfait le roi après que Mazarin lui eut décrit le rôle que le jeune notaire y avait joué. En remerciement, Louis le Juste lui avait octroyé une lettre de noblesse et une terre – sans valeur car à l'abandon depuis cent cinquante ans –, la seigneurie de Mercy. Par ce don, Louis n'était pas devenu noble *au premier degré* comme ces magistrats qui achetaient une charge ou un office. Bien au contraire, il était entré dans la noblesse en tant que che-

valier de Saint-Michel, honoré par le roi lui-même et il
était respecté pour cela.

Noble, Louis avait pu épouser Julie de Vivonne,
la nièce sans dot de la marquise de Rambouillet, fille
d'un frère ruiné de la marquise. Mais tous deux seraient
restés fort pauvres si une seconde fois il n'était venu
en aide au cardinal, entre-temps devenu président du
conseil de régence, et s'il ne lui avait sauvé la vie lors
de la tentative d'assassinat dirigée contre lui par le duc
de Beaufort, le fils du bâtard de Vendôme, durant ce
que La Rochefoucauld avait appelé *la cabale des Importants*. Une fois encore, Mazarin, qui n'était pas toujours
ingrat quoi qu'on en dise à la Cour, avait assuré Louis de
sa bienveillance et l'avait aidé, en particulier à remettre
en état la terre de Mercy, sa seigneurie en ruine[1].

Pourtant, les relations entre le chevalier, devenu
marquis après son mariage – la terre de Vivonne ayant
été érigée en marquisat – et le ministre s'étaient dis-
tendues, d'autant que Louis avait refusé une charge
d'officier dans la maison du cardinal. Or, comme sa
terre rapportait insuffisamment pour tenir un rang à
la Cour, il avait décidé, sur les conseils de Condé, à
l'époque duc d'Enghien, de vivre de ses talents d'enquêteur. C'est ainsi que, deux ou trois fois par an, des
gentilshommes, des financiers ou des magistrats lui
proposaient de résoudre des problèmes familiaux ou
commerciaux. Louis demandait généralement mille à
deux mille livres par mois de travail, et les cinq mille
livres environ que lui rapportait cette activité complétaient agréablement les huit à dix mille livres que

---

1. Voir *Le Mystère de la Chambre Bleue* et *La Conjuration des
Importants*, même éditeur.

rendait la terre de Mercy. Sans être riches, lui et son épouse pouvaient paraître à la Cour et tenir leur rang en toute indépendance.

Fronsac, un peu contraint, donnait donc quelques détails sur sa profession et sa pratique quand il vit s'approcher la marquise de Rambouillet portant un air sérieux et mélancolique tout à fait inhabituel sur son beau visage.

Catherine de Vivonne-Savelli, marquise de Rambouillet, était à cinquante-neuf ans et malgré les malheurs qui l'avaient frappée – chacun se souvient de la mort de son fils – toujours aussi gracieuse et resplendissante que dans sa prime jeunesse. Son amie, Mlle de Scudéry, n'avait-elle pas dit d'elle qu'elle mélangeait la beauté des déesses antiques tout en étant moins fière que Pallas, plus charmante que Junon, plus modeste que Vénus et moins sauvage que Diane ?

Petite-fille du prince Savelli et fille d'un ambassadeur de France à Rome, elle avait épousé très jeune le marquis de Rambouillet, qui l'avait ramenée en France. Élevée dans la délicatesse italienne, Catherine avait découvert à Paris une Cour de soudards autour d'un roi paillard, dont l'une des plaisanteries favorites était de vider les aiguières de vin dans les décolletés des dames.

Elle avait alors décidé de quitter cette Cour où *une drachme d'effronterie valait mieux que cent livres d'esprit* et, pour recevoir ses amis, elle avait fait construire – sur ses plans – cet hôtel où ses invités se trouvaient réunis ce soir. Situé dans la rue Saint-Thomas-du-Louvre, on l'appelait *le palais de la Magicienne*. Là, depuis quarante ans, elle réunissait la *Cour de la Cour* – c'est-à-dire ceux qui comptaient en France,

soit par la naissance, soit par le talent, soit par la vertu –
dans la Chambre Bleue, un grand salon du deuxième
étage aux poutres peintes et décoré de tentures de cette
couleur.

Ce soir-là, la marquise était vêtue d'une robe de
soie bleue et blanche avec des boutons d'or et portait
un petit collet en dentelle. Ses cheveux bruns étaient
rassemblés en épaisses boucles sur ses épaules. Elle
s'adressa aimablement à Condé, qu'elle aimait bien,
malgré ses défauts, et aussi parce qu'il était le fils de sa
meilleure amie.

— Monsieur le prince, me pardonnerez-vous si je
vous emprunte M. Fronsac un instant ?

Condé lui répondit par une profonde révérence
d'accord accompagnée d'un sourire enjôleur. Mme de
Rambouillet était toujours restée à l'écart des cabales
et des petites – ou grandes – intrigues de la Cour. Sa
beauté, son intelligence, sa générosité, sa modestie et
sa sagesse forçaient l'admiration et l'amour de tous.
Ces qualités si peu courantes à la Cour faisaient que ce
prince cynique et insolent vénérait la marquise comme
sa propre mère.

Fronsac et Catherine de Vivonne-Savelli s'éloignèrent donc des *petits maîtres* tandis que la marquise
soufflait à Louis, dans son oreille :

— Un ami cher souhaite vous rencontrer ce soir,
mon fils, mais sans témoin…

Évitant les tables couvertes de nourriture et les
groupes qui faisaient obstacle à leur avancée, ils traversèrent lentement et difficilement la Chambre Bleue,
obligés de saluer ici ou là. Louis dut ainsi s'incliner

devant le groupe d'écrivailleurs qui papillonnaient autour de Chapelain – l'un des fondateurs de l'Académie –, comme d'habitude vêtu de hardes et qui fit semblant de ne pas le reconnaître. Au côté de l'écrivain se tenaient l'abbé Ménage et l'élégant abbé de La Rivière, l'ami et le conseiller de Monsieur. Plus loin, Louis dut encore s'arrêter un instant devant son ami Sébastien Bourdon, qui parlait de peinture avec sa consœur, membre de l'église réformée, Louise Moillon.

Enfin, juste avant de pénétrer dans le boudoir privé de la marquise, il s'inclina très bas devant Marie de Rabutin-Chantal, la si jeune et si charmante marquise de Sévigné, qui tenait conversation avec Madeleine de Scudéry et la spirituelle Anne Cornuel, grande admiratrice de Mazarin et une des plus piquantes railleuses de l'hôtel de Rambouillet.

Finalement, ils pénétrèrent dans le boudoir éclairé par un lustre de bougies. Un laquais qui les attendait referma soigneusement la porte derrière eux avant de les laisser seuls.

Là, Louis s'attarda un bref instant devant le grand miroir de Venise, corrigeant rapidement sa tenue. Qui donc allait-il ainsi mystérieusement rencontrer ? s'interrogeait-il avec curiosité. La glace resta silencieuse mais accepta de lui renvoyer l'image d'un homme de trente-cinq ans – il était né le 1er juillet 1613 – mince, d'une taille supérieure à la moyenne, avec des cheveux châtains longs jusqu'aux épaules et une fine moustache tombant jusqu'au bas du visage, qui encadrait des lèvres fines et un sourire ironique. Sur le menton, une minuscule touffe de poils cachait une fossette. Il était vêtu simplement d'une chemise de soie blanche et d'un pourpoint de velours noir fendu aux manches. Sa seule coquetterie consistait en de petits rubans de soie noire, qu'il portait soigneusement noués aux poignets par d'élégantes ganses, bien que la mode désormais fût aux galans multicolores.

Ceux qui se moquaient de ce raffinement désuet l'appelaient *l'homme aux rubans noirs*.

Son ami Sébastien Bourdon l'avait d'ailleurs peint sous ce nom. En s'examinant devant la glace, il rectifia quelque peu le nœud d'un des rubans. Entre-temps, la marquise, qui s'était dirigée vers le fond de la pièce, souleva une tenture et ouvrit une porte qui débouchait dans son oratoire.

— Marquis, déclara-t-elle, je vous laisse avec *Colmarduccio*…

Surpris, Louis dévisagea celui qui l'attendait dans l'oratoire, mal éclairé par un chandelier à deux branches. L'homme était masqué mais, reconnaissant le marquis de Vivonne, il baissa son domino de Capitan en cuir. *Colmarduccio* était le surnom que la marquise avait donné quelques années auparavant au nonce du pape à Paris : Giulio Mazarini. Depuis, l'Italien était devenu Premier ministre de France sous le nom francisé de Jules Mazarin.

L'homme que Fronsac admirait le plus, et à qui il avait déjà rendu de si nombreux services, le regardait, un sourire à la fois sardonique et affable sur son visage engageant.

— Alors, chevalier, heureux d'être enfin marquis ? demanda le ministre avec cet inimitable accent sicilien qu'il forçait volontairement pour paraître ce qu'il n'était pas et qui alimentait les sarcasmes de ses ennemis.

Fronsac le salua avec déférence.

— Grâce à vous, monseigneur. Grâce à vous…

Le titre de marquis lui venait de son épouse, mais un long combat judiciaire avait dû être mené pour son enregistrement au Parlement.

L'Italien l'observa de ses yeux vifs durant un moment tandis que le silence s'installait dans la pièce. Louis aussi examinait Mazarini, mais plus discrètement. Il n'avait guère changé depuis la dernière fois qu'il l'avait vu : le ministre avait dépassé la quarantaine, il gardait un visage avenant et encore très jeune malgré un large front bien dégarni et de nombreuses ridules autour de ses yeux noirs surmontés d'épais sourcils qui commençaient à grisonner. Une courte moustache et une barbe taillée en carré lui donnaient un air distingué. Pourtant, un je-ne-sais-quoi de perpétuellement sérieux et préoccupé gâchait cette physionomie bienveillante.

— Chevalier, j'ai besoin de vos capacités, lâcha brusquement, et comme à regret, Giulio Mazarini, en fronçant le front.

— Vous, monseigneur ? s'étonna Louis. Avec tous les moyens dont vous disposez ?

Mazarin eut un hochement de tête et son expression soucieuse s'accentua.

— Il s'agit d'une affaire personnelle et, pour tout dire, familiale, Fronsac. Une difficulté pour laquelle je ne peux faire confiance à personne. Même à mon loyal Le Tellier…

Le Tellier était ministre de la Guerre et un fidèle parmi les fidèles du ministre. Il s'occupait aussi des tâches de police, ayant été longtemps commissaire aux armées.

Mazarin attendit un instant, comme s'il hésitait encore à se confier.

— Cela concerne mon frère…

— L'archevêque d'Aix ?

Michel Mazarin, dominicain, était archevêque de la capitale de la Provence depuis deux ans.

— En effet. Il semble qu'il se soit compromis dans une étrange histoire qui peut m'éclabousser et même toucher la Couronne. Mais je ne suis sûr de rien. Accepteriez-vous de m'aider ?

— Évidemment, monseigneur, lui assura Louis. Mais vous connaissez sans doute mes conditions ?

Mazarin fronça le front et eut un imperceptible recul.

— Je sais que vous demandez jusqu'à deux mille livres par mois de travail, mais, rassurez-vous, il n'y aura pas de problème d'argent…

Le marquis sourit en secouant du chef, amusé que le Sicilien l'ait cru si cupide.

— Non, monseigneur, il ne s'agit pas de ça. Simplement j'avertis toujours mes clients que je recherche la vérité, quelle qu'elle soit. Et que s'il y a crime, je fais en sorte que les coupables soient poursuivis devant la justice du roi. Je n'étouffe jamais une affaire criminelle, même si je sais rester discret quand il s'agit de délits mineurs ou privés. Êtes-vous certain que ces conditions vous conviennent ?

— Cela ne me dérange pas, assura Mazarin en opinant. Mon frère est un homme foncièrement bon et, par-dessus tout, honnête… comme moi.

Il sourit, remua légèrement la tête de haut en bas pour ajouter :

— Je suis persuadé qu'on fait pression sur lui, qu'on le menace de quelque révélation fracassante et qu'il en est terrorisé.

— Racontez-moi ce que vous savez, proposa Louis, brusquement attentif.

Mazarin se dirigea vers un tableau de Valentin de Boulogne qui ornait l'oratoire et, les mains derrière le dos, fit semblant d'admirer Judith coupant sauvagement la tête d'Holopherne. Au bout d'un instant, il se retourna et reprit la parole :

— Il y a environ deux ans, Michel m'a demandé des lettres patentes pour l'autoriser à faire enclore, à l'intérieur de la ville d'Aix, des jardins et des prés appartenant à l'archevêché, et donc à déplacer les murailles et les lices de la ville. L'ensemble de la surface à construire s'appelait le clos d'Orbitelle. Il s'agissait d'une grosse opération immobilière puisque la superficie de la cité aurait ainsi été augmentée de plus d'un tiers. J'ai d'abord refusé ; l'archevêque d'Aix n'avait pas à devenir promoteur ou spéculateur, mais mon frère a tant et tant insisté que j'ai finalement donné mon accord. Et puis, voyez-vous, c'était aussi l'intérêt de la Couronne…

— Comment cela, monseigneur ?

— Nous manquons d'argent, Fronsac. L'État est en grande disette, expliqua Mazarin, les yeux froids et calculateurs. Ceci malgré tous les impôts nouveaux que nous affermons aux traitants.

Le ministre fit quelques pas en poursuivant :

— Nous avons augmenté la taille, nous avons majoré toutes sortes d'impôts, même celui du *trop-bu* pour ceux qui ne boivent pas assez. Nous avons créé une taxe sur les terrains à bâtir : *l'édit du Toisé*, ce qui a provoqué bien des troubles. Nous allons demander un octroi supplémentaire pour les marchandises entrant dans Paris[1], mais cela ne suffira pas tant les traitants nous volent et la guerre est coûteuse ! En vérité, ce qui rapporte le plus et qui provoque le moins de grogne reste la création et la vente de charges et d'offices. Aussi nous créons toutes sortes de charges inutiles : des offices de taxeurs de lettres, de contrôleurs des menus plaisirs, de jurés mouleurs, de crieurs de vin, de vendeurs de foin, et d'autres encore que j'ai oubliés. Nous vendons même les offices de ministre !

Il leva un bras au ciel pour montrer son exaspération. Ce n'était pas dans ses habitudes, aussi se calmat-il avant de poursuivre d'une voix douce agrémentée d'un sourire félin.

— Mais vous savez tout ça ! Ce que vous ignorez, peut-être, c'est que de toutes ces charges, les seules que l'on peut multiplier aisément et qui rapportent beaucoup à l'État lors de leur vente sont celles de magistrat. Ainsi, mais gardez-le pour vous, M. d'Emery, notre surintendant des Finances, envisage en ce moment de créer douze nouvelles charges de maître des requêtes, soit un gain de plus d'un million ! Or Aix est le siège du parlement de Provence. Si la ville s'étend, il y aura installation d'une chambre supplémentaire, peut-être de deux, avec une cinquantaine d'offices de conseillers et un ou deux postes de président, d'où une importante rentrée d'argent dont nous avons bien besoin. C'est pourquoi, sur la double insistance de mon frère et de Particelli d'Emery, j'ai finalement cédé…

---

1. Ce sera l'édit du Tarif.

À cette époque, les parlements rendaient la justice. Cours souveraines, ils se situaient au-dessus des bailliages et des présidiaux. Leurs magistrats étaient des conseillers siégeant dans des chambres dirigées par des présidents à mortier. Toutes ces charges étaient vénales, ce qui ne veut d'ailleurs pas dire que leurs possesseurs étaient incompétents, bien au contraire car les postulants devaient faire la preuve de leurs capacités devant des juristes.

Quoi qu'il en soit, un poste de conseiller coûtait cent mille livres à Paris et cinquante mille en province. En outre, les magistrats devaient reverser chaque année un impôt d'un soixantième de la valeur de leur charge pour être autorisés à la transmettre.

Seulement, les offices étant négociables, transmis par succession, et même parfois loués, ceux qui étaient déjà conseillers s'opposaient à l'arrivée de nouveaux magistrats. En effet, les juges ne touchaient qu'une maigre pension et donc se payaient essentiellement sur les procès. Or le nombre de procès n'étant pas extensible à l'infini, la valeur de leur office diminuait avec leur nombre.

La création de charges de conseiller n'avait cependant pas pour seul objectif d'augmenter les ressources de l'État, elle permettait aussi, par la dilution des offices, de limiter le rôle politique des parlements. En effet, dans le royaume, tous les *Pays d'États* disposaient d'un parlement et ceux-ci s'étaient progressivement attribué le droit d'enregistrer les décisions royales. Cet enregistrement visait à l'origine à vérifier la cohérence d'une loi ou d'un édit avec la jurisprudence existante, aussi tant qu'un texte n'était pas enregistré – c'est-à-dire inscrit dans un registre par les parlementaires – il n'était pas légal et ne pouvait faire autorité.

Cet enregistrement avait donné peu à peu un pouvoir politique aux parlements, qui se considéraient comme les représentants du peuple de France, même s'ils n'étaient pas élus.

Le roi pouvait cependant imposer ses décisions contre l'avis des parlementaires. À Paris, il lui suffisait de se déplacer au Palais de l'île de la Cité pour tenir un *lit de justice* en s'installant sur son trône et en ordonnant aux parlementaires d'obéir. En province, c'est le gouverneur qui pouvait passer outre de la même façon.

Revenons dans l'oratoire de la marquise de Rambouillet. Mazarin s'était arrêté de parler un bref instant, les yeux dans le vide, ruminant sur cette décision d'agrandissement de la ville d'Aix que, désormais, il regrettait.

— Et alors, monseigneur ? interrogea Louis.

L'ancien nonce du pape resta encore un instant plongé dans ses pensées, puis il reprit, en se déplaçant à longues enjambées dans la pièce :

— Quelques mois plus tard, mon frère a cédé ses droits pour une somme dérisoire – à peine au quart de leur valeur – à un prête-nom, lequel agissait en réalité pour le frère d'un banquier huguenot qui prête souvent à l'État, M. d'Hervart.

— Il devait avoir besoin d'argent pour faire de nouvelles affaires avec la surintendance des Finances, tenta d'expliquer Fronsac dans un sourire.

— Sûrement ! (Un rictus barra le visage du ministre durant quelques secondes.) Attendez donc la suite, Fronsac. Il y a deux semaines, je reçus un pli confidentiel du comte d'Alais, le gouverneur de Provence. Un de ses amis fidèles, Jacques Gaufridi, président de la Chambre des requêtes, s'était vu proposer, pour un ami à lui, une lettre de provision pour un office de conseiller. Cette lettre était signée de mon nom et portait mon sceau.

— Et c'était un faux ? s'enquit Louis, dubitatif tant il connaissait l'entourage du cardinal.

— Bien sûr que c'était un faux ! explosa le ministre. Mais un vrai faux, en quelque sorte, car le sceau de cire verte était véritable.

— Mais quelle explication… ?

Mazarin lui lança un regard acéré.

— Seul mon frère possède un sceau similaire. Et lui seul sait parfaitement reproduire ma signature ainsi que mon écriture.

— Et vous voulez donc que j'aille à Aix découvrir ce qui s'est passé ? Pourquoi votre frère a cédé ses droits et qui a signé cette lettre ?

— C'est cela, mais pas seulement. Il me faut aussi retrouver cette lettre. Ou d'autres, s'il y en a plusieurs.

— Pourrait-on vraiment utiliser de telles lettres de provision pour obtenir un office de conseiller ? s'étonna Louis, encore plus dubitatif. Les lettres patentes doivent non seulement décrire la charge mais aussi donner l'âge, le lieu de naissance et les fonctions exercées par le récipiendaire. La Chancellerie en conserve une copie. Il me paraît difficile d'en utiliser des faux.

— Vous avez raison. Mais la lettre proposée à Jacques Gaufridi était en partie vierge, donc elle pouvait être complétée. Et surtout, n'oubliez pas qu'elle porte ma signature. Quel choix aurais-je si elle était présentée au parlement et à la Chancellerie sinon celui de la reconnaître ! Pourrais-je renier ma signature et annoncer qu'il s'agit d'un faux ? Il y aurait enquête et mon frère serait entendu. Le scandale serait tel que je ne pourrais que quitter ma charge.

— En avez-vous parlé à votre frère ? Lui avez-vous écrit ?

— Non ! Il devra rester à l'écart. S'il était mêlé à cela, il pourrait, par inadvertance, avertir ceux qui ont manœuvré contre moi, dans l'ombre. Je veux les connaître, non pour me venger, vous savez que ce n'est pas dans mes mœurs, mais pour me les rallier, ou les empêcher provisoirement de nuire.

Le ministre se rapprocha de Louis et murmura :

— Vous n'ignorez pas qu'une agitation se développe en ce moment à Paris, que le peuple gronde contre ma politique. Le parlement observe ce qui se passe en Angleterre et ces robins qui ont acheté leur charge avec leurs beaux écus s'imaginent être les représentants des états généraux ! Les jeunes magistrats proposent même de réformer le royaume. Ils parlent – pourquoi pas ? – de rédiger une constitution pour la France et de l'imposer à Sa Majesté, ricana-t-il. Et puis, il y a les ennemis du roi que j'ai écrasés – avec votre aide[1] – lors de la cabale des Importants et qui relèvent à nouveau la tête. Parmi eux, la duchesse de Chevreuse continue à tisser sa toile, sans oublier le marquis de Fontrailles. Tous ceux qui agissent contre Sa Majesté se présentent désormais comme des *gens généreux* et les plus menteurs se vantent simplement d'être *habiles*. Pour le moment, votre ami le prince

---

1. Voir *La Conjuration des Importants*, même éditeur.

de Condé m'est encore fidèle, mais pour combien de temps ?

Le ton était cynique et désabusé.

— Et mon filleul, Louis Dieudonné[1], n'a que neuf ans !

Il s'arrêta et fixa Louis dans les yeux.

— Comprenez-moi, monsieur Fronsac. Ce n'est pas pour moi que je tremble. La guerre, qui dure depuis bientôt trente ans, touche à sa fin en Europe. Vous le savez, depuis quatre ans, nous préparons à Munster un traité qui va décider de l'avenir du monde[2]. Si nous l'emportons, et je ferai tout pour cela, la France aura grossi d'un cinquième et la paix sera assurée pour au moins cent ans. Les Français ont souffert de la guerre, de Richelieu, des impôts qui les pressurent au-delà de ce qui est tolérable. Ils me détestent, car je poursuis la même politique que mon maître, qu'ils surnommaient le *Grand Satrape*. Pourtant, c'est la seule possible pour ce pays. Encore un an ! Il faut me donner un an, chevalier !

» Sinon je risque de tout perdre ! Ou plutôt la France risque de tout perdre pour une sordide histoire de fausses lettres de provision dans une obscure ville de province ! Si quelque chose se trame à Aix, contre moi ou contre le roi, je veux le savoir. Car je veux pouvoir protéger ce pays. Voilà pourquoi je vous envoie là-bas.

Louis hocha la tête. Le ministre reprit sa marche à travers l'oratoire et Louis eut l'impression qu'il ne parlait que pour lui-même.

---

1. Louis XIV.
2. Ce sera le traité de Westphalie. Sur la préparation de ce traité, voir *La Conjecture de Fermat*, J.-C. Lattès.

— Ce n'est pas tout. Innocent X n'est pas le pape que j'aurais souhaité. Il le sait et cherche à me nuire. Cet ouvrage, *De la Fréquente Communion*, est un redoutable prétexte contre nous. L'avez-vous lu ?

Louis fit signe que oui.

— Il y a peu de cardinaux fidèles au roi dans ce pays. Tenez, pourrais-je compter sur un homme comme Gondi, qui le deviendra bien un jour ? Or un chapeau de cardinal est disponible. Je veux y placer un homme de confiance. Un homme à moi, qui votera pour le prochain pape que je choisirai. Mais il faut que ce cardinal soit sans tache.

— Votre frère… ?

— Vous avez deviné ? sourit le ministre. Oui, mon frère. Il ne doit donc en aucune façon être mêlé à ce que vous allez découvrir.

— Ce ne sera pas facile, murmura Louis.

— Oui et non, répondit Mazarin, cette fois d'un ton onctueux. D'abord, j'avertirai Alais de votre venue. Dans la mesure de ses moyens, il vous aidera. Vous aurez aussi une lettre d'introduction auprès de Jacques Gaufridi et surtout auprès de l'homme fort de la ville : M. de Forbin-Maynier, le baron d'Oppède. Ce dernier ne m'aime pas mais, lors des troubles qui ont eu lieu dans la ville, il y a quinze ans, il est demeuré fidèle au roi[1]. J'espère qu'il le restera.

— Bien, pourrais-je avoir l'aide de mon ami Gaston de Tilly ?

— Oui, j'y ai songé. Et plus encore, M. de Tilly, qui est maintenant procureur et qui fut longtemps commissaire, sera nommé, par commission, maître des

---

1. Voir *L'Exécuteur de la Haute Justice*, même éditeur.

requêtes et sera muni d'une lettre *pareatis*[1] signée par le roi, qui lui donnera tout pouvoir exécutoire et de contrôle sur l'action des tribunaux criminels.

— Ceci nous sera effectivement très utile, approuva Louis.

— Ce n'est pas tout. Vous-même serez en mission. Et voici votre ordre.

Louis prit le document que lui tendait le prélat. Il portait au dos un grand sceau de cire vert et rouge fixant une large soie de même couleur : le sceau royal. Il l'ouvrit et le lut :

Louis, par la grâce de Dieu, Roy de France,

Nous nommons par la présente le marquis de Vivonne, Louis Fronsac, lieutenant du roi. M. Fronsac aura les pouvoirs exceptionnels et extraordinaires d'un intendant de justice, avec un commandement absolu sur toutes les autorités civiles, militaires et judiciaires. Ce qu'il fera en Provence sera suivant mon plaisir et mon cousin Valois se chargera d'exécuter ses décisions.

À Paris, au mois d'avril, l'an de grâce 1647,
Louis

Intendant de justice ! C'était un ordre de mission qui faisait quasiment de lui un vice-roi. Il en fut étourdi. Mazarin reprit, observant son trouble.

— Dans la mesure du possible, essayez cependant de ne pas utiliser ce document. Une fois que vous

---

1. Lettre de la Chancellerie permettant de mettre à exécution dans le ressort d'un parlement un arrêt rendu dans un autre parlement et plus généralement pour faire exécuter une sentence hors de la juridiction où elle a été rendue.

serez découvert, mes ennemis deviendront invisibles. Et puis, cela vexerait certainement Alais. Êtes-vous décidé à m'aider ?

— Je le suis, monseigneur. Vous recevrez régulièrement un mémoire de mon activité que je vous ferai parvenir par l'intermédiaire de M. le gouverneur. À ce sujet, êtes-vous sûr de lui ?

Mazarin réfléchit un instant avant de répondre en balançant la tête :

— Alais est le petit-fils bâtard de Charles IX. C'est un Valois. Peut-on faire confiance à un bâtard royal, Valois qui plus est ? (Il eut une grimace.) Disons qu'il a toujours été fidèle jusqu'à présent. Mais vous savez qu'il est aussi très proche du prince de Condé[1]. Alors…

— Ce n'est pas pour me gêner. Louis de Bourbon m'a toujours témoigné de son amitié. J'accepte votre mission et je partirai après-demain…

Il s'arrêta, se souvenant brusquement de quelque chose.

— Monseigneur, vous avez utilisé les mots *clos d'Orbitelle* pour cette extension de la ville d'Aix, ceci a-t-il un rapport avec la ville d'Orbitelle en Toscane ?

Le regard de Mazarin devint sombre.

— En effet, rétorqua-t-il. Encore quelque chose qui me déplaît d'ailleurs. Vous savez que nos troupes ont été repoussées l'année dernière devant Orbitelle ?

---

1. Le connétable de Montmorency avait eu deux filles de deux lits différents, l'une avait épousé le prince de Condé, l'autre, Charlotte, le duc d'Angoulême, Charles de Valois, fils illégitime de Marie Touchet et de Charles IX. De cette union était né le comte d'Alais, Louis Emmanuel de Valois, gouverneur de Provence. Alais était donc, par sa mère, proche de la famille Condé.

Au même moment – c'était en août – mon frère avait décidé d'organiser une cérémonie symbolique pour impressionner les Aixois et les assurer de l'importance considérable pour eux de cet accroissement de leur ville. Il organisa donc un feu d'artifice devant ce qui devait devenir une nouvelle porte de la cité, en pleine campagne et à la limite envisagée du nouveau quartier. Malheureusement, une explosion eut lieu, tuant un habitant et provoquant une telle panique que tous les spectateurs s'enfuirent. Depuis, les habitants d'Aix considèrent que cette extension se fera de la même façon que la prise d'Orbitelle. C'est-à-dire jamais et ils ont nommé, par dérision, le nouveau quartier : d'Orbitelle.

Louis réprima un sourire, mais Mazarin ne fut pas dupe. De toute façon, le marquis de Vivonne savait que le ministre avait suffisamment d'esprit pour ne pas être vraiment fâché par cette anecdote. L'entretien était cependant terminé et l'Italien fit signe à son visiteur qu'il pouvait disposer. Louis sortit donc de l'oratoire après l'avoir salué et trouva dans le boudoir la marquise qui l'attendait en parlant avec M. Toussaint Rose, le secrétaire de Mazarin.

— Monseigneur m'a demandé de vous remettre ceci, fit ce dernier, et de me signer ce document.

Il lui tendit un sac de cuir. Le document était une décharge pour la somme de cinq mille livres en louis d'or.

Quand ce fut fait, Louis s'adressa à la marquise.

— Madame, pourrez-vous m'excuser auprès de vos invités ? Après ce que m'a dit Mgr Mazarin, j'ai besoin de réfléchir un peu. Je pensais gagner discrètement la chambre que vous avez mise à notre disposition. Pouvez-vous avertir Julie ?

— Oui, mon fils, répondit la marquise. À votre visage pensif, je crains que mon ami *Colmarduccio* ne cherche à vous entraîner dans une nouvelle aventure. J'ose espérer qu'elle ne sera pas dangereuse, ajouta-t-elle d'une voix grave.

Un voile passa sur son visage en pensant à son fils, le marquis de Pisany, qu'elle avait perdu pour toujours.

— N'ayez crainte, madame, c'est une affaire sans aucun risque. Juste une petite énigme à résoudre, on pourrait d'ailleurs l'appeler *l'énigme du clos Mazarin*.

La marquise sortit et Louis gagna sa chambre. Il y fut rejoint peu de temps après par Julie de Vivonne, à qui il ne cacha rien.

— Tu vas donc partir pour Aix ? C'est un long voyage. Laisse-moi t'accompagner…

— Non. Il peut y avoir du danger et ce serait inutile. Et puis il y a Marie et Pierre. Qui s'en occuperait ?

Marie, âgée de deux ans, et Pierre, de un an, étaient leurs enfants.

— Je n'aime vraiment pas ces enquêtes que tu fais, déclara-t-elle boudeuse.

— Tu sais pourtant que nous en avons besoin. D'abord, parce qu'elles nous font vivre, et ensuite parce que je savoure vraiment ces petits problèmes de logique. Mais sois tranquille, cette fois, je ne risquerai rien. Je serai avec Gaston. J'emmènerai aussi Bauer et Gaufredi avec moi. C'est l'affaire d'un mois ou deux. Je serai de retour pour les fenaisons à Mercy.

— Quand partiras-tu ?

— Demain, je verrai Gaston et, durant la journée, nous ferons les préparatifs nécessaires pour ce voyage. Demain soir, nous devons manger chez mes parents. Donc, nous ne partirons qu'après-demain, de ton côté, tu pourrais rentrer à Mercy aussi à ce moment-là. Je demanderai aux frères Bouvier et à Nicolas de rester avec toi. Je te promets que je ne serai pas long.

Elle hocha la tête malgré tout insatisfaite.

2

Du mercredi 17 avril au
mercredi 24 avril 1647

A l'aube, le carrosse de la marquise de Rambouillet conduisit Julie et Louis jusqu'à leur maison parisienne. Dès six heures, ils sortirent de la cour d'honneur de l'hôtel et remontèrent la rue Saint-Thomas-du-Louvre vers la rue Saint-Honoré. Ils arrivèrent sans encombre jusqu'au Palais-Royal, l'ancien Palais-Cardinal que la régente Anne d'Autriche avait rebaptisé ainsi depuis qu'elle et son fils l'occupaient. Plus exactement, elle, son fils et son ministre, puisque Mazarin habitait aussi le Palais, ce qui provoquait bien des médisances.

Le carrefour entre la rue Saint-Thomas-du-Louvre et la rue Saint-Honoré, face à l'entrée du Palais, formait une placette fermée par un bâtiment de corps de garde. Malgré l'heure matinale, il y régnait déjà une activité fébrile et un encombrement inextricable de voitures, de carrosses, de mules et de chevaux faisait obstacle à toute circulation. Une multitude de gardes françaises, de mousquetaires, d'hommes d'épée ou de gentilshommes entraient déjà dans le palais en se mélangeant à l'armée de magistrats, de commis, de religieux ou de prélats qui rejoignaient leur office. Chacun tentait de laisser sa voiture, son cheval ou sa mule dans la première cour bien trop petite pour une telle foultitude. Ceux qui ne trouveraient pas place devraient ensuite ressortir pour chercher une écurie, ce qui provoquerait encore plus d'encombrement.

De la fenêtre du carrosse, à cet instant quasiment à l'arrêt, Louis considérait les petits pavillons disparates qui constituaient la façade de ce palais que Richelieu avait érigé sur l'emplacement des anciens hôtels d'Angennes et de Mercœur.

En vérité, si Louis abandonnait son regard sur le palais, il ne s'y intéressait pas vraiment. Il restait préoccupé par son entrevue de la veille. Pourquoi l'archevêque d'Aix avait-il tant insisté auprès de son frère pour obtenir des droits d'extension de la ville d'Aix ? Surtout pour les revendre à bas prix. Concussion, menace de quelque sordide révélation ? Cela y ressemblait bien, mais pour cela, il fallait quelque forfait, ou au moins quelque faiblesse, or que pouvait-on reprocher à un homme dont tout le monde s'accordait à dire qu'il était bon, doux et charitable ? Et cette fameuse lettre de provision à un poste de conseiller, était-ce lui qui l'avait signée ? Si oui, la menace devait être effrayante pour qu'il en arrive à trahir son frère !

Au bout d'un moment, Louis cessa de s'interroger. Julie sommeillait à côté de lui et la voiture était toujours à l'arrêt. L'impatience le prit ; irrité, il descendit du véhicule.

Ce fut pour constater que beaucoup de ceux qui se rendaient au Palais, incapables d'avancer, abandonnaient sur place équipage, voiture et chevaux en garde à quelques valets. Ainsi, le flot grossissant de carrosses butait sur un bouchon de véhicules immobiles.

Louis se plaça au-devant des chevaux de son carrosse et, aidé par le cocher, guida le véhicule à la main. Enfin, après de longues et pénibles contorsions et force insultes, la voiture put se dégager de cet embarras infernal pour gagner la partie principale de la rue Saint-Honoré, la plus belle rue de Paris. Une voie pavée, lumineuse, presque propre et si différente des ruelles sombres, étroites, malsaines et malpropres du quartier des Halles qu'ils allaient devoir traverser.

Tout crotté, Louis reprit alors sa place près de son épouse.

Dans la rue Saint-Honoré, les boutiques commençaient à ouvrir. Les chapeliers, les étainiers, les gantiers, les savetiers et tant d'autres étaient en train d'installer leurs auvents extérieurs. Les échoppes mobiles des marchands de beignets, d'eau-de-vie ou de châtaignes étalaient déjà leurs tréteaux, alors que les écrivains publics disposaient leur matériel. Dans chaque saillie, sur chaque borne, à l'intérieur de chaque retrait, se glissait une petite activité de colporteur ou de marchand itinérant. Des forains déchargeaient, où ils le pouvaient, leurs charrettes de bimbeloterie, quincaillerie et autres colifichets. Dans quelque temps arriveraient les bateleurs et les comédiens, qui s'installeraient sur le premier espace vide restant et qui battraient du tambour de façon assourdissante pour annoncer un spectacle à deux sous.

Bientôt cette rue serait aussi entièrement bouchée. Louis fit presser la voiture pendant qu'il était encore temps.

Progressivement apparut aussi la multitude des gens de peu et des gens de rien. Le prolétariat des loqueteux, des indigents, des misérables. C'était la foule de ceux qui dormaient sous les porches des églises, des éclopés des guerres, des débardeurs et des crocheteurs qui n'avaient rien à vendre, sinon leur force. C'était aussi le cortège des mendiants et des voleurs, de ceux qui ne possédaient pas mais qui prenaient ce qu'ils désiraient. Bientôt, les véroleuses, les garces et les égyptiennes se montreraient à leur tour et les laquais inoccupés partiraient en quête de mauvais coups à faire.

Maintenant, la voiture avançait au pas. D'ici deux heures, rien ni personne ne pourrait circuler dans le centre de Paris.

Ils passèrent pourtant la rue des Lombards, puis celle de la Verrerie. Mais à partir de là, la rue fut encombrée par les carrioles et les chariots qui se rendaient aux marchés pour acheter ou pour vendre. Tous ces véhicules se gênaient, se heurtaient, s'arrêtaient, faisant un bruit infernal augmenté des cris et des insultes de leurs conducteurs. De nouveau, Louis dut descendre pour guider le cocher.

Puis, ce fut la rue Saint-Avoye[1] qui reliait la Seine au Marais en construction. Les charrettes de pierres, de tonneaux, de foin, de charbon, de briques et de bois, toutes déchargées des quais par les bateliers, y formaient une file ininterrompue. Pourtant, comme la chaussée était plus large et à peu près rectiligne, la circulation y fut plutôt aisée.

---

1. L'actuelle rue du Temple.

Enfin, ils tournèrent dans la rue des Blancs-Manteaux.

Ils étaient arrivés à leur modeste logis !

Les Fronsac, s'ils possédaient un vaste château dans leur seigneurie de Mercy, toute proche du domaine de Chantilly du prince de Condé, ne disposaient pas de revenus suffisants pour louer un appartement sur la place Royale.

Lorsqu'ils venaient à Paris, Louis et son épouse logeaient donc dans une petite maison de deux étages située dans une sombre impasse transversale à la rue des Blancs-Manteaux. Mais c'était une maison qui leur appartenait.

Longtemps, Louis avait occupé un médiocre logis au premier étage de cette bâtisse. Son logement faisait partie d'une succession litigieuse dont la chicane durait depuis dix ans et son père, notaire de la succession, lui avait alors demandé de l'occuper pour éviter que des truands ne s'y installent comme ils l'avaient souvent fait dans la rue voisine des Francs-Bourgeois.

À l'époque où Louis était célibataire, un savetier logeait au rez-de-chaussée et un contrôleur des entrées du vin au second étage. Quand il s'était marié et était parti habiter à Mercy, le logement avait été abandonné. Et puis, un jour, quelque magistrat avait enfin réglé la succession, non sans avoir auparavant ruiné les parties adverses. Curieusement, au même moment, le contrôleur des entrées du vin avait quitté Paris pour la Bretagne. Le père de Louis avait alors saisi l'opportunité d'acheter la maison pour deux mille livres, le savetier acceptant, contre une faible indemnité, de vider les lieux. C'était un prix inespéré et le notaire avait fait l'affaire pour son fils.

Depuis, Louis avait aménagé la demeure pour pouvoir loger sa famille et ses domestiques. Au rez-de-chaussée, le commerce avait été transformé en écurie pour deux chevaux et un petit carrosse. Un étroit escalier desservait ensuite les deux niveaux supérieurs. Certes, les étages étaient exigus mais c'était le lot des Parisiens, condamnés à vivre au froid, à l'étroit et sans eau ni hygiène.

À chacun des deux étages, on pénétrait dans une pièce principale disposant, à main droite, d'une cheminée et d'un bûcher qui se dressaient sur le même côté que la porte d'entrée. En face de cette porte, une seconde ouvrait sur une chambre minuscule, toute en longueur. Sur le même mur que la cheminée, mais à l'opposé de la porte d'entrée, une troisième ouverture donnait sur un médiocre bouge sans lumière.

Julie avait réparti les pièces ainsi : la chambre du logement du premier étage était occupée par un couple de serviteurs venu de Mercy ; les deux villageois assurant à demeure l'entretien de la maison. Le sombre galetas était la pièce de Bauer, dont nous allons parler, et la salle principale, meublée d'une table, de huit chaises, d'une grande armoire en noyer à deux battants surmontée d'un profond tiroir et d'un coffre cerclé d'acier servait tout à la fois de salon, de cabinet de travail, de cuisine et de lieu à manger.

Le second étage constituait l'appartement privatif des Fronsac. La chambre leur était réservée alors que la grande pièce servait de dortoir à leurs deux enfants, Marie et Pierre. Quant au galetas, c'était le logement de la femme de chambre et de la nourrice, qui dormaient ensemble.

Enfin, il y avait un petit grenier où vivait Gaufredi, l'ami et le garde du corps de Louis, ainsi que Nicolas, son secrétaire et cocher occasionnel.

Le carrosse les laissa devant l'impasse avant de retourner à l'hôtel de Rambouillet. Ils traversèrent rapidement la ruelle et ouvrirent la porte extérieure de chêne clouté. Là, dans le noir, ils grimpèrent rapidement au premier étage. Julie y laissa son époux pour monter retrouver ses enfants au niveau supérieur.

Quand Louis pénétra dans le logement de service, Bauer et Gaufredi, assis sur des tabourets, jouaient aux dés. Bauer était un homme d'une taille tout à fait monstrueuse. D'origine bavaroise, il avait été longtemps l'aide de camp et le camarade du marquis de Pisany. À la mort du fils de la marquise de Rambouillet, il avait refusé de rejoindre la maison de Condé pour rester au service de Louis Fronsac, qu'il appréciait plus que Louis de Bourbon.

Taciturne, loyal et indifférent à tout sauf, dans l'ordre, à la famille Fronsac, à s'alimenter, et à se battre, le géant, maintenant garde du corps, était devenu indispensable au marquis de Vivonne pour ses enquêtes dangereuses tant l'Allemand provoquait le respect et la crainte.

Car Bauer ne se déplaçait jamais sans un espadon, cette longue épée à deux mains des lansquenets suisses, ainsi qu'un canon à feu, une arme terrible où quatre gueules d'acier tournantes pouvaient tirer à tour de rôle de la grenaille. Il transportait en outre toujours sur lui toute une boutique de ferblantier et d'armurier : principalement coutelas, épée et pistolets.

Gaufredi, lui, était au service de Louis depuis cinq ans. Ancien reître de cette guerre que l'on a dite de Trente ans et qui n'était pas encore terminée, il avait dépassé la soixantaine mais il était encore solide, résistant et dangereux. Il ressemblait tout à fait au capitan du théâtre italien tel que les bateleurs le présentaient dans les rues ou sur le Pont-Neuf. Toujours couvert d'un pourpoint de buffle rapiécé qui avait connu plus d'un combat, d'un manteau écarlate qui lui tombait aux chevilles, il était généralement coiffé d'un feutre ramolli et informe qui descendait jusqu'à ses épaules. Chaussé de bottes usées par les ans qui montaient jusqu'aux cuisses, il avait pour habitude de faire sonner des éperons de cuivre toujours étincelants. Une longue rapière à l'espagnole et à manche de cuivre complétait une silhouette que Jacques Calot aurait raffolé dessiner. Avec sa moustache en croc, son visage rouge brique parsemé d'un mélange de rides et de cicatrices, il était réellement effrayant à voir. D'où venait-il avant de rencontrer Fronsac ? Qu'avait-il fait dans sa vie ? Où était-il né ? Avait-il de la famille ? Louis l'ignorait.

— Mes amis, nous partons demain, leur lança-t-il en entrant dans la pièce.

— Parfait ! approuva simplement Gaufredi. Où donc ?

— À Aix, en Provence.

Il n'échappa pas à Louis, qui était fort observateur, nous l'avons dit, que le visage de Gaufredi s'affaissait légèrement.

— Nous voyagerons comment ? questionna Bauer avec un terrible accent bavarois.

Louis s'assit à côté d'eux.

— Je pensais acheter un petit carrosse à deux places que Gaufredi conduirait. Deux chevaux devraient être suffisants avec une ou deux bêtes de bât et de remplacement. Gaston de Tilly nous accompagnera. Pouvez-vous vous occuper de tout ? Voici de l'argent – il jeta la bourse de Mazarin –, dépensez ce qui est nécessaire et rangez le reste dans le coffre de l'étage. Surtout, je vous charge de vérifier et d'acheter les armes indispensables pour un voyage certainement dangereux. Soyez cependant raisonnables ! Nous partirons demain matin de la maison de mes parents, où nous dormirons tous la nuit prochaine. Ensuite, mon épouse rentrera à Mercy dans notre carrosse, accompagnée par les frères Bouvier et Nicolas. Pour notre part, nous serons de retour de Provence probablement dans moins de deux mois.

Les deux reîtres n'avaient pas de question et Louis savait qu'il pouvait leur faire confiance. Il rejoignit donc Julie à l'étage supérieur. Elle était en grande explication avec Germain Gaultier et sa sœur Marie, qui gardaient la maison, ainsi que la femme de chambre, leur annonçant son départ prochain pour Mercy. Les enfants dormaient dans leur chambre. Elle s'interrompit en apercevant son époux.

— Louis, peux-tu me porter la brosse qui se trouve dans la chambre ? Marie va me coiffer dès que j'aurai terminé.

Regardant son époux s'y rendre, elle continua de donner ses instructions. Les deux gardiens écoutaient avec attention, un peu désemparés par ce départ si soudain qui allait les laisser seuls. Lorsque leurs maîtres étaient là, l'entretien de la maison était une lourde tâche, même s'ils se faisaient aider par deux servantes de la *Grande Nonnain qui ferre l'Oie*, l'auberge située un peu plus bas dans la rue. Il fallait l'alimenter en eau fraîche, transportée dans des cruches que l'on remplissait – après une longue attente – aux rares fontaines où elle était potable ; Julie refusant l'eau de la Seine distribuée par les porteurs d'eau, car trop de charognes et d'immondices étaient jetées dans le fleuve. Les domestiques devaient aussi faire vider la fosse d'aisance creusée dans l'impasse l'année précédente et qui évitait de jeter les eaux usées par les fenêtres, porter les chemises à laver aux lavandières de Chaillot, décrotter les souliers, ravitailler la maisonnée tous les mercredis et samedis aux Grandes Halles ou au marché du cimetière Saint-Jean, derrière l'Hôtel de Ville, et en ramener de lourds paniers de provisions. Enfin, ils avaient quotidiennement à nettoyer la maison et à préparer les repas.

Le départ de leurs maîtres ne les laisserait pourtant guère inoccupés puisqu'ils devraient en profiter pour cirer, frotter et remettre à neuf le logement.

Pendant ce temps, Louis entrait dans la chambre où dormaient ses enfants. Ils étaient tous deux dans leur grand lit à rideaux sur un matelas de plumes. Il ne les réveilla pas et choisit une brosse sur la petite table supportant quelques boîtes à peignes, boutons et rubans. Le reste de la pièce, dont les murs étaient simplement blanchis, était vide mis à part un coffre et deux escabeaux.

Il sortit en silence, glissant aisément sur le plancher de bois de chêne usé mais joliment ciré et parfaitement assorti avec le plafond, lui aussi en chêne. Il donna alors la brosse à Julie, puis il s'approcha d'une fenêtre pour regarder un instant le spectacle – toujours passionnant et renouvelé – de la rue.

Quand Julie eut terminé de donner ses consignes, Louis et elle convinrent qu'elle partirait dès le lendemain avec les enfants et la femme de chambre à Mercy, mais qu'elle reviendrait à Paris deux semaines plus tard pour passer quelques jours avec les parents de Louis, puis avec la marquise de Rambouillet, sa tante.

Louis lui proposa ensuite :

— Je vais maintenant informer mes parents de tous ces déplacements, ensuite je me rendrai au Grand-Châtelet rencontrer Gaston. Je reviendrai avant midi. Nous mangerons ensemble, puis nous irons chez mes parents, avec les enfants, retrouver Gaufredi et Bauer, qui s'occupent des préparatifs du départ. Nous resterons ainsi ensemble tout l'après-midi. Et n'oublie pas que ce soir nous soupons avec mon parrain.

Il l'embrassa tendrement, vérifia que ses rubans étaient bien noués sur ses poignets, prit son manteau de velours et sortit.

En bas, il restait un cheval dans l'écurie, qu'il sella et monta. Il aurait pu se rendre à pied chez ses parents, rue des Quatre-Fils, c'était d'ailleurs le moyen le plus rapide. Mais il savait qu'il recevrait alors tout au long du trajet des éclaboussures de cette boue infecte et puante qui couvrait le sol et que déplaçaient perpétuellement les chevaux, les mules, les ânes et les roues des chariots.

En outre, à pied, on heurtait parfois les enseignes placées trop bas pour les passants et on recevait quelquefois les seaux d'eau gâtée jetés par les fenêtres (encore qu'à cheval on ne pouvait les éviter que si on veillait à rester au milieu des rues). Et lorsqu'on parle d'eau gâtée, chacun comprendra qu'il ne s'agissait nullement d'eau sale, mais du contenu des pots de chambre de la nuit, en général bien pleins.

Sortant de la rue des Blancs-Manteaux, Louis prit la rue du Chaume et passa devant les deux tourelles gothiques de l'hôtel de Guise. Au bout de quelques minutes, il arriva rue des Quatre-Fils, où se trouvaient l'étude et l'habitation de Pierre Fronsac, son père.

C'était l'une des plus importantes études notariales de Paris et le bâtiment qu'elle occupait, une ancienne ferme fortifiée, datait de l'époque où le Marais n'était que des enclos dépendant du Temple.

Plusieurs familles vivaient dans ce vétuste bâtiment. En premier lieu bien sûr, Pierre Fronsac, le père de Louis, ainsi que son épouse et leur second fils, Denis, qui succéderait à son père. Il y avait ensuite le premier clerc, Jean Bailleul, puis l'intendant, Jean Richepin, qui dirigeait les domestiques. Logeaient aussi dans l'étude Antoine Mallet, le concierge, ainsi que sa femme, qui régnait sur les cuisines et les deux servantes. Enfin, on y trouvait Jacques Bouvier et son épouse. Par contre, le frère de ce dernier, Guillaume, habitait avec son épouse Antoinette, qui aidait aussi à l'entretien de la grande maison, deux minuscules pièces dans une bâtisse en torchis, un peu plus loin dans la rue.

Les Bouvier étaient d'anciens soldats et se ressemblaient singulièrement, même si Guillaume était barbu et si Jacques ne portait qu'une énorme moustache. Louis les aimait beaucoup car, tout jeune, ils lui avaient appris les rudiments de l'art de la guerre et surtout l'avaient entraîné et rendu particulièrement adroit au tir au pistolet. Le fils de Jacques, Nicolas était tout à la fois son secrétaire, son cocher et le garde du corps de Julie quand elle se déplaçait.

Nous l'avons dit, la maison était jadis une ancienne ferme fortifiée en pleine campagne, mais elle était maintenant serrée entre deux rues avec des maisons d'habitation de chaque côté. En façade, un mur d'enceinte fermait complètement la cour intérieure de l'habitation. Une fortification bien utile à une époque où chaque nuit des compagnies de truands attaquaient et pillaient les maisons mal défendues. Et une étude de notaire, avec ses papiers, et souvent ses valeurs, était une proie tentante. Surtout à Paris, la ville la moins sûre de France.

Louis pénétra dans la cour du bâtiment par la porte cochère ouverte dans la journée, mais toujours close dès le soir par un portail de chêne clouté. Le corps d'habitation qui s'étendait devant lui comprenait trois étages : en bas et à gauche se trouvaient cuisine, office, fruiterie, buanderie, écuries et resserre à foin. Le premier niveau était constitué de pièces en enfilade : une salle à manger, une bibliothèque, l'étude proprement dite, où travaillaient durement quatre employés d'écriture sous la direction du premier clerc Jean Bailleul, et enfin un grand cabinet, le bureau de M. Fronsac. Une partie du second étage était réservée aux appartements du notaire, de son épouse et de Denis, le jeune frère de Louis. Le reste, c'est-à-dire deux chambres, était attribué à Jean Bailleul et à la famille de l'intendant. Enfin, sous les combles du bâtiment – sorte de troisième étage bas de plafond, sans lumière et sans air – dans des galetas glacés l'hiver et brûlants l'été, logeaient les Bouvier, les Mallet et les autres domestiques. Ainsi, bien que la maison fût vaste, elle était occupée par tant de monde que chacun s'y trouvait à l'étroit.

Louis descendit de cheval et s'entretint un moment avec Guillaume Bouvier, qui nettoyait la cour. Il lui expliqua qu'il allait avoir besoin de lui le lendemain, qu'il allait revenir lui en parler, mais devait d'abord rencontrer son père. L'ancien soldat poussa un soupir de satisfaction. Repartir chevaucher sur les routes, épée et pistolets aux côtés, était pour lui le bonheur suprême.

Louis gagna le premier étage.

Pierre Fronsac se trouvait avec Jean Bailleul dans son bureau. Le notaire était grand, brun avec des mèches grises, et arborait cet air sévère et énergique qu'affectent les gens qui désirent dissimuler leurs préoccupations. Jean Bailleul, lui, était un petit homme quelconque, au visage lisse, à la figure banale, aux vêtements ternes, au maintien insignifiant. C'était aussi un excellent premier clerc.

Il faut dire que l'étude enregistrait plus de mille cinq cents actes par an. On y préparait des actes habituels comme les baux et les contrats – principalement de mariage –, les testaments ou les procurations, mais aussi des actes inhabituels, tels les traités de librairie et les droits des auteurs de théâtre.

En voyant son fils, Pierre Fronsac abandonna son expression volontaire et résolue et parut soulagé.

— Louis, nous avons un gros problème sur la rédaction d'un contrat pour M. Corneille, il n'y a que toi qui puisses nous aider.

Louis accepta de bonne grâce et régla rapidement la difficulté car il avait, pendant des années, préparé ce genre de documents.

Lorsque ce fut terminé et que Jean Bailleul fut sorti, il expliqua à son père la raison de sa venue et son prochain déplacement en Provence.

— Julie ne peut rester à Paris deux mois, expliqua-t-il, il faut qu'elle rentre à Mercy, car notre seigneurie ne doit pas rester sans maître, seulement je n'ai pas le temps de l'accompagner. Comme une escorte lui est nécessaire, je pensais t'emprunter les frères Bouvier. Armés jusqu'aux dents et avec Nicolas conduisant notre carrosse, elle ne risquera rien durant le voyage. Ils pourront être de retour à l'étude dans la soirée s'ils galopent tout l'après-midi et donc ils ne te feront pas trop défaut.

— Certainement, approuva Fronsac père. Et puis, tu sais que je me fais vieux. Je peux confier l'étude à ton frère et à Bailleul quelque temps, j'irai moi aussi, d'ici quelques jours, m'installer dans ton château de Mercy avec ta mère.

— Alors, ce sera parfait. De toute façon, je sais qu'elle est là-bas en sécurité. Nous avons suffisamment de solides gaillards qui gardent le château. Elle a prévu de revenir à Paris plus tard et vous pourrez alors faire le voyage ensemble.

Ainsi rassuré, Louis retourna dans la cour expliquer la situation aux deux anciens soldats, ravis de reprendre les armes, qu'ils allèrent aussitôt préparer. Il faut dire que le moindre voyage, même proche de Paris – Mercy n'était qu'à huit lieues de la capitale –, présentait un risque sérieux si on n'avait pas une solide escorte.

Un peu plus tard, Louis alla voir sa mère, qui préparait l'organisation du repas du soir avec l'intendant, et l'informa aussi de son départ. Tous ces points étant réglés, il reprit son cheval et se dirigea tranquillement vers le Grand-Châtelet.

Il commença par descendre la rue du Temple mais, constatant qu'elle était complètement obstruée par des voitures et des chariots, il obliqua à travers un lacis de ruelles bordées de lépreuses maisons de torchis dont le sol boueux était recouvert d'immondices. Essayant de rester le moins longtemps possible dans ces bourbiers où se serraient des masures affaissées et d'où débouchaient des passages immondes sans air ni lumière, il fit presser le pas à sa bête, surveillant malgré tout les miséreux qui se trouvaient là, beaucoup étant capables de tuer père et mère pour quelques sols.

Enfin, soulagé, il déboucha sur la place de Grève.

Après avoir traversé le théâtre des réjouissances populaires, habituellement dirigé par maître Guillaume, l'exécuteur de la haute justice de la prévôté de Paris, Louis prit une rue transversale qui conduisait à la Grande Boucherie. À partir de là, le sol boueux n'était pas noir, comme partout dans Paris, mais rouge de sang et l'odeur qui y régnait n'était pas celle habituelle des déjections mais plutôt le parfum plus écœurant des carcasses d'animaux couvertes de mouches suspendues sur les façades des bouchers.

Un peu plus loin, il déboucha enfin devant la vieille forteresse enserrée au milieu de maisons avachies en torchis et colombages.

Le Grand-Châtelet, citadelle construite par Charles le Chauve, barrait le passage vers la Cité. Devenue prison et tribunal, c'était là que siégeaient les lieutenants civil et criminel et que se tenaient la plupart des audiences de police. C'était là encore qu'étaient enfermés les prisonniers arrêtés en flagrant délit en attendant leur instruction et leur jugement. Compte tenu de sa vétusté, l'endroit, sombre et sale, était sinistre. La large et haute façade qui dominait les ruelles avoisinantes était constituée de pierres noires et flanquée de plusieurs tours rondes. Celle de gauche, la plus grande, avec une rambarde au sommet et un toit en pointe, abritait, à son deuxième niveau, un petit cabinet : le bureau de Gaston. À l'origine, c'était son bureau de commissaire, mais il avait pu le conserver en tant que procureur du roi, car personne n'avait envie de travailler dans cette tour obscure.

Il n'y avait pas de fenêtres en façade, si ce n'est quelques minuscules ouvertures – des sortes de meurtrières – au-dessus d'un porche obscur. Ce passage n'était qu'une profonde voûte qui traversait le bâtiment de part en part et conduisait à une petite ruelle, aujourd'hui disparue, la rue Saint-Leufroy, qui aboutissait aux restes d'un pont en bois détruit depuis que le nouveau pont au Change avait été ouvert.

Tout au long de ce passage voûté s'étalaient quelques échoppes exposant des marchandises putrides sur des tréteaux branlants. À main gauche, et à l'intérieur du porche, une grille et un guichet conduisaient aux prisons, alors qu'en face on entrait dans la vaste cour occidentale, où étaient abandonnés voitures et chevaux. De là, un grand escalier permettait d'accéder au bureau des huissiers et ensuite dans une antichambre étroite et toute en longueur. Des archers, des gardes et des geôliers l'occupaient, surveillant les diverses portes qui s'ouvraient dans la pièce. Certaines menaient aux prisons et aux cachots, d'autres aux cours de justice criminelle.

Ayant laissé son cheval dans la cour, Louis pénétra dans la prison-tribunal, traversa la salle de garde et se dirigea vers l'escalier qui grimpait aux étages. Il

était si connu dans ces lieux que les exempts le laissèrent passer sans l'arrêter.

Le premier étage était desservi par une galerie de
forme irrégulière d'où l'on accédait aux bureaux des
officiers et des magistrats, dont ceux des lieutenants
civil et criminel. Évidemment, l'endroit n'était pas
aussi agité que le Palais de Justice, avec ses boutiques,
ses avocats, ses clercs, ses huissiers qui circulaient en
tous sens ; il y avait toutefois beaucoup de monde, mais
principalement des sergents du guet, qui rappelaient à
chacun qu'on se trouvait dans un local de police.

Louis traversa complètement la galerie, saluant
rapidement telle ou telle personne qu'il connaissait,
puis prit la porte qui permettait de grimper dans la tour
d'angle. Il monta ainsi rapidement au deuxième étage
jusqu'au cabinet de Gaston.

Gaston et Louis s'étaient connus durant leurs
études au collège de Clermont, alors qu'ils n'avaient
que douze ans. La rude vie des pensionnaires les avait
rapprochés, car Gaston, orphelin et cadet de famille peu
fortuné, restait à l'écart des autres élèves aristocrates.
Durant huit ans, ils avaient travaillé ensemble de quatre
heures du matin jusqu'à huit heures du soir, avec pour
seule distraction une messe et de médiocres repas.

Gaston devait entrer dans l'état ecclésiastique,
mais, ses études finies, il avait refusé la robe et décidé
de s'engager dans un régiment puisque aucune autre
perspective sociale ne lui était ouverte. Ceci, en sachant
bien qu'à l'armée il n'aurait aucun avenir.

Louis voulut aider son ami et parla de lui à son
père.

Pierre Fronsac, très écouté des échevins, avait proposé à la municipalité l'emploi d'officiers de police

bons juristes à la fois pour mieux assurer la sécurité de la capitale, où les bandes organisées et les coupeurs de bourses faisaient des ravages, mais aussi pour poursuivre les criminels devant les juridictions compétentes.

C'est que si l'efficacité de la police s'était améliorée sous l'action énergique d'Isaac de Laffemas – *le bourreau de Richelieu* –, les commissaires de police se trouvaient souvent en conflit avec la milice urbaine et les archers du guet bourgeois, car les premiers dépendaient du Châtelet et les seconds de l'Hôtel de Ville.

Des officiers issus de la bourgeoisie, peu efficaces et souvent corrompus, commandaient la milice urbaine. Avec eux, pas une nuit ne se terminait sans que quelques maisons bourgeoises ne soient pillées et leurs habitants volés, violentés, égorgés par quelques-unes de ces bandes de truands qui étaient légion dans la capitale. Dans la journée, la situation n'était pas meilleure et, dans certaines rues trop sombres, détrousseurs et garces pullulaient pour rançonner les bourgeois distraits. Ne disait-on pas : *un passant distrait est un passant mort* ?

À cela s'ajoutait le caractère compliqué de l'institution judiciaire avec, à côté du Châtelet – cour présidiale –, les cours souveraines du Palais, mais aussi les tribunaux ecclésiastiques – sur le territoire des abbayes – ou les anciennes instances seigneuriales comme celles du Temple. Chaque juridiction possédant sa propre procédure et défendant bec et ongles ses privilèges en refusant tout empiétement d'une autre cour.

Gaston était d'abord devenu officier dans le guet bourgeois avant d'être proposé par les échevins de Paris pour une charge de commissaire enquêteur au Châtelet, où il avait été agréé par le lieutenant civil Isaac de Laffemas. Plus tard, Gaston était même devenu commissaire à poste fixe de Saint-Germain-l'Auxerrois, charge durant laquelle il avait obtenu de beaux succès.

Pourtant, il n'était plus policier. Plusieurs fois en conflit avec le lieutenant civil Antoine de Dreux d'Aubray, il avait finalement acheté une charge de procureur du roi. Désormais, il était plus particulièrement chargé par le garde des Sceaux d'harmoniser les jurisprudences criminelles et d'imposer par des arrêts et des ordonnances la suprématie de la justice royale.

En pénétrant dans son cabinet, Louis trouva son ami assis à sa table lisant un document à la lumière d'un bougeoir. Gaston était petit, large d'épaules et roux de cheveux. Son nez écrasé, aplati tel un groin, était maintenant enlaidi par une ridicule moustache rouge qu'il s'était laissé pousser depuis quelques semaines, arguant qu'elle le rendait distingué. Ainsi poilu, il faisait de plus en plus penser à un sanglier, dont il avait déjà le physique, le poil épais et le caractère.

En effet, Gaston de Tilly était combatif jusqu'à l'inconscience, obstiné jusqu'à la ténacité, brusque jusqu'à l'impolitesse. Il leva la tête en entendant Louis entrer.

— Ah ! Te voilà ! Je devinais bien que c'était à toi que je devais cet étrange ordre de mission que vient de m'apporter M. Dreux d'Aubray ! On m'envoie en Provence, m'a-t-il annoncé…

— Nous partons pour Aix, c'est exact. Mais t'a-t-il expliqué pourquoi ? fit Louis en posant son chapeau de castor.

— Non, il ne m'a rien dit. Nous ne sommes guère amis, tu le sais. Il ne m'a transmis qu'un ordre de mission, comme je viens de te le dire, ainsi qu'une lettre de commission me nommant maître des requêtes avec toute liberté de contrôle ou d'action sur les tribunaux criminels. J'ai été très impressionné : je n'avais jamais vu un tel document. Il m'a aussi remis deux cents livres pour mes frais et m'a annoncé qu'un envoyé du ministre viendrait me voir.

Louis alla à la porte, vérifia que le couloir était vide et la referma. Ensuite, il s'assit et raconta à Gaston ce qu'il savait et ce qu'ils devaient faire.

— Tout de même, pourquoi nous demande-t-il de nous rendre sur place ? remarqua le procureur d'un ton soupçonneux. Pourquoi le comte d'Alais n'a-t-il pas simplement fait arrêter celui qui a proposé cette étrange lettre à la vente ? Mis à la question préalable, le misérable aurait rapidement avoué.

— Je ne suis pas certain que Mazarin ait vraiment confiance en Alais. Et surtout, Mazarin a peur du scandale qui résulterait d'une telle méthode. Tu sais comme il préfère agir en douceur.

Gaston médita la réponse un moment.

— Bah ! Après tout, cela nous fera voyager. Mais l'affaire sera vite réglée. Ce que n'a pas fait Alais, nous le ferons. Vingt-quatre heures après notre arrivée, nous aurons les lettres, les noms des complices et le nettoyage pourra être fait.

Louis hocha la tête en vérifiant l'état de ses rubans.

— Je pense comme toi ; nous ne devrions pas être absents longtemps. Ce soir Boutier vient manger chez mes parents, nous comptons sur ta présence. Nous pen-

sions partir demain vers quatre heures du matin. Seras-
tu prêt ?

— Quelle question ! fit-il d'un ton désabusé en
haussant les épaules. Je vais rentrer chez moi, avertir
mes domestiques, préparer mes maigres bagages et
faire mes adieux à une dame que je chéris. Je suis un
homme libre, moi.

Louis savait que Gaston vivait seul, même s'il
avait une belle aubergiste comme maîtresse en titre.
Relativement riche depuis quelques années, il dépensait peu pour s'habiller ou pour parader. Ses seules
libéralités, il les consacrait aux cadeaux qu'il offrait
aux jeunes femmes qu'il fréquentait.

Durant une heure, ils mirent au point les dernières
dispositions du départ et, lorsque ce fut fait, Louis,
satisfait, rentra chez lui retrouver Julie et ses enfants.

Ils passèrent tous les quatre l'après-midi à l'étude
de M. Fronsac. Les enfants jouèrent dans la bibliothèque
avec leur grand-mère pendant que Louis et Julie exami-
nèrent les achats de Gaufredi et de Bauer qui étaient
rentrés. Ils avaient acheté pour deux cents livres une
petite voiture tendue de damas rouge, avec une glace de
Venise sur le devant et des portières elles aussi garnies
de glaces. Ils avaient aussi obtenu trois bons chevaux
de couleur baie pour trois cents livres. Deux chevaux
suffiraient pour tirer le véhicule, aussi le troisième cheval serait seulement utilisé en complément ou pour les
bagages. Quant à Bauer, il voyagerait avec sa monture
habituelle, une bête d'une taille double de la normale,
seule capable de supporter le poids de son maître.

Il fut convenu que Gaufredi, Louis et Gaston conduiraient à tour de rôle. Bauer escorterait la voiture où seulement deux personnes pouvaient prendre place. Derrière le véhicule, les chevaux de relais suivraient et porteraient les bagages qui n'auraient pu être rangés dans le coffre à l'arrière du carrosse.

Julie avait fait préparer par la femme de chambre un habit de rechange et un habit de cour pour son époux, ainsi qu'une dizaine de chemises et bon nombre de rubans noirs. Elle avait aussi placé dans ses bagages un chapeau supplémentaire et des souliers à boucles pour remplacer les bottes de voyage.

Louis, lui, avait seulement préparé ses armes. C'est-à-dire pas grand-chose : une dague ciselée, une brigandine – une chemise de mailles d'acier – que lui avait donnée Pisany quelques années auparavant, et enfin un pistolet à silex à deux coups fabriqué par Marin le Bourgeois et offert par son père. Louis avait depuis longtemps rejeté les trop fragiles platines à rouet au profit du nouveau mécanisme à silex autrement plus fiable.

Gaufredi et Bauer, eux, s'étaient équipés jus qu'aux dents. Épées à la brandebourgcoise en plus de leurs épées espagnoles, plus commodes dans les combats rapprochés, une dizaine de pistolets de toutes sortes, certains à double canon ou à trois coups, des modèles à silex, d'autres plus traditionnels à simple ou double rouet et même deux arquebuses courtes à serpentin. Ils avaient aussi choisi deux mousquets, quelques couteaux de chasse et enfin des cuirasses et des corselets. En outre, Bauer emportait son insépa-rable espadon ainsi que son canon à feu.

Gaston de Tilly arriva à cheval en fin d'après-midi, sa chevelure rouge en bataille sous un chapeau à pennaches, ses maigres bagages dans une sacoche râpée. Pour le voyage, il s'était équipé d'une épée de côté à l'espagnole, avec manche en or et argent, ainsi que d'un pistolet à silex à quatre canons tournants en acier damasquiné ; une arme vénitienne que Louis lui avait offerte deux ans plus tôt et qui lui avait permis de découvrir le secret honteux d'Antoine de Dreux d'Aubray[1]. Il avait aussi, accrochée à sa selle, une paire d'arquebuses à rouet incrustées d'ivoire qu'il tenait depuis la bataille de Rocroy.

Enfin ce fut l'arrivée de M. Boutier en carrosse. Boutier, procureur du roi, avait longtemps été le principal secrétaire du chancelier Séguier. Depuis un an, il travaillait avec Le Tellier, le ministre de la Guerre, et s'occupait plus particulièrement des dossiers de justice criminelle militaire. En vérité, il était aussi très proche de Mazarin. C'était un petit bonhomme rondouillard et presque chauve, sans âge, mais ayant sûrement dépassé soixante ans, toujours vêtu d'un simple costume noir – c'était une obligation pour les juristes – cependant agrémenté par de coquets parements en soie rouge et une doublure assortie.

Boutier descendit du carrosse lentement, faisant attention à ne pas salir ses souliers à boucles dorées. Louis lui tendit une main pour l'aider.

Le procureur embrassa affectueusement son filleul, puis Julie.

— Je vois que vous êtes prêt pour le départ, mon enfant.

---

1. Voir *L'Exécuteur de la Haute Justice*, même éditeur.

— Comment savez-vous que je pars ? interrogea Louis, surpris.

Boutier soupira.

— Croyez-vous que Mgr Mazarin puisse vous laisser voyager ainsi sans plus de renseignements ? Il m'a demandé de rassembler toute l'information possible sur Aix et sur les Aixois, et de vous en instruire. Allons donc dans le bureau de votre père. Je vais vous en apprendre de belles sur ces gens-là !

Ils rejoignirent M. Fronsac. Ils étaient maintenant cinq, tous assis sur des chaises à tapisserie ou sur des fauteuils droits. Il y avait Julie, Fronsac père et fils, Gaston et Boutier. Gaufredi et Bauer étaient absents car ils terminaient les derniers préparatifs. Jean Bailleul et Denis travaillaient dans la grande salle de l'étude avec les clercs.

La pièce était tristement éclairée par quelques lampes à huile de navette et deux chandelles de suif puantes. Nous l'avons dit, dans la vieille demeure fortifiée les fenêtres étaient rares et minuscules et c'était pire dans ce bureau où ils se distinguaient à peine.

— Vous savez, Louis, la tâche que vous a confiée le ministre ne sera pas facile, commença le procureur, à la fois placide mais aussi visiblement préoccupé. Ce que je sais sur les habitants d'Aix est quelque peu inquiétant.

Il marqua une pause de réflexion avant de reprendre, recherchant la meilleure introduction à ce qu'il allait raconter. Chacun attendait avec attention.

— Il faut vous dire que la Provence n'est rattachée à notre pays que depuis deux cents ans. Les Aixois ont très tôt possédé un parlement avec des droits et des privilèges. C'est un pays d'États[1] et ils tiennent beaucoup à leurs franchises et à leurs prérogatives. Ils tolèrent à peine leur gouverneur, qui représente pourtant le roi.

— Ce ne sont pas les seuls à disposer de droits particuliers, objecta Pierre Fronsac de son ton rude habituel.

— Certes, certes, convint l'ancien adjoint du chancelier Séguier, mais les Aixois se considèrent bien au-dessus des autres. Ils avaient un roi dans le passé, le dernier fut le roi René, dont ils ont conservé le palais comme parlement. Ils ont certes un gouverneur, mais ils n'ont jamais hésité à se rebeller contre lui quand ils l'ont jugé nécessaire.

— Expliquez-nous ça, demanda Louis avec un léger rictus d'incompréhension.

Boutier joignit l'extrémité de ses doigts et, d'un ton docte, commença :

— Prenons comme exemple les événements qui se sont déroulés il y a une vingtaine d'années. Je dois vous préciser, avant tout, que la cité d'Aix est enserrée dans de vétustes murailles moyenâgeuses et que c'est une ville particulièrement sale et sordide.

— Plus que Paris ? grinça Gaston.

Boutier se renfrogna.

— Beaucoup plus que Paris ! Cet état désastreux fut la cause, en 1629, d'une épidémie de peste particulièrement virulente. En quelques mois, la maladie décima douze mille habitants, soit les deux tiers de la ville ! Les parlementaires, terrorisés par le fléau, aban-

---

1. La France de l'Ancien Régime était divisée en pays d'États, qui s'administraient eux-mêmes avec les représentants des trois États de la province, et en pays d'élection qui dépendaient directement de la Couronne.

donnèrent donc leur capitale pour les villages environnants.

Boutier s'arrêta, mais voyant que chacun était suspendu à ses lèvres, il poursuivit rapidement :

— Certains s'installèrent à Pertuis, une petite localité proche, et d'autres à Salon-de-Crau, une autre ville minuscule. À Pertuis, s'était réfugié le président du parlement, Vincent-Anne de Forbin-Maynier, et à Salon, Laurent de Coriolis. Chacun avait constitué autour de lui un petit parlement de fidèles. Je dois auparavant vous dire quelques mots de ce Vincent-Anne de Forbin-Maynier. C'est l'arrière-petit-fils d'un autre président du parlement de Provence : Jean Maynier, baron d'Oppède. C'est celui-là qui avait dirigé, il y a cent ans, la répression contre les Vaudois. Il avait marché, à la tête d'une troupe d'Aixois, sur Mérindol et d'autres petits villages où vivaient ces hérétiques. L'expédition avait été une abominable boucherie dans laquelle trois mille hommes, femmes et enfants avaient été massacrés avec une telle férocité que le roi lui-même avait demandé des sanctions.

» Jean Maynier, surnommé le boucher de Mérindol, avait pourtant réussi par d'habiles manœuvres à être disculpé, non sans avoir dû abandonner son compagnon, l'avocat général Guérin, qui avait été pendu et dont la tête avait été exposée durant plusieurs jours sur un pieu de l'échafaud de la ville.

» J'ouvre ici une nouvelle petite digression. Les magistrats aixois sont de grands pourvoyeurs pour leur échafaud, lequel est construit en bonnes pierres de taille devant le palais comtal. Ils coupent les têtes, les membres, ils rouent, pendent, brûlent fort facilement, sans aucun scrupule ni hésitation. Mais, je continue…

» C'est à cette époque que Mgr le cardinal de Richelieu avait pris un édit limitant les privilèges de certains parlements de province, en particulier leur droit à voter l'impôt. Vous devez vous en souvenir, fit Boutier en s'adressant à M. Fronsac père, c'était *l'Édit des Élus*, qui a été la cause de grands malheurs en France… souvenez-vous de la révolte de Montmorency à cause de ce même édit ! Quoi qu'il en soit, les deux petits parlements, celui de Pertuis et celui de Salon, se combattirent sur *l'Édit des Élus*. Vincent-Anne de Forbin-Maynier resta fidèle au roi et au Cardinal, alors que M. de Coriolis et ses amis refusèrent d'appliquer l'édit.

» La peste terminée et le parlement bien affaibli, des troubles éclatèrent. Les opposants à l'édit emmenés par le sire de Châteauneuf s'attachèrent des grelots aux bras en signe de reconnaissance et se nommèrent les *cascaveoux*. Appuyés par Coriolis, ils jurèrent de lutter pour conserver leurs privilèges.

» Le gouverneur de Provence, M. de Guise, jugea alors prudent de se retirer. Le Cardinal envoya donc à Aix l'actuel lieutenant civil de Paris, M. Dreux d'Aubray, comme intendant de justice chargé de restaurer l'ordre. Ce pauvre M. d'Aubray fut malheureusement chassé de la ville, ainsi que M. de Forbin-Maynier par les *cascaveoux*.

Louis opina. Il connaissait vaguement l'histoire, l'ayant entendue de la bouche de Mme de Rohan alors qu'il cherchait à vérifier la filiation de son fils Tancrède.

— Ces derniers attaquèrent même le château du cousin de Forbin-Maynier, à la Barben, près d'Aix, et le pillèrent comme des barbaresques. La discorde devint une véritable guerre et tous les amis des Forbin durent quitter la ville, leurs maisons étant mises à sac.

» En fuite, mais non vaincus, les partisans de notre ministre se regroupèrent et choisirent un ruban bleu en signe de reconnaissance. Rubans bleus contre clochettes ! grinça le procureur du roi.

Louis retint difficilement un sourire.

— Tu as tort de te gausser, Louis, ce n'était pas drôle ! reprit sévèrement Boutier ayant noté l'expression ironique de son filleul. Les rubans bleus revinrent donc à Aix et les combats reprirent avec encore plus de violence. Le désordre menaçait de s'étendre à toute la Provence et Mgr Richelieu, alors en Italie avec le roi, envoya à Aix le prince de Condé, le père de notre jeune prince. Celui-ci arriva avec six mille hommes pour traiter la sédition par la force. Les factieux s'enfuirent dans une montagne proche que les Aixois nomment Sainte-Venturi. Finalement, et heureusement sans combattre, Condé entra dans la ville pour installer ses hommes devant le Palais Comtal. Il réussit à capturer quelques insurgés, qui furent rapidement et sommairement jugés. La plupart furent condamnés à mort ou aux galères.

Gaston opina à son tour. Lui aussi connaissait l'affaire, l'ayant entendu raconter par Antoine Dreux d'Aubray, alors intendant de justice en Provence. C'était d'ailleurs à cette occasion que Dreux d'Aubray avait rencontré le bourreau d'Aix[1].

— Coriolis put cependant s'enfuir en Espagne et fut condamné par contumace par les partisans de Forbin-Maynier. Sa maison fut détruite et ses biens confisqués. À quelque temps de là, il essaya de rentrer en France,

---

1. Voir *L'Exécuteur de la Haute Justice*, même éditeur.

mais il fut pris et emprisonné. Il mourut miséreux dans un cachot.

Boutier conclut :

— Et, depuis, le fils de Forbin-Maynier, Henri, règne en maître sur la ville.

— Quelle attitude a-t-il envers Mgr Mazarin ? s'enquit Louis.

Boutier fit une moue contrariée.

— Inutile de nier l'évidence : il pratique une hostilité attentive. Il n'est pas sans connaître les projets de notre ministre de créer de nouvelles charges de magistrat à Aix et il y est violemment opposé.

— Et ce Gaufridi, dont Mazarin m'a parlé ? Son nom ressemble étrangement à celui de mon compagnon Gaufredi.

— En effet, mais c'est un nom banal en Provence. Jacques Gaufridi est le président de la chambre des Requêtes. Vous savez qu'à Paris se trouvent huit chambres : la Grand'Chambre qui juge, deux chambres de Requêtes qui préparent les procès, et cinq chambres d'enquêtes. À Aix, il n'y eut longtemps que deux chambres, et aucune chambre des Requêtes. Cette dernière a été créée par Richelieu, justement après les troubles dont je vous ai parlé. Elle n'a jamais été totalement acceptée par les magistrats et, pour se maintenir, Gaufridi, son président, doit s'appuyer sur Louis de Valois, le comte d'Alais, l'actuel gouverneur de Provence. C'est vous dire que lui et Forbin-Maynier se détestent !

» Mais leur inimitié a des racines plus profondes : les Forbin forment l'une des plus anciennes souches nobles de Provence, alors que Gaufridi sort d'une famille non de magistrats ou d'aristocrates, mais de consuls, car la ville d'Aix est dirigée par trois consuls élus chaque année. Qui plus est, il est d'origine hugue-note, alors que Forbin hait les hérétiques comme son aïeul. Enfin, Gaufridi ne possède pas la richesse de Forbin-Maynier. Je vous le dis : tout les oppose.

Louis hocha la tête, quelque peu chagriné par ces renseignements. Ce fut Julie qui prit alors la parole, un plissement marqué sur son front, juste au-dessous de cette mignonne frange, la garcette, qui accompagnait la coiffure à bouffons qu'elle portait.

— Croyez-vous que Gaston et Louis risquent quelque danger en allant là-bas ?

— Je ne le pense pas, madame, la rassura le procureur, surtout s'ils sont prudents. Et puis j'ai ici quelques protections pour eux.

Boutier sortit de son pourpoint deux plis et les tendit à Louis.

— Ce sont des lettres de notre ministre. L'une est pour Forbin-Maynier, l'autre pour Jacques Gaufridi. Il leur demande de vous aider autant qu'ils le pourront. Cependant, ne soyez pas trop assuré par ces missives. N'oubliez pas que les gens que vous rencontrerez, s'ils se détestent, sont cependant prêts à s'allier contre vous pour défendre leurs droits et leurs privilèges. Et qu'ils n'ont peur de rien. Depuis des années, on ne compte plus dans cette ville les crimes impunis mettant en cause des notables. Enfin, vous aurez une autre difficulté : la plupart des habitants parlent leur dialecte, une langue latine, seules la noblesse et la magistrature s'expriment en français.

À ce moment, Mme Fronsac, en robe bleue de velours et large collet de dentelle brodée, vint les cher-cher pour passer à table. Ce fut Gaston qui conclut d'un ton mélancolique, assorti d'une moue peinée totalement artificielle.

— Ce périple à Aix m'apparaît moins facile que je ne l'envisageais de prime abord. Il ne me reste plus qu'un espoir : que les repas et le vin y soient bons et les filles jolies !

— Pour cela vous n'avez rien à craindre, sourit Boutier. Les Aixois font, dit-on, un excellent vin local et les Aixoises sont les plus belles femmes de France !

Ils se rendirent dans la grande salle à manger, pièce généreuse mais crépusculaire, pauvrement éclairée par des flambeaux d'argent et meublée d'une longue table en noyer ainsi que d'un large buffet à guichet. Les tentures murales et quelques miroirs de Venise éclairés par des chandelles essayaient sans succès de rendre la pièce agréable. Nos amis y furent rejoints par Bailleul, Denis, Bauer et Gaufredi.

Un feu avait été allumé dans la belle cheminée en boiserie et la salle n'était heureusement pas trop glaciale. La table rectangulaire avait été recouverte d'une belle nappe damassée sur laquelle Mme Mallet avait placé les plus riches pièces d'orfèvrerie de la maison : flambeaux, salières, vinaigriers, flacons de vin et la vaisselle de faïence.

Nicolas Bouvier remplissait les verres, placés à droite de l'assiette, avec du vin de Bourgogne. Les plats – potages à la courge, à l'oignon, aux poireaux, et viandes bouillies ou en sauce – étaient apportés par Guillaume pour être déposés solennellement en ligne au milieu de la table. Il y avait, ce soir-là, des oreilles de sanglier, des rognons, des pieds de porc ainsi que du hachis de poulet accompagnés de fèves et de lentilles. Si Julie et les parents de Louis se servaient de couverts,

Bauer et Gaufredi mangeaient avec leurs doigts en utilisant seulement un couteau. Après avoir trempé leur pain dans les plats, ils s'essuyaient discrètement à leurs vêtements.

Le repas terminé, il faisait déjà nuit et chacun regagna la place étroite qui lui avait été assignée pour dormir – sauf Boutier qui rentrait chez lui avec ses deux laquais armés de bâtons. Gaston devait s'installer dans le bureau de M. Fronsac. Louis et son épouse ainsi que leurs enfants avaient des paillasses dans la bibliothèque. Bauer et Gaufredi se réfugièrent dans un coin de la cuisine.

Louis et Julie avaient beaucoup à se dire, ils ne savaient pas quand ils se reverraient et ce ne serait pas avant de longues semaines, ils ne pourraient se donner beaucoup de nouvelles et les voyages étaient si périlleux ! Ils parlèrent très tard pendant que la nièce de la marquise de Rambouillet donnait le sein à son fils.

Le lendemain matin, dès quatre heures, dans l'air glacé et la nuit, tous se préparèrent. Les deux carrosses attendaient dans la cour. Il faisait froid et sombre. Julie, couverte d'un grand manteau bleu, installa ses deux enfants endormis dans sa voiture et embrassa une dernière fois son époux. Ensuite, le cœur serré et chargé d'angoisse, elle monta dans le véhicule, fermant soigneusement les deux portes et tirant les rideaux de velours. Nicolas, l'œil pétillant, était sur le siège, deux pistolets à la ceinture et heureux de ce voyage. Il lança le fouet, les roues grincèrent, les sabots frappèrent le sol et le véhicule s'ébranla, Guillaume Bouvier le précédant alors que son frère restait derrière. Tous deux étaient armés en guerre avec cuirasse, casque et sabre de combat au flanc, les fontes garnies de pistolets à rouet bien chargés.

Louis les regarda s'éloigner avec une sourde émotion. Il monta à son tour tristement dans la voiture, où Gaston s'était déjà installé, prêt à se rendormir. Gaufredi devait conduire. Il avait le visage fermé et impassible. Les deux chevaux de bât étaient attachés par une longe. Bauer, véritable armurerie ambulante, les précédait.

Gaufredi donna un coup de fouet et à son tour la voiture s'ébranla dans Paris endormie. Les uns partaient au sud, et les autres vers le nord.

3

Du jeudi 25 avril au mercredi 8 mai 1647

Après avoir traversé Paris silencieuse et assoupie, ils sortirent de la ville par la porte Saint-Jacques. Bauer suivait le carrosse conduit par un Gaufredi emmitouflé dans son manteau écarlate. La moustache au vent et l'air sombre, soucieux et farouche, le vieux reître arborait la figure d'un homme qui a rendez-vous avec son destin.

Dans la voiture, Gaston sommeillait en souriant et Louis pensait à sa famille. Avait-il bien fait d'accepter cette mission ? En réalité, il savait qu'il n'avait jamais vraiment eu le choix. Pouvait-il refuser ce service au cardinal ? Et surtout, il avait besoin de cet argent. Depuis deux ans, les récoltes de blé et de froment étaient mauvaises car les étés pluvieux succédaient aux hivers glacials. La seigneurie de Mercy devenait, ces années-là, une charge plus qu'une source de revenu. Il y avait cinquante âmes au village proche qui dépendaient de lui et il se refusait à quémander que le roi lui paye sa pension comme beaucoup d'autres nobles le faisaient. Il fallait donc qu'il travaille. En outre, les enquêtes qu'il poursuivait étaient souvent plus passionnantes que laborieuses. Pourtant, aller ainsi à l'autre bout du pays, voilà une corvée qu'il aurait voulu éviter. Quinze jours de voyage pour traverser la France ! Quinze jours fatigants et certainement périlleux.

Derrière la voiture, et attachées au véhicule par une longe, deux juments galopaient joyeusement. Chacune portait de petits coffres de voyage en cuir. Les bêtes se fatigueraient peu et pourraient être échangées à l'étape avec les deux autres coursiers qui tiraient le carrosse. Enfin, nous l'avons dit, Bauer suivait tout ce cortège sur un monstrueux cheval marron plus haut de près d'un pied que les autres animaux de l'équipage. Sur sa selle était sanglé son espadon de lansquenet qui ne le quittait jamais et dans son dos était attachée son arquebuse à quadruple rouet.

Le Bavarois s'était enveloppé dans un gros manteau de laine sombre qui lui couvrait entièrement le corps, sauf les bottes et le chapeau. Mais comme ceux-ci étaient de la même couleur que le vêtement et le cheval, le passant qui le croisait avait l'impression de voir galoper un monstrueux centaure. Sur son passage, les paysans se signaient, les femmes se précipitaient dans les églises et les enfants pleuraient en courant se cacher.

Plusieurs semaines durant, on parlerait dans les chaumières, en se signant, de ce cavalier de l'apocalypse.

Le temps était beau et le chemin sec. Malgré quelques encombrements dans les villages lorsqu'ils traversaient un marché, ils arrivèrent en fin d'après-midi à Fontainebleau. Ils avaient prévu de loger au *Courrier du*

Roi, à la sortie de la ville. Louis connaissait l'auberge, tenue par un ancien compagnon de guerre de Guillaume Bouvier : maître Lavandier.

L'hôtellerie était un grand bâtiment à trois étages en retrait du chemin avec, accolée sur sa gauche, une vaste cour et de belles dépendances. Certaines étaient occupées en permanence par des chevaux, car l'hôtellerie servait aussi de relais aux voyageurs pressés.

Ils arrêtèrent le véhicule dans la cour et Gaufredi descendit prestement de son siège. Dans l'après-midi, il avait roulé son manteau sur son dos et l'avait fixé en travers de son vieux pourpoint de buffle. Au sol, il récupéra sa longue rapière, à l'espagnole et à pommeau de cuivre, qu'il avait posée sur la banquette du conducteur. Il fit alors sonner ses éperons de cuivre et héla insolemment un garçon d'écurie.

Louis et Gaston descendirent à leur tour pendant que Bauer, qui avait un peu traîné, entrait à leur suite dans la cour. Le Bavarois amena sa monture vers l'écurie pendant que Gaufredi et Gaston détachaient les chevaux de bât. Deux garçons de ferme étaient enfin arrivés pour les aider et rassembler leurs bagages. Constatant qu'on n'avait pas besoin de lui, Louis partit à la recherche de maître Lavandier qu'il trouva aux cuisines.

C'était un homme grand et massif malgré la cinquantaine bien sonnée, avec des cheveux et des sourcils touffus qui commençaient cependant à grisonner. Un visage plein de cicatrices mettait en valeur un nez joliment cassé et élégamment aplati. Le sourire édenté qui éclaira son visage montra à Louis à quel point il était heureux – mais aussi surpris – de le revoir.

— Monsieur Fronsac ! Vous ici ! Allez-vous rester cette nuit ?

— Oui, maître Lavandier, et nous espérons bien nous restaurer, répondit Louis en riant.

Gaston arrivait à son tour dans les cuisines, reluquant les marmites autant que les jeunes servantes.

— Voici mon compagnon de voyage, M. Gaston de Tilly, procureur du roi. Nous sommes aussi accompagnés par deux gaillards affamés. Je crois que vous connaissez déjà Bauer. Et si vous vous souvenez de lui, vous savez sûrement qu'il mange beaucoup.

— Bauer ? N'était-ce pas l'ordonnance du marquis de Pisany ? s'enquit l'aubergiste avec un soupçon d'inquiétude.

— C'est cela même. Je vois que vous ne l'avez pas oublié.

— Qui pourrait oublier après l'avoir vu engloutir autant, murmura l'aubergiste, songeant avec inquiétude à ses réserves de nourriture.

Bauer entra alors dans la cuisine et l'air s'y fit soudainement rare. Les deux marmitons et les trois servantes s'arrêtèrent dans leurs tâches, frappés de stupéfaction et d'émerveillement. Bauer, haut de plus de sept pieds et large d'au moins trois, transportait son armurerie habituelle : canon à feu, espadon, deux dagues, trois côtels, une rapière aussi longue que lui, un pistolet d'arçon et un mousquet à main. La contemplation admirative du personnel de cuisine se transforma en éblouissement quand apparut à son tour Gaufredi, drapé dans sa cape écarlate et coiffé de son feutre informe orné pourtant d'une somptueuse plume de coq vermillon. En découvrant que chacun le regardait, un rictus diabolique illumina la face rouge burinée de rides et de cicatrices du vieux reître. D'une main, il lissa sa longue moustache en croc pendant que, de l'autre, il détachait le baudrier soutenant sa longue épée espagnole à pommeau de cuivre.

— J'ai effroyablement faim, lâcha-t-il d'une voix rocailleuse et pleine de morgue, tout en jetant son arme sur la table la plus proche puis en repoussant son chapeau en arrière.

Il y eut un assourdissant fracas métallique, rehaussé par le grincement strident et simultané des éperons, qu'il fit crisser contre le dallage de pierre.

— Par ici, murmura respectueusement Lavandier qui s'était ressaisi.

Il les entraîna vers la seconde salle, plus petite, mais plus propre que celle réservée aux habitués du village. Cette pièce était affectée aux personnes de qualité s'arrêtant à l'auberge pour la nuit et le sol était couvert de paille fraîche. Là, il les laissa à une table pendant qu'une servante apportait du vin et des bols de soupe aux fèves.

Ils se restaurèrent avec appétit en se remémorant leurs souvenirs communs. Pourtant, durant le repas, Louis nota pour la première fois le changement de caractère apparu chez son vieux compagnon Gaufredi. Le reître mangeait, certes, mais restait silencieux et songeur, parfois gardant les yeux dans le vague.

Quelque peu inquiet, il s'en ouvrit le soir à Gaston :

— Bah ! Gaufredi se fait vieux. C'est normal que parfois il ne soit pas dans son assiette. C'est l'âge.

Cette explication leur parut suffisante et la nuit s'écoula. Le lendemain, dès quatre heures, ils quittèrent le *Courrier du Roi*. Le soir du 26, ils furent à Sens, puis le 27 à Auxerre.

Le Grand Chemin longeait continuellement des champs de blé et de froment. Louis notait qu'ici aussi les épis de céréales étaient clairsemés et rachitiques. L'hiver avait été tellement froid ! Le vin avait de nouveau gelé dans les maisons. Cette année encore la récolte serait médiocre, les prix augmenteraient, les pauvres auraient faim et les plus faibles mourraient.

Parfois, les haies qui bordaient la voie laissaient entrevoir quelques belles demeures de briques rouges, de pierre blanche et d'ardoise, similaires en tout point à celle de Louis, à Mercy. Cela lui provoquait de douloureux pincements de cœur. Où étaient Julie et ses enfants en ce moment ? À Mercy, certainement, mais que faisaient-ils ? Toutes ces questions restaient sans réponse et il tentait d'éloigner sa douleur en les imaginant. Encore deux mois avant de les revoir !

À Auxerre, ils logèrent dans la ville même, à *L'écu de France*, et le soir, alors qu'ils détachaient les chevaux à l'hôtellerie, Louis se décida à interroger Gaufredi, toujours renfermé et morose.

— Que se passe-t-il, compagnon ? Tu as l'air fâché par ce voyage…

Gaufredi le regarda tristement. Hésitant à parler, il tiraillait sa moustache.

— Vous avez raison, monsieur, soupira-t-il. Je ne suis pas un compagnon bien agréable. Ce soir, après le repas, je vous expliquerai pourquoi.

Le repas terminé, ils s'étaient installés un peu à l'écart dans la grande salle de l'auberge. Louis et Gaston étaient assis sur un banc et appuyés contre le mur de pierre, Gaufredi et Bauer s'étaient placés en face, sur des tonneaux coupés en deux et formant tabouret. Le vieux soldat repoussa son écuelle et se remplit un nouveau verre de vin, les yeux dans le vague, la tête un peu ballante.

— Je ne sais pas bien raconter des histoires, s'excusa-t-il. Bon… c'est vrai que ce voyage me déplaît…

Il s'arrêta une seconde et les regarda à tour de rôle.

— Voici pourquoi : je suis né à Aix.

Interdit, Louis se tourna vers Gaston, qui parut aussi surpris que lui. Gaufredi poursuivit, le regard mélancolique.

— Vous vous souvenez qu'il y a deux ans, vous m'aviez demandé si je connaissais quelque habitant de cette ville, quelqu'un qui connaîtrait le nom d'un chirurgien logeant dans la rue des Guerriers…

Louis opina.

— Je vous avais répondu que j'avais retrouvé une personne qui avait longtemps habité à Aix et qu'elle m'avait affirmé qu'il n'y avait aucun chirurgien à Aix dans cette rue. Par contre y vivait dans une vieille tour un rebouteux qui n'était autre que l'exécuteur de la haute justice ; le bourreau de la ville[1].

» Cette personne qui connaissait si bien Aix, c'était moi et je vous l'avais celé. Je ne souhaitais pas m'expliquer plus. Ma mère était servante chez un magistrat : Alexis Gaufridi, membre du parlement et

---

1. Voir *L'Exécuteur de la Haute Justice*, même éditeur.

deux fois consul de la ville[1]. Elle me mit au monde en
1584. Mon père était inconnu, mais tous savaient que
c'était Alexis, le vieux chef de famille. Paraît-il qu'il
voulut me reconnaître, mais il mourut quelques heures
après l'accouchement ; il était vieux et l'annonce de la
naissance d'un nouveau fils lui avait causé un tel choc !
Ma mère retourna alors dans sa famille, qui avait une
minuscule ferme à l'entrée de la ville, pas très loin de
la bastide des Gaufridi.

» À vingt ans, j'étais grand, costaud et plutôt beau
garçon. Ma mère m'avait nommé Gaufredi, pour que
mon nom ressemble à celui de mon père et tout le monde
m'appelait ainsi. Elle était morte l'année précédente et
je n'avais plus de famille. Je travaillais par-ci par-là,
faisant des commissions ou rendant des services. Le
fils d'Alexis, mon père, était devenu magistrat mais il
ignorait mon existence…

Le vieux soldat se tut encore un instant, tant les
souvenirs qu'il évoquait étaient douloureux malgré son
cœur de pierre.

— J'avais donc vingt ans, c'était le jour de la Fête-
Dieu de 1604, je m'en souviens comme si c'était hier.
Il y avait comme toujours beaucoup de monde dans la
ville et nombreuses étaient les personnes déguisées. Je
m'amusais moi aussi quand je vis un groupe de jeunes
gens costumés en diables, comme c'était l'usage pour
la fête, entraîner deux jeunes filles qui criaient. Je compris aussitôt ce qu'ils voulaient faire ! J'avais un bâton,
je leur tombais dessus et les mis en fuite. L'une des

---

1. Alexis Gaufridi fut deux fois premier consul, en 1543-44 et en
1551-52. Il mourut en 1584, faisant profession de la religion reformée.
Jacques Gaufridi, son petit-fils, est né à Aix en 1597.

filles s'appelait Claire-Angélique de Forbin-Maynier. Elle avait seize ans et c'était la sœur de Vincent-Anne de Forbin-Maynier, le baron d'Oppède. L'homme le plus riche et le plus puissant de la ville. L'autre était sa dame de compagnie.

Gaufredi s'arrêta. De grosses larmes coulaient sur son visage.

Gaston, un peu ému et ne sachant trop que faire, lui resservit du vin. Cela ne pouvait lui faire plus de mal, pensa-t-il. Et le reître reprit, plus lentement :

— Je revis Claire-Angélique et elle devint ma maîtresse. Jusqu'au jour sinistre où, alors que je l'attendais près de la porte Saint-Louis, je vis arriver une bande de laquais conduite par un homme que je ne connaissais pas. Ils se précipitèrent vers moi et me rouèrent de coups, me laissant pour mort mais, avant que je m'évanouisse, l'homme me menaça : « Valet ! Ne reviens jamais à Aix. Claire-Angélique n'est pas pour toi. »

» Des paysans me trouvèrent, m'emmenèrent et me soignèrent. J'étais seul et sans appui. Que pouvais-je faire ? Je quittai Aix, lâchement et je partis pour l'Italie. Là je m'engageai sous les ordres d'un condottiere, puis ce furent les guerres d'Allemagne, les années d'errance comme soldat de fortune, et quarante ans ont passé. Je ne suis jamais retourné dans cette ville, je ne sais même pas ce que sont devenus les Gaufridi, les Oppède et ma Claire-Angélique. Sans doute sont-ils tous morts. Pourtant, je n'arrive pas à me faire à l'idée que je vais y revenir.

Il s'arrêta, mettant sa tête entre ses mains pour cacher ses larmes. Le silence se fit.

Louis songea à cette terrible histoire toute la nuit. Mazarin lui avait donné deux lettres par l'intermédiaire de Boutier : l'une était pour Jacques Gaufridi, président de la Chambre des requêtes, petit-fils d'Alexis Gaufridi, et l'autre pour Henri de Forbin-Maynier, baron d'Oppède, vice-président du parlement d'Aix et fils de Vincent-Anne de Forbin-Maynier.

Le premier était le neveu de Gaufredi et le second le neveu de sa maîtresse. Quelle histoire !

Le lendemain, le reître semblait avoir retrouvé quelque peu sa vitalité. Sans doute après avoir raconté son histoire se sentait-il soulagé. Mais personne n'y fit allusion. Aux étapes, cependant, Louis le trouva plus enclin à parler et, par bribes, il expliqua au vieux soldat quelle allait être leur mission. Il le prépara à l'idée qu'il allait sûrement rencontrer Jacques Gaufridi, son neveu par demi-frère, et Henri de Forbin-Maynier, le fils du frère de Claire-Angélique. Il devrait être prêt à cette confrontation.

Alors qu'ils discutaient ainsi, Gaston demanda :

— C'est curieux ce nom de Forbin-Maynier. Connais-tu son origine ?

— Oui, répondit Gaufredi. Le baron d'Oppède, Jean Maynier, est celui qui a massacré les Vaudois. Il a eu une fille, qui elle-même a aussi eu une fille. Cette dernière a épousé un Forbin, l'une des plus vieilles familles de Provence. Leur fils, Vincent-Anne, a été le premier Forbin-Maynier.

Et l'interminable voyage continua. Entre Auxerre et Avallon, ils franchirent d'immenses forêts mystérieuses, croisant souvent des renards, des cerfs ou des sangliers. Le chemin traversait par endroits des clairières où se dressaient des campements de bûcherons et de charbonniers, des hommes farouches, sales, au visage hostile et qui les regardaient passer sans plaisir ni intérêt.

À partir de Beaune, où ils arrivèrent le 29, les vignes se succédèrent jusqu'à Mâcon, où ils firent halte le 1er mai. De la Bourgogne, ils devaient se souvenir de ces villages de chaumières serrées autour d'églises fortifiées, mais aussi de l'opulence des villes enrichies par le commerce du vin. *Il n'est pain que de froment et vin que de Beaune*, disait-on à Paris et Louis comprenait pourquoi. Toutes les villes qu'ils traversaient paraissaient cossues et bourgeoises, avec de belles maisons de pierre et des rues pavées. À chaque halte, Bauer et Gaston se rafraîchissaient en comparant de nouveaux crus.

C'est en vue de Lyon que le temps changea. Ils étaient en effet près de la ville quand la pluie les atteignit. Violente et puissante, elle transforma rapidement le sol en marécage et le chemin en fondrière. De Lyon, capitale de la Gaule et ville antique, ils n'aperçurent ni les thermes, ni les théâtres, ni les temples, ni encore les aqueducs. À la porte de la ville, alors que la cité était noyée sous des trombes d'eau, ils durent sortir de la voiture afin de se faire délivrer le laissez-passer indispensable pour loger dans les murs.

Une fois à l'intérieur des murailles, Louis nota que les rues étaient étroites, sales, lépreuses et puantes. Comme à Paris finalement! Nombreuses étaient les maisons délabrées, sans vitres, avec des fenêtres couvertes de papier huilé, souvent arraché.

L'auberge où ils descendirent, *Le Cheval Blanc*, était répugnante, glaciale et bondée autant de voyageurs que de vermine. Seule la nourriture, excellente, les réconcilia avec l'antique cité, mais ils durent partager une unique chambre, humide et grouillante de poux.

Le matin du départ, la pluie violente qui n'avait pas cessé fouettait hommes et bêtes. Louis et Gaston apprécièrent de rester douillettement à l'intérieur de la voiture alors que Gaufredi devait garder son grand chapeau abaissé sur le visage pour éviter le déluge qui le cinglait. Il s'était enroulé dans son manteau écarlate et faisait avancer le carrosse lentement, cherchant à éviter les trous les plus profonds du chemin. Bauer précédait le véhicule et, comme toujours, il restait indifférent aux éléments déchaînés.

Le 3 mai, ils furent à Vienne, il pleuvait maintenant depuis deux jours. Ne pouvant sécher leurs vêtements, ils restaient continuellement trempés. En quittant la ville, toujours sous la tourmente, Bauer remarqua une petite troupe de marauds qui paraissait les suivre.

Entre Vienne et Valence, l'orage s'amplifia. Apparemment, ils étaient désormais seuls sur la route. Mais alors que la foudre zébrait le ciel avec une rare violence, Bauer constata que la bande qui les talonnait était toujours présente, à courte distance, derrière eux. Il s'approcha de Gaufredi.

— Compagnon, prépare tes armes. Les pendards derrière nous me déplaisent fortement.

Gaufredi hocha la tête et souleva un pan de son manteau. Deux pistolets étaient glissés à sa ceinture. Lui aussi avait noté le manège de la troupe de gueux. Bauer frappa alors à la porte du carrosse et Gaston releva le rideau de cuir qui isolait la voiture.

— On nous suit, monsieur, et ça ne me plaît pas. Préparez-vous peut-être à combattre…

Gaston sortit la tête. Il aperçut la troupe, plus loin sur le chemin, mais sans discerner de détail tant la pluie était forte et serrée.

— Combien sont-ils ? cria-t-il pour surmonter le crépitement des gouttes.

— Je ne sais pas, monsieur, plus de cinq, mais moins de dix.

— Impossible de les semer au galop ?

— Non, monsieur ! Pas avec cette pluie et ce chemin.

— Alors, nous nous préparons. Agissez au mieux.

Ils sortirent leurs pistolets. Maintenant, le chemin traversait un épais bois de sapins noirâtres. Dans une clairière, Bauer fit arrêter la voiture et mit le frein. Rapidement, il demanda à Louis et à Gaston de sortir pour se cacher sous une futaie, en protégeant leurs armes de la pluie. Ils s'élancèrent en courant, tous deux armés de leurs pistolets à plusieurs coups. Gaufredi s'était éloigné tout aussi vivement après qu'il eut attaché sommairement les chevaux à plusieurs arbres pour qu'ils ne puissent s'enfuir s'ils étaient effrayés dans le combat à venir. Bauer se saisit de son canon à feu et se coucha sous la voiture, dans la boue. Il était maintenant invisible et il introduisit un peu de poudre sèche dans les rouets de son arquebuse.

La troupe des inconnus arrivait. Très lentement et avec circonspection, un peu inquiète de trouver la voiture arrêtée. Leurs suiveurs étaient sept, montés sur des chevaux faméliques. Leurs pourpoints élimés, leurs manteaux troués et leurs gigantesques rapières trahissaient leur condition de voleurs de grand chemin. Ils entourèrent le carrosse avec prudence. Deux d'entre eux étaient armés de mousquets et avaient une mèche allumée en main.

— Holà ! Sortez de cette voiture ! cria celui qui paraissait diriger les opérations.

— Passez votre chemin, hurla Gaston sans se montrer, invisible derrière son arbre.

Tous se retournèrent. Indécis. Le chef eut un rictus de mépris plein de cruauté.

— Avancez, messeigneurs ! ironisa-t-il. Montrez-vous ! Sinon nous ne ferons pas de quartier. De toute façon, nous avons déjà vos biens et vos chevaux…

Gaufredi, du côté opposé, tira sans autre sommation. Un brigand tomba, les autres se réfugièrent contre l'autre face du carrosse. Louis tira à son tour et un autre malandrin s'écroula. C'en était trop ! Trois d'entre eux partirent au galop, par là d'où ils venaient. Ne restèrent que le chef et un gamin terrorisé.

— Revenez, lâches ! ils ne sont que deux ! vociféra le chef.

Il était tout contre la voiture. Bauer donna un large coup d'espadon dans les jambes du cheval, qui se cabra de douleur, faisant tomber son cavalier dans la boue. Le gamin hurla :

— Je me rends, ne tirez pas !

Et il jeta le gigantesque couteau de chasse qu'il tenait à la main. Pendant ce temps, l'autre gueux se relevait, couvert de fange. Il aperçut alors Bauer, l'arme pointée vers lui, et il retomba dans la boue, assis et immobile, fataliste sur ce qui l'attendait.

Voyant que tout était terminé, Gaufredi, Louis et Gaston revinrent à la voiture avec précaution. Gaufredi fut le premier auprès des malfaiteurs. Avec son épée, il les poussa vers un arbre. Déjà, Bauer le rejoignait. Et le déluge du ciel continuait de crépiter.

— Qu'allons-nous faire ? dit Gaston, interrogeant les deux reîtres.

— Nous allons les pendre, monsieur, répliqua férocement Gaufredi.

— Non ! s'opposa Louis. Il y a déjà eu deux morts. Deux de plus sont inutiles. Nous n'avons rien, qu'ils filent se faire pendre ailleurs.

Bauer regarda Louis, étonné. Lui, avait toujours pendu ses agresseurs et on ne le lui avait jamais reproché ! Il ne comprenait pas. Quant à Gaufredi, il eut une grimace de désaccord.

— Si c'est votre souhait… mais vous le regretterez, M. le chevalier. Filez, vous deux ! cracha-t-il.

En même temps, il frappait avec violence, du plat de son épée, les fesses du truand qui détala en courant, abandonnant les chevaux.

— Prenons-nous leurs bêtes ? demanda Gaston.

— Pouah ! répliqua Gaufredi en crachant par terre. Dans cet état ? Ces carnes ne valent rien. Personne n'en voudrait.

Bauer se lava un peu de la boue qui le recouvrait et, tout trempés, ils repartirent. Le soir, ils furent à Valence, qu'ils quittèrent de nouveau sous la pluie.

La situation empirait. Les rivières qu'ils croisaient débordaient et chaque passage à gué entraînait des difficultés terribles. Partout la brume et la pluie dégageaient une impression de tristesse absolue. Sur les collines, de nombreux châteaux à mâchicoulis brûlés et ravagés durant les guerres de religion augmentaient la désolation. Leur moral était au plus bas ; continuellement, il leur fallait descendre pour aider les chevaux à désembourber le véhicule. Ils étaient toujours mouillés, boueux et surtout épuisés.

Ainsi, de Valence à Montélimar, le voyage fut abominable. Les pluies restaient torrentielles et, après Valence, le chemin ne fut plus qu'une rivière de boue. Ils avançaient de plus en plus difficilement et nombreux étaient les chariots et les voitures embourbés et abandonnés au bord de la voie.

Depuis le matin, ils étaient suivis par une carriole bringuebalante tirée par deux mules fatiguées. Louis et Gaston avaient remarqué le cortège depuis déjà quelques heures, car ils avançaient à la même allure qu'eux : très lentement. La charrette couverte était tantôt précédée, tantôt suivie par deux cavaliers montés sur des chevaux efflanqués qui devaient accompagner le véhicule. Avec la pluie qui dressait une muraille grise autour d'eux, ils ne pouvaient discerner ni les traits des cavaliers – d'ailleurs couverts d'amples chapeaux – ni le contenu du chariot.

Louis et Gaston, pour tuer le temps, essayaient de deviner qui pouvaient être de tels voyageurs.

— Quelque marchand apportant sa marchandise à Montélimar, assura Tilly.

— Peut-être, mais pas bien riche dans ce cas ; et puis la voiture n'est pas très grande. Moi, je dirais plutôt qu'il y a des passagers à l'intérieur, proposa Louis en resserrant ses rubans noirs.

— Un déplacement familial, alors ? Des gens qui rendent visite à un ami, ou qui rentrent d'un mariage. Qu'en dis-tu ?

— C'est possible, mais un carrosse aurait été plus pratique. C'est pour cela que je te dis qu'ils sont pauvres. As-tu vu les mules ? Je me demande s'il ne

s'agit pas plutôt de colporteurs, ou même de saltimbanques…

Louis n'avait pas terminé sa phrase qu'il fut précipité violemment contre Gaston. Lorsqu'il se redressa
en s'excusant, il constata que la voiture restait très
fortement inclinée et immobile. Au même instant, la
seule porte encore utilisable – l'autre était dans l'eau –
s'ouvrit et Bauer apparut, ruisselant et le visage terriblement contrarié.

— Le chemin s'est effondré sous la violence d'un
torrent, messieurs, la route est sous les eaux et nous
sommes dans une profonde ornière. Il va vous falloir
descendre et traverser à gué en guidant les chevaux.

Ils se couvrirent de leurs manteaux et sortirent
sous la pluie battante. Quelques secondes après ils
étaient aussi trempés que s'ils s'étaient jetés dans la
rivière. Tous les quatre pataugeaient maintenant dans
une épaisse boue glaciale qui leur arrivait jusqu'au
mollet.

Bauer posa son arsenal près d'un arbre surélevé
et les rejoignit.

— Il faut reculer la voiture, cria Gaufredi.

Le bruit du torrent couvrait ses paroles. Louis
approuva de la tête et Gaston s'agrippa aux licols des
chevaux, les tirant en arrière, Gaufredi poussait le véhicule, Bauer et Louis, eux, essayaient de sortir la roue de
l'ornière. Sans succès malgré la force exceptionnelle
du Bavarois.

Reprenant leur souffle avant une nouvelle tentative, ils virent s'arrêter la carriole qui les suivait. Les
deux cavaliers sautèrent au sol, c'est-à-dire dans l'eau.
Le conducteur du véhicule resta, lui, à sa place.

— Vous avez besoin d'aide ?

Celui qui avait parlé était un colosse imberbe vêtu de vêtements informes, collés sur son corps par la pluie. Il dévisagea rapidement et successivement Louis, Gaston, Gaufredi et Bauer. Son regard s'arrêta un instant sur le géant allemand, essayant de jauger ses capacités. Puis il revint à la voiture et à la roue, qu'il examina.

— Il faut aller sous la voiture et soulever pendant que vous tirerez.

Il s'adressait à Bauer, jugeant les autres inutiles. Aussitôt, il se glissa lui-même sous la caisse et plaça son dos sous le véhicule. C'était une manœuvre dangereuse si les chevaux s'affolaient. Gaufredi se précipita pour les tenir avec Gaston, Bauer s'arc-bouta et Louis se sentit un peu inutile.

La voiture sortit de l'ornière avec de gros flocs et recula lentement. Le colosse sortit alors de dessous pour aider Bauer à tirer. Après encore quelques efforts, le carrosse revint entièrement sur la route.

— Voilà ! Maintenant regardons l'état de cette route, fit-il.

Ils s'approchèrent du torrent. Il n'était pas large – environ une toise –, mais il avait emporté le revêtement superficiel de pierres.

— Il faudrait tirer quelques branches et jeter de grosses pierres, expliqua Gaston, sinon nous ne passerons pas.

Déjà, Bauer avait choisi un rocher et le soulevait. Chacun le regardait. Louis s'écarta et, curieux, s'approcha de la carriole aux mules. Il vit une jolie tête sortir du chariot. C'était une jeune femme brune, ses cheveux ruisselaient le long de son front, de ses épaules, et ses vêtements mouillés ne dissimulaient rien de son buste généreux et parfait.

— Que se passe-t-il ? se renseigna-t-elle d'une voix mélodieuse mais théâtrale.

Louis s'approcha et leva son chapeau détrempé, tentant une révérence un peu ridicule. En le faisant, il s'inonda encore plus complètement, ce qui fit glousser la jeune femme d'un rire cristallin.

— La route est barrée madame, expliqua-t-il. Mais n'ayez crainte, nous espérons pouvoir repartir rapidement.

Une deuxième tête apparut, c'était aussi une femme, un peu plus âgée que la première.

— Rentre, Armande ! Tu vas prendre froid.

— Bah ! de toute façon nous sommes trempées, cette carriole fait eau de toute part.

— Mesdames, allez vous mettre à l'abri dans notre voiture, vous y serez au moins au sec ! implora Louis.

Elles se regardèrent, puis interrogèrent des yeux leur cocher qui leur fit un silencieux signe d'approbation. Alors, elles rentrèrent dans le chariot, puis appelèrent par l'arrière.

— Pouvez-vous nous aider à descendre, monseigneur ?

Louis se précipita, suivi peu de secondes après par Gaston, qui avait abandonné son travail de cantonnier dès qu'il avait aperçu les jeunes femmes. Il tentait de garder un air avantageux, ce qui était difficile, couvert de boue qu'il était jusqu'aux oreilles et avec ses cheveux trempés et sa moustache rouge dégoulinante.

Tous deux aidèrent les dames à descendre et les conduisirent à leur voiture. Pendant ce temps, les quatre hommes avaient sommairement empierré une partie de l'ancienne route et construit un médiocre gué, certes instable et provisoire, mais qui devrait autoriser le passage. Louis et Gaston, entièrement trempés et gelés, les avaient rejoints. Tenant les chevaux, et placés de part et d'autre des voitures, ils firent avancer sans encombre les deux véhicules.

Alors Louis s'approcha du colosse.

— Encore merci, où allez-vous ?

— Jusqu'à Avignon, mais pour ce soir, le plus près possible de Montélimar.

Il jeta un regard inquiet vers le ciel chargé de lourds nuages noirs.

— Nous aussi ! Faisons donc la route ensemble. Je suis Louis Fronsac et mon ami, Gaston de Tilly, est procureur du roi. Nous nous rendons à Aix.

— Louis oublie de vous dire qu'il est marquis de Vivonne et chevalier de Saint-Michel, précisa Gaston d'un ton solennel.

Le colosse les salua et expliqua avec gravité :

— Messeigneurs, nous ne sommes que d'humbles comédiens. Je me nomme Jacques La Grange, vous avez vu Pierre, mon cousin, et Gervais, le conducteur, est mon oncle. Angélique de l'Étoile est la tante de Pierre et Armande de Brie, sa cousine. C'est trop d'honneur pour nous de vous avoir assistés.

— Allons, pas de manières entre nous. Laissons les dames dans notre voiture, nous prendrons votre chariot jusqu'à Montélimar. De toute façon, nous sommes déjà trempés.

Ils firent ainsi. Curieusement, peu de temps après le vent se leva. Un vent du nord, glacial et pénétrant, mais qui en deux heures dégagea les nuages. Gaufredi expliqua que c'était le *mistral*. Le soleil revint et, vers six heures, ils arrivaient en vue de *l'Hôtellerie des Princes*. Comme toutes les auberges où ils s'étaient arrêtés, celle-ci se trouvait en bordure du Grand Chemin. C'était une vaste ferme entourée de hauts murs avec un porche fermé le soir par deux grands et solides battants.

Les deux véhicules s'étaient maintenant immobilisés devant. Louis avait sauté de la charrette, suivi rapidement de Gaston.

— Nous allons nous arrêter ici, déclara La Grange, montrant un champ en jachère. Nous ne pouvons dormir dans l'auberge, c'est trop cher, mais ils nous laisseront utiliser leur abreuvoir et nous fourniront de l'avoine ainsi que de la paille. Je suppose que vous continuerez jusqu'à la ville ?

— C'est effectivement ce que nous avions prévu, confirma Louis, mais après tout, nous pouvons rester ici vous tenir compagnie. Qu'en pensez-vous ?

Gaston approuva du chef, émoustillé par la présence des jeunes femmes qui justement mettaient leurs charmantes têtes à la portière. Gaufredi, un peu fatigué, accepta aussi et Bauer, indifférent, souleva les épaules. Le reître fit alors entrer la voiture dans la cour, suivi de Gaston et de Louis. Celui-ci les laissa s'occuper des chevaux pour se diriger vers le bâtiment. Il pénétra dans la grande salle et, d'un regard circulaire, nota les quelques personnes – des voyageurs, probablement, compte tenu de leurs vêtements – qui y étaient installées. Dès qu'elle le vit, une jeune femme, le visage triste et sale, abandonna le pot qu'elle remuait dans la cheminée pour s'avancer vers lui en boitant.

— Pouvez-vous nous donner trois chambres : une avec quatre lits pour moi et mes amis, une avec deux places pour deux jeunes femmes et une pour trois personnes ?

— Oui, mais ce sera les trois dernières. Nous n'avons plus rien de libre. Un abbé vient de prendre les autres avec sa suite, répondit-elle. Voulez-vous manger ? Pour les chambres, ce sera deux livres et autant pour les repas. Le logement et la nourriture des bêtes vous coûteront une livre.

Le prix était extravagant mais, fatigué, Louis n'avait pas envie de continuer la route, aussi accepta-il d'un hochement de tête.

— Nous mangerons ici, décida-t-il.

Il ressortit.

Gaston s'avança vers lui.

— Comment est-ce ?

— Minable et épicé, lâcha-t-il. Je vais voir nos compagnons de voyage. Je les ai invités.

Gaston le suivit après avoir jeté un regard à Gaufredi qui descendait leurs malles.

Ils repassèrent le portail. Dans le champ en face, les cinq comédiens s'étaient rassemblés. Ils commençaient à sortir leurs vêtements pour les faire sécher et ils cessèrent leur conversation en apercevant Louis.

— Je vous ai pris deux chambres, annonça ce dernier. Vous êtes mes invités ainsi qu'au repas de ce soir. Et il est inutile de protester, je vous le dois, leur dit-il en souriant. Pour une fois, vous dormirez confortablement. Tout au moins, je vous le souhaite, ajouta-t-il avec une moue d'incertitude.

Les cinq voyageurs le dévisagèrent, interloqués. Puis les deux jeunes femmes se regardèrent, un bref éclair de joie dans les yeux.

— Merci, monsieur le marquis, dit Armande, lui faisant une révérence tout à la fois friponne et insolente.

Jacques La Grange s'approcha, visiblement contrarié.

— Vous n'auriez pas dû, monsieur…

Il hésita un instant, ne sachant trop quelle attitude prendre. Finalement, il se radoucit.

— Enfin, merci quand même.

Il fit signe à son oncle de faire entrer la voiture dans la cour. Gaston était déjà parti avec les dames.

Au bout d'un instant, ils se retrouvèrent tous dans la salle. La servante, ou la patronne, qui avait parlé à Louis les jaugea de la tête au pied avec un regard quelque peu méprisant. Il est vrai qu'ils étaient tous encore boueux et crottés. Après quoi, elle leur demanda de la suivre dans un escalier à claire-voie. En haut des marches courait un plancher, juste sous la toiture. On distinguait les tuiles sur la charpente. Le plancher faisait tout le bâtiment et l'étage était divisé en deux dans le sens de la longueur. Là où ils se trouvaient, c'était un large couloir mal éclairé par d'étroites et hautes fenêtres sans vitres. Quelques tas de foin dans des coins témoignaient que, parfois, on y dormait. La seconde moitié était formée d'une cloison de planches disjointes avec des portes mal ajustées.

La femme les entraîna vers l'extrémité du couloir et ouvrit une des portes. Louis nota qu'elle n'avait pas de serrure.

— Voici la première chambre, annonça-t-elle. Les deux autres suivent. Attention aux voleurs ! Dans chaque pièce se trouvent quatre ou cinq paillasses. Tâchez de vous débrouiller avec !

Louis pénétra dans la salle sombre et sans fenêtre. Elle sentait l'humidité et la moisissure. Quand ses yeux se furent habitués, il constata qu'à part les paillasses crasseuses, il n'y avait comme ameublement que deux bancs et une planche sur deux tonneaux en guise de table. Dans un recoin, un pot ébréché et sale servirait pour les commodités. Il grimaça et se retourna vers leur hôtelière :

— Vous ferez monter de l'eau fraîche et de l'eau chaude pour les dames, ordonna-t-il sèchement. Ainsi que des couvertures propres, si vous en avez. Et n'oubliez pas des bougies.

La servante ouvrit la bouche pour répliquer vertement, mais devant le regard glacial de Louis et de Gaston, la referma. Elle sortit en haussant les épaules.

— Nous prendrons cette chambre, décida Louis en montrant Gaston, Bauer et Gaufredi. Laissez la chambre du milieu aux dames et prenez la suivante, ajouta-t-il à l'intention des trois comédiens. Ce sera plus sûr. En cas de problème, elles n'auront qu'à frapper aux cloisons.

Ils s'installèrent et se changèrent avec des vêtements secs, sinon propres. Gaston glissait régulièrement un œil vers les planches disjointes de la pièce à côté, où l'on entendait les jeunes filles se laver.

— Pas terrible ? Hein ! lâcha-t-il en riant.

Le marquis haussa les épaules.

— Ma foi, ils sont au moins au sec. J'espère que le repas sera meilleur.

Et il le fut. Autant le logis était infect, autant le dîner fut savoureux, avec un bouillon, plusieurs viandes de gibier, des fèves et des pois frais, du nougat, des gâteaux et des fruits. Le tout arrosé d'un vin chaleureux et puissant. Le moral revint et la conversation allait bon train entre les nouveaux amis.

— Qu'allez-vous faire à Avignon? demanda Louis.

— Nous rejoignons *l'Illustre Théâtre*, la troupe de messieurs du Frêne et Molière. Mon oncle jouait avec eux à Paris et a réussi à les convaincre de nous engager. De là, nous partirons pour Montpellier, Pézenas, Toulouse et nous rejoindrons le château du duc d'Épernon.

— Poquelin? s'étonna Louis. Je l'ai rencontré l'année dernière à l'hôtel de Bourgogne, la veille même du jour où il quittait Paris. Nous assistions au *Pédant joué*, une comédie écrite par un ancien garde de la compagnie de M. de Carbon de Casteljaloux, M. Savinien de Cyrano de Bergerac.

— Êtes-vous allé à des représentations de *l'Illustre Théâtre*? s'enquit La Grange.

— J'ai même assisté à l'un des premiers spectacles de la troupe, il y a quatre ou cinq ans. C'était au jeu de paume des Métayers, près de la porte de Nesle. Poquelin venait de prendre ce nom de Molière. Je me souviens que la première pièce jouée était un dramc dc Tristan : *La mort de Crispe*, ensuite il y eut une farce qu'il avait écrite lui-même : *Le médecin cocu*. C'était inepte, mais j'avoue avoir bien ri !

Gaston restait silencieux. Il songeait à Geneviève Béjart[1] en regardant amoureusement Armande.

— Poquelin écrit toujours, et il commence à avoir du succès, affirma Angélique.

---

1. Voir *L'Exécuteur de la Haute Justice*, même éditeur.

Lavée, coiffée avec de longues boucles et habillée d'un cotillon vert avec un collet de dentelle impeccable, elle n'aurait pas déparé la cour de la régente.

— Savez-vous, lui raconta Louis, que peu de temps après cette représentation, Poquelin, ou Molière comme on le nomme aussi, a été emprisonné pour dette et que c'est mon ami Gaston, qui était alors commissaire de police de Saint-Germain-l'Auxerrois, qui est intervenu auprès du lieutenant civil pour le faire libérer[1]? Il faut vous dire que M. de Laffemas – l'ancien lieutenant civil –, malgré ses défauts, était toujours prêt à aider les comédiens, car il était lui-même un ancien acteur reconverti dans la poursuite des criminels !

Tous les regards se tournèrent vers Gaston, devenu aussi rouge que ses cheveux. Armande lui prit affectueusement la main pour le remercier. Il se laissa faire pour ajouter d'une voix légèrement émue tant il souffrait encore d'avoir été trahi par Geneviève Béjart[2].

— J'ai revu Poquelin, il y a environ deux ans, il s'était installé au jeu de paume de la Croix-Noire vers le port Saint-Paul. À l'époque je recherchais des trafiquants de vin qui fraudaient le Trésor.

Louis, qui se rendait souvent au théâtre avec son épouse, parfois en compagnie de Julie d'Angennes et du marquis de Montauzier, connaissait de nombreux comédiens, aussi ne parlèrent-ils que spectacles, tragédies et comédies. Gaston, par contre, s'ennuyait ferme, écoutant d'une oreille distraite Gaufredi et Bauer qui,

---

1. Cette anecdote est narrée dans *La Conjuration des Importants*.
2. Geneviève Béjart, dite mademoiselle Hervé, sœur de Madeleine et de Joseph Béjart, cofondateur de l'Illustre Théâtre avec Poquelin, Germain Clérin et Nicolas Bonenfant.

dans leur coin, échangeaient des recettes pour occire des adversaires.

À la fin du repas, La Grange s'exprima avec émotion au nom de ses amis :

— Encore toute notre gratitude pour ce que vous avez fait pour nous. Je voulais vous dire que nous partirons très tôt demain matin. Il est probable que ce sera avant vous. J'espère que vous pourrez assister bientôt à une représentation de *l'Illustre Théâtre*, lors de notre retour à Paris. Nous vous attendons.

Ils se le promirent et se retirèrent.

Le lendemain, nos amis partirent vers cinq heures. Déjà le véhicule des comédiens avait repris la route. Le temps restait venteux et froid, mais les bourrasques de mistral étant dans leur dos, ils avançaient vite. Louis notait que, de nouveau, Gaufredi restait de plus en plus longuement taciturne et que, lorsqu'ils s'arrêtaient pour faire boire les bêtes, il gardait un regard vague et songeur. Visiblement, son retour à Aix, au bout de plus de quarante ans, lui pesait et peut-être l'angoissait.

Il était midi passé quand ils entendirent claquer des coups de feu devant eux. Aussitôt, Bauer lança son cheval au galop et Gaufredi fouetta les bêtes. Quelques secondes plus tard, il y eut de nouveaux tirs. Gaston et Louis s'étaient mis aux portières et avaient saisi leurs pistolets. Les chevaux étaient au galop. Maintenant, ils distinguaient la voiture des comédiens. En quelques secondes, ils furent sur place. Le spectacle était désolant.

Bauer venait de tuer deux hommes, sans doute des brigands. Les victimes étaient couchées dans leur sang. La Grange aussi était étendu par terre ainsi que son oncle et son cousin, mais ce dernier se relevait en gémissant. Un autre homme était appuyé contre la roue. La lame de l'espadon de Bauer contre son cou faisait déjà une marque rouge. Un dernier, tout jeune, sortait du chariot et levait les mains. Il descendit et Louis, déjà à terre, pistolet au poing, vit Angélique qui rajustait sa robe sur ses seins laiteux. Le garçon la lui avait arrachée et avait déchiré son corsage. Alors, il reconnut le jeune larron, c'était l'adolescent qu'ils avaient laissé partir deux jours plus tôt, lors de l'attaque qu'ils avaient subie. Et le coupe-jarret maîtrisé par Bauer était le chef de la bande.

Gaston se précipita vers La Grange. Un coup d'épée lui avait percé l'épaule, mais la blessure était franche et déjà il reprenait conscience. Hélas! Gervais avait eu moins de chance et il ne jouerait plus la comédie. Il avait la poitrine ouverte. Pierre avait été étourdi, mais n'était pas blessé. Armande et Angélique, qui avaient échappé à un effroyable destin, les rejoignirent, choquées, tremblantes et le visage décomposé. Louis, muet et paralysé, regardait l'affreuse scène. Que leur dire? Qu'il était responsable, ayant une première fois laissé libres les truands? Il restait silencieux, honteux, pendant que Gaston était retourné vers la voiture. Le procureur revint avec de quoi panser le blessé, entouré maintenant par les deux femmes. Bauer tenait toujours les deux bandits en respect. Louis devina qu'il avait froidement tué les deux autres. Gaufredi s'éloignait; il le suivit machinalement des yeux. Il le vit prendre une corde dans une des sacoches de sa selle. Le visage du vieil homme était hostile et fermé quand il passa devant Louis, qu'il ignora volontairement. Puis il s'approcha de Bauer et lui murmura quelques mots à voix basse. L'autre approuva du chef. Tous deux s'éloignèrent, entraînant les prisonniers.

— Ce ne sera rien, annonça Gaston en se relevant. (Il avait l'habitude des blessures.) La lame a traversé le muscle. Il suffit de bien le bander et, dans trois jours, il sera remis.

Les deux femmes étaient déjà en train de laver la plaie avec du vinaigre.

— Où sont nos truands ? s'inquiéta alors Tilly en fronçant les sourcils.

Effectivement, on n'apercevait plus Bauer et les prisonniers. Louis lui fit signe. Gaufredi avait jeté deux cordes au-dessus d'une haute branche d'un chêne, un peu éloigné de la route.

— Que font-ils ? demanda-t-il à Gaston, alors qu'il le savait très bien.

L'ancien commissaire considéra la scène en silence. Puis son regard se posa sur Louis et il lâcha entre ses dents :

— Ils vont les pendre, bien sûr.

— Mais ils ne peuvent faire ça, Gaston ! Pas sans procès !

Son ami le dévisagea mi-surpris mi-déçu. Sa voix était glaciale et il lâcha rapidement :

— Sais-tu ce qu'ils allaient faire à Armande et à sa cousine ? Crois-tu qu'ils les auraient laissées vivantes après les avoir violées ? Nous les avons pris sur le fait. Le procès est fait : je suis procureur et j'ai les pouvoirs d'un prévôt de justice. Je décide que l'appel est inutile et j'autorise l'exécution.

Louis se hérissa, fâché :

— Nous devons les emmener à la ville ! C'est au présidial de les juger.

— Pourquoi ? (Gaston haussa les épaules, fataliste.) Là-bas, ils seront torturés puis rompus vifs durant des heures. Au moins, ici ils mourront rapidement et sans souffrance inutile. D'ailleurs, c'est déjà terminé.

Il s'éloigna de Louis.

Brisés et vaincus, les deux brigands s'étaient laissé faire. Maintenant, le vent les faisait se balancer doucement, à un pied du sol.

Louis n'ajouta rien. Il restait les vivants et il s'approcha alors du blessé. Celui-ci le questionna faiblement :

— Gervais ?

Fronsac hocha la tête négativement.

Quand Gaufredi et Bauer revinrent, ils emportèrent le corps de Gervais à l'écart dans la partie la plus éloignée de la clairière. Avec leurs épées, ils commencèrent à creuser le sol.

— Que s'est-il passé, demanda Gaston à Armande qui avait repris ses esprits et se recoiffait.

— Je ne sais pas, nous étions dans la voiture, on avait décidé d'un arrêt, soudainement j'ai entendu des cris et cet homme, elle montrait l'un des pendus, est entré dans la voiture et s'est jeté sur nous. Vous êtes heureusement arrivés à temps pour nous éviter trop d'outrages.

Ce fut Pierre qui expliqua :

— Nous nous étions arrêtés dans la clairière pour faire reposer les chevaux. J'ai vu trois hommes s'avancer, ils venaient du fond du bois. J'ai dit à La Grange de faire attention. Et puis plus rien, je ne me souviens de rien. Le quatrième a dû m'assommer par-derrière.

— C'est ça, approuva faiblement La Grange. Ils ont tué mon oncle devant moi, j'ai pu éviter en partie la lame qui m'était destinée. Ils ont cru que j'étais mort.

— Ils venaient de là ?

Louis montrait un sentier. Ils approuvèrent.

— Allons voir, proposa-t-il à Gaston. Vous avez peut-être eu le malheur de vous arrêter près de leur tanière.

Ils se dirigèrent ensemble dans la direction indiquée. La sente menait au plus profond du bois et ils la suivirent quelques minutes. Au bout se dressait une cabane en branchages ainsi que quelques traces de feu et de campement. Par terre, des vêtements, certains souillés de sang. Ils pénétrèrent dans la hutte. Des paillasses d'herbes, quelques morceaux de tissu. Et un sac de toile. Louis le prit et l'ouvrit. Il contenait une vingtaine de louis d'or et autant d'argent. Environ trois cents livres. Une fortune volée par les bandits. Au fond, il y avait aussi des bijoux. Pour probablement quelques dizaines de milliers de livres.

Ils ressortirent avec le butin.

— Retournons, dit pensivement Louis.

Gaufredi et Bauer avaient fini d'enterrer le corps et tous étaient rassemblés autour de la tombe. On les attendait. Gaufredi fabriquait une croix avec deux branches. Louis et Gaston les rejoignirent. Une fois tous réunis, Louis récita un *Pater Noster* puis la prière des morts en latin, qu'il était le seul à connaître, Gaston étant peu porté sur la religion. Pierre, La Grange et Mlles de Brie et de l'Étoile pleuraient en silence.

Quand tout fut fini, ils rejoignirent les voitures. Louis fut le seul à jeter un dernier regard aux pendus. Ils resteraient donc ainsi, mangés par les corbeaux.

Bauer avait récupéré les armes des bandits. Elles n'avaient pas de valeur sauf une dague d'argent. Il la mit dans ses fontes pendant que Louis expliquait aux comédiens.

— Nous avons trouvé environ trois cents livres dans le camp des truands, le fruit de leurs rapines sans doute. Il y avait aussi des bijoux. Je vais vous donner l'argent. Ce sera le prix du sang. Pour les bijoux, je demanderai au présidial[1] d'Aix de faire une enquête. Peut-être retrouveront-ils les propriétaires.

Il remit les pièces à La Grange et proposa :

— Faisons route ensemble jusqu'à Orange. Ensuite, nous continuerons seuls vers Cavaillon, mais vous ne serez plus loin d'Avignon.

Ils repartirent. Le soir, ils dormirent à Orange au *Lyon d'Or*. Maintenant les comédiens pouvaient payer leur logis et leur repas, pourtant la soirée demeura funèbre et maussade. Chacun pensait à Gervais, qui ne jouerait plus jamais, et la séparation future des deux groupes pesait affreusement à tous. S'ils se connaissaient peu, ils s'étaient habitués les uns aux autres et ils regrettaient déjà de s'éloigner. Ils se quittèrent pourtant le lendemain. Gaston leur rappela qu'ils pourraient le joindre à Paris au Grand-Châtelet. Il espérait les revoir. Et surtout retrouver la belle Armande !

Le voyage se poursuivit. Il y eut une nouvelle nuit à Cavaillon, et ce fut la route d'Aix. Maintenant, ils étaient en Provence, une Provence sèche, rouge, poussiéreuse et venteuse, avec des arbres en fleurs partout.

---

1. Dans les tribunaux de l'Ancien régime, nous trouvons les bailliages et sénéchaussées, puis les présidiaux, et enfin les parlements.

Le Grand Chemin était très fréquenté. Ils suivaient continuellement des convois de foin, de tonneaux et de marchandises diverses. Des cavaliers pressés les doublaient et les croisements avec les véhicules venant en sens inverse étaient toujours longs et difficiles car le chemin n'était guère large. Et puis il y avait tous ceux qu'ils croisaient à pied, les journaliers, les saltimbanques, les moines et les mendiants. Et toujours, le terrible vent du nord les fouettait et les glaçait.

Ce mardi 7, ils avaient prévu d'être à Aix en soirée, mais les encombrements contrarièrent cette perspective. Vers six heures, ils étaient encore à près de deux lieues de la ville.

— Il existe une auberge plus loin, leur proposa Gaufredi, là où le chemin remonte vers Aix. On appelle le lieu : *la Calade*. Nous pourrons y passer la nuit.

Il était dans la voiture avec Louis, car Gaston conduisait pour se détendre un peu. Louis en avait profité pour expliquer au reître le but de leur mission, sans toutefois entrer dans les détails. Gaufredi avait écouté en silence, hochant parfois la tête. Alors Louis en profita pour poser une question qui lui brûlait les lèvres depuis ce jour où son compagnon avait raconté son histoire.

— Celui qui dirigeait les hommes qui t'ont battu et chassé d'Aix. Qui était-il ?

Gaufredi ne répondit pas immédiatement. Puis il soupira.

— Pendant quarante ans, je me suis posé cette question, essayant de me remémorer un détail, un signe, une portion de visage ou une attitude. Mais, hélas, je ne l'ai pas reconnu, il était sommairement masqué par un foulard. Je n'ai aucun moyen de l'identifier. Peut-être était-ce un amoureux de Claire-Angélique ? Peut-être aussi – pourquoi pas ? – son frère, le père d'Henri de Forbin-Maynier, l'actuel baron d'Oppède. En fait, cela aurait pu être n'importe qui.

Louis médita la réponse. Cet homme était-il toujours vivant ? Et si oui, comment réagirait-il en voyant revenir son ennemi ? Se pouvait-il que cela entrave leur mission ?

Ils s'arrêtèrent donc à l'auberge *Saint-Louis*, sur le chemin d'Avignon, face à un château carré, flanqué d'une petite tour. Le lendemain, ils repartirent à cinq heures pour Aix. Le vent était tombé et le ciel était dégagé et lumineux, d'un bleu profond que Louis n'avait jamais connu à Paris.

4

Le jeudi 9 mai 1647

La route d'Aix grimpa durant près d'une lieue. Soudainement, alors qu'ils débouchaient sur un vaste plateau, ils aperçurent la ville en contrebas, entourée de ses murailles et de ses tours jaune miel, illuminée par le soleil levant. Irréelle et magique, Aix ressemblait à une gigantesque pâtisserie de pain d'épice placée sur l'écrin turquoise du ciel.

Au milieu de l'enceinte se dressait fièrement le clocher de la cathédrale. Tout autour, ce n'était que verdure et campagne soigneusement cultivée. Après la route si sèche et si poussiéreuse, le spectacle apparaissait tellement féerique qu'ils s'arrêtèrent un long moment, à la fois émus et subjugués. C'est alors que Gaufredi lâcha, énigmatique :

— Ce n'est que l'aspect extérieur de la ville. Attendez de connaître l'intérieur.

À quoi fait-il allusion, s'interrogea Louis, à l'intérieur des murailles ou à ses habitants ?

Un chemin caillouteux serpentait en descendant. Plusieurs charrettes remplies de foin ou de tonneaux, des mules chargées de légumes et des paysans ou des ouvriers à pied, avec leurs outils sur l'épaule, se dirigeaient sans se presser vers la capitale de la Provence.

Alors qu'ils se rapprochaient, la pente devint suffisamment forte pour qu'ils soient contraints de descendre de voiture afin de retenir le carrosse en rassurant les chevaux. Quand le plus dur fut passé, Gaufredi indiqua une maisonnette en ruine sur leur gauche.

— C'est là que je suis né, fit-il. Cela s'appelle le *Rocher du Dragon*. Lorsque j'étais enfant, avec mes camarades, on trouvait dans le sol de curieuses et gigantesques dents d'animaux. Nous avons même déterré une fois une portion de crâne colossale…

Louis écoutait en regardant autour de lui avec une certaine appréhension, s'attendant à voir quelque ogre ou animal fabuleux sortir des petits bois environnants. Bauer, lui, restait indifférent : les dragons ne lui faisaient pas peur. Au contraire, il avait toujours rêvé d'en rencontrer un.

Un peu plus bas, Gaufredi reprit, montrant du doigt une grande bâtisse couverte de tuiles avec un pigeonnier :

— Voici la maison des Gaufridi. C'est là qu'ils vivent lorsqu'ils ne résident pas en ville. C'est là aussi que travaillait ma mère.

— Penses-tu qu'ils y habitent en ce moment ? questionna Gaston.

L'autre haussa les épaules avec indifférence.

— Peut-être, mais ils peuvent aussi être à Aix. Je vous l'ai dit, ils ont un bel hôtel Grand-Rue-Saint-Esprit, à côté du palais, car c'est plus pratique de vivre en ville pour un magistrat.

Le chemin tournait à gauche et ils avaient maintenant devant eux le panorama des murailles toutes proches. La route de terre conduisait à une vaste étendue d'enclos et de jardins, située en contrebas des murailles, d'où serpentaient plusieurs voies dont certaines semblaient contourner la cité. De là, une allée remontait vers une porte de la ville. Derrière les murailles, on apercevait un grand clocher[1].

— C'est curieux, dit Gaufredi en fronçant bizarrement le front, je ne me souvenais pas que les remparts étaient si proches – il désignait sa gauche –, il me semble que la porte était plus haut, vers l'église des Augustins.

Gaufredi ne pouvait pas savoir qu'en 1605, un an après son départ, le lieutenant criminel d'Aix, Joseph Bonfils, avait proposé un agrandissement de la ville vers le quartier de Villeverte, dont la majeure partie lui appartenait. Pour cela, il avait obtenu l'accord des consuls, puis du roi Henri IV – à condition de déplacer à ses frais la porte des Augustins un peu plus bas – pour repousser les remparts. Il avait ainsi loti et créé plusieurs nouvelles rues : la rue Villeverte[2], le long des fortifications, et les rues des Bernardines, de l'Ange, Dauphine et Sainte-Baume[3], ainsi que la rue transversale de la Fontaine. Au bout de la rue Villeverte, les consuls d'Aix venaient, deux ans auparavant, d'ouvrir une nouvelle porte : la porte Valois, en l'honneur du gouverneur de

---

1. Cet espace forme l'actuelle place de la Rotonde, il a été surélevé par les gravats provenant de la destruction du Palais Comtal.

2. Victor Leydet.

3. Ces trois rues sont respectivement : les rues Bruyes, Fermée et Entrecasteaux.

Provence, Louis de Valois, comte d'Alais et petit-fils de Charles IX.

Gaufredi poursuivait :

— Nous arrivons à la porte Royale, appelée aussi la porte des Augustins ; c'est l'entrée principale d'Aix. Les princes de sang passent par là quand ils viennent visiter la capitale. De l'autre côté de la porte commence la Grand-Rue-Saint-Esprit[1]. C'est la plus belle et la plus large rue de la ville.

Ils durent s'arrêter un long moment devant la porte fortifiée. Une interminable file d'attente s'était formée et chaque chariot de marchandises devait déclarer ce qu'il amenait et payer un droit d'octroi. Enfin, ce fut à leur tour d'avancer et ils entrèrent dans la cité.

Gaston et Louis s'étaient placés sur le siège de conducteur du carrosse alors que Gaufredi, à cheval, se tenait contre le véhicule en donnant ses explications.

Louis examinait les maisons basses en pierre ocre qui se succédaient. Rares étaient celles qui dépassaient un étage, les fenêtres étaient étroites et clairsemées, les portes basses et ferrées. Plus loin, devant lui et à droite, une haute enceinte clôturait sûrement un couvent. Cette rue ne ressemblait en rien aux grandes voies commerçantes et animées de Paris. Ici, pas de bois de colombage et peu d'étages en surplomb. Les commerces y étaient nombreux mais point tant envahissants que ceux de la rue Saint-Honoré. Par contre, la chaussée y était tout aussi sale et souillée de déjections et d'eaux usées qui dégoulinaient en ruisselet vers la porte Royale. Une foule compacte montait et descendait la rue, à

---

1. La rue Espariat.

pied, à cheval ou encore à dos de mules ou d'ânes. Les charrettes, voitures, chariots étaient innombrables et embarrassaient continuellement la circulation.

Gaufredi reprit, montrant du doigt les restes d'une tour, sur leur gauche :

— Regardez ! J'avais raison, voici les restes de la tour de Mayenqui ! C'était une tour de l'ancienne courtine. On a bien déplacé la porte de quelques dizaines de toises et on a avancé les fortifications[1] depuis que j'ai quitté la ville.

» Cette rue nous conduirait tout droit au palais. Il y a de nombreuses auberges tout au long, et encore plus dans les ruelles transversales, c'est pourquoi on la nomme aussi rue des Hôtelleries. Si vous me faites confiance, je peux vous amener à l'une d'entre elles qui, de mon temps, n'était point trop mauvaise.

Effectivement, les hôtelleries se succédaient : *La Couronne*, en bas de la rue du même nom, *Le Lion et le Sarrasin, L'Écu Royal, Le Cheval Blanc*.

Ils passèrent une première rue à droite, par où ils aperçurent des remparts qui paraissaient en ruine. Louis montra à Gaston l'enseigne d'une auberge : *La Masse*[2], mais ce ne devait point être leur futur hôtel car Gaufredi l'ignora. Justement, il poursuivait :

— Les deux églises en face l'une de l'autre sont les Augustins de ce côté-ci (il montrait sa droite) et le Saint-Esprit (à gauche) de l'autre bord.

— Les Augustins forment un couvent, n'est-ce pas ? demanda Louis, en désignant les sombres et hauts

---

1. La tour de Mayenqui et une portion des anciens remparts constituent l'îlot triangulaire formé entre la rue Espariat, la rue des Tanneurs et la rue Isolette.

2. D'où le nom de rue de la Masse.

murs, sans fenêtres ou ouvertures, qui ceinturaient complètement le pâté de maisons aboutissant à l'église.

— Oui, et un des plus vastes de la ville.

À la rue suivante, Gaufredi les fit tourner à droite et ils arrivèrent à un curieux puits fumant. Ils s'arrêtèrent un instant devant l'étonnant spectacle.

— C'est une source chaude, leur expliqua leur guide. La rue s'appelle d'ailleurs la rue du Grand-Puits. Plus bas, c'est la rue Nazareth. Nous nous y rendons, on l'appelle aussi la rue Saint-Jacques à cause de l'hôtellerie à gauche.

La rue du Grand-Puits formait le haut de l'actuelle rue Nazareth, et le puits n'existe plus depuis longtemps. Ils trottinèrent encore un instant.

— Nous y sommes. Lorsque je vivais ici, c'était une hôtellerie qui avait bonne réputation, ajouta-t-il montrant l'auberge.

Ils pénétrèrent dans l'hôtellerie *Saint-Jacques* par un portail à claire-voie qui les conduisit dans une petite cour avec une écurie[1]. L'hôtellerie n'était pas grande mais semblait propre et confortable. De la paille recouvrait le sol de la cour. Gaufredi alla voir l'hôtelier et, s'étant mis d'accord sur le prix, des valets prirent leurs bagages.

Après avoir visité les deux chambres qu'ils avaient prises, ils se retrouvèrent dans la cour. L'aubergiste, un gros homme hilare et expansif, les rejoignit.

— Vous resterez longtemps, messeigneurs ? leur demanda-t-il en français mais avec un terrible accent.

---

1. La cour de l'hôtellerie, encore visible malgré un portail de fer, correspond approximativement au parking actuel d'un hôtel.

— Au moins une semaine, répondit Louis. Soignez nos chevaux, nous serons de retour ce soir. (Il s'adressa ensuite à Gaufredi :) Je suppose que la ville n'est pas très grande et que l'on peut en faire le tour à pied ?

— En effet, ce sera plus facile. Mais ce soir, nous pourrions parcourir les lices extérieures à cheval.

— Et pour les commodités ? intervint Bauer, je ne vois pas de cabane dans la cour.

— Il n'y en a pas, rigola l'hôtelier. Vous sortez et, en face, de l'autre côté de la rue, vous trouverez une petite impasse avant les remparts. C'est *lou filadoux*, le lieu où l'on fait ses selles sans façon[1] ! Vous y trouverez toute la ville le pantalon baissé !

Il pouffa avec satisfaction de sa grossière plaisanterie.

— Bien. Si personne n'a de commodités à faire, le coupa Louis impatiemment, rendons-nous tout de suite chez ton neveu, Gaufredi. Peux-tu nous y conduire ?

Le regard du reître s'obscurcit un bref instant, cependant, il hocha la tête avec un pâle sourire d'acquiescement.

— Suivez-moi !

Ils remontèrent vers le puits d'eau chaude et le dépassèrent après que chacun eut trempé sa main dans un seau pour en mesurer la chaleur. Arrivé en haut de la Grand-Rue-Saint-Esprit, Gaufredi leur désigna une rue qui prolongeait celle qu'ils suivaient.

— Nous sommes à la rue de l'Official[2], la grande maison au coin est l'hôtel des Gaufridi. Si vous êtes

---

1. À l'emplacement d'un grand magasin.
2. La rue Aude.

d'accord, je préférerais attendre dehors. Bauer me tiendra compagnie.

Louis acquiesça. L'hôtel Gaufridi était une vieille demeure en pierre avec des fenêtres à meneaux et un porche voûté en ogive qui conduisait à un petit vestibule sombre mais propre et très frais. De chaque côté du vestibule, des bancs de pierre usés par le temps suivaient les murs opposés. En face de l'entrée, un large escalier à degrés grimpait vers les étages. Deux laquais en livrées sales et élimées étaient vautrés sur les bancs. L'un d'eux se leva en les apercevant et s'informa. Louis expliqua qu'ils désiraient rencontrer le président Gaufridi.

— Ce n'est pas possible, monsieur, répondit l'homme en crachotant entre ses dents gâtées. M. le président de la Chambre des requêtes n'est pas là aujourd'hui, mais vous pouvez rencontrer son secrétaire, si vous le désirez.

Louis ayant acquiescé, le second laquais qui avait écouté quitta le vestibule par une petite porte à droite. Au bout d'une minute, il revint pour leur demander de les suivre, cette fois en montant l'escalier.

Ils l'accompagnèrent. En haut, un vaste palier couvrait tout le devant de la maison et semblait être utilisé parfois comme salle de réception. Il y avait là deux longues banquettes de bois usées par le temps et placées sous les étroites fenêtres grillagées qui donnaient sur la rue de l'Official. Face à celles-ci s'ouvraient plusieurs portes en noyer. Entre les fenêtres étaient suspendus de vieux tableaux noirâtres et des tapisseries à verdure défraîchies, aux couleurs tellement passées que les motifs n'en étaient plus identifiables. Dans un coin se trouvait un guéridon surmonté d'un vase ébréché contenant des fleurs séchées qui tombaient en poussière.

Le laquais ouvrit la première porte et ils pénétrèrent dans ce qui semblait être une bibliothèque, tout aussi ténébreuse que le reste du bâtiment qu'ils avaient traversé. La pièce exhalait à la fois le moisi, le cuir usé et la vieille cire. Deux des murs étaient recouverts d'ouvrages et, sur le troisième, Louis remarqua quelques toiles sombres représentant des portraits d'hommes et de femmes dans des costumes du siècle précédent. Sans doute des membres de la famille Gaufridi. Les toiles encadraient une minuscule fenêtre, grillagée elle aussi, et qui laissait difficilement passer une triste lumière. Il s'approcha ; un petit jardin avec quelques fleurs se laissait deviner en contrebas. Une vaste et lourde table espagnole était le seul ameublement des lieux avec un très grand fauteuil droit tapissé, dont le tissu était usé jusqu'à la trame. Des armes rouillées et poussiéreuses étaient accrochées sur le dernier mur autour de la porte par laquelle ils étaient entrés.

Le valet alluma un chandelier avec deux bougies et se retira. Au bout de quelques nouvelles minutes d'attente silencieuses, un petit homme au corps en forme de barrique, presque chauve, avec des yeux très vifs et une épaisse et longue barbe blanche qui recouvrait son collet blanc, arriva en se dandinant. Il les salua gravement et leur expliqua :

— Messieurs, on vient de me prévenir de votre visite…, fit-il d'un ton interrogatif. Je suis le secrétaire de M. le président Gaufridi.

— Je suis le marquis de Vivonne, expliqua Louis, et voici mon compagnon, le procureur Gaston de Tilly. Nous arrivons de Paris pour rencontrer M. Gaufridi.

— M. le baron[1] n'est pas là, confirma le petit homme. Il se tient en ce moment à la Chambre des requêtes, dont il est président, et ce pour la journée et sans doute fort tard ce soir. Mais il pourra certainement vous voir demain, très tôt si vous le désirez.

— Ce sera parfait. Pouvez-vous me donner du papier et une plume ?

Le secrétaire s'exécuta en sautillant, ouvrant une porte dissimulée dans une des bibliothèques. Il posa sur la table feuilles, plumes, encriers et cires à cacheter de plusieurs couleurs. Louis s'assit sur le fauteuil et rédigea une lettre pour expliquer sommairement les raisons de sa visite. Dans sa missive, il demanda aussi au président de la Chambre de proposer au comte d'Alais d'être présent à leur réunion. Il joignit ensuite la lettre que Mazarin lui avait remise. (Il savait par ailleurs que le ministre avait déjà prévenu le gouverneur de Provence.) Quand il eut terminé, il prit un petit morceau de cire rouge et le chauffa avec la bougie qui se trouvait sur la table. Ensuite, il scella le tout avec le sceau de notaire qui ne le quittait jamais.

Il ajouta en pratiquant cette opération :

— Si M. le président nous cherche, nous sommes descendus à l'hôtellerie *Saint-Jacques*.

Le secrétaire approuva de la tête, montrant ainsi qu'il connaissait l'auberge.

Ils sortirent, pas mécontents de quitter la vieille maison aux remugles fades et putrides.

Gaufredi attendait, appuyé sur une borne et regardant les passants avec une expression sauvage. Bauer

---

1. Jacques Gaufridi était baron de Trets.

avait disparu. Gaston leva les sourcils en signe d'interrogation muette.

— Il est allé à *lou filadoux*, se moqua le vieux
soldat.

Ils revinrent ensemble vers l'hôtellerie, racontant
leur visite à Gaufredi et en chemin retrouvèrent Bauer,
le visage satisfait.

— Que faisons-nous, maintenant ? demanda Gaston. Nous avons une journée à perdre.

— Gaufredi pourrait nous faire visiter la ville,
proposa Louis, et durant cette promenade, nous nous
arrêterons pour manger.

La suggestion fut acceptée et le reître leur fit signe
de les suivre. Ils descendirent la rue Nazareth en direction des remparts.

En bas de la rue, des lices étroites couraient le
long des murailles ruinées et dévastées. À distances
régulières, des restes de tours se dressaient, envahis par
une végétation sauvage. Louis en compta quatre, de
chaque côté où se portait son regard.

Si la rue Nazareth n'était qu'un chemin non
pavé, les lices étaient pires. Toutes les déjections des
hommes et des bêtes ainsi que les immondices rejetées
dans les rues en amont aboutissaient ici et le sol rendu
boueux par les orages récents dégageait une odeur pestilentielle. Mais nos amis y étaient habitués, la situation
étant la même dans les rues de Paris.

— Je vous propose de suivre les lices vers la
gauche[1] jusqu'à la porte Saint-Jean que l'on aperçoit
un peu plus loin, suggéra Gaufredi tout en essuyant ses

----

1. Rappelons que ces lices se situaient sur l'actuel cours Mirabeau.

bottes à une grosse pierre. Ensuite, on pourrait remonter la rue des Grands-Carmes jusqu'au Palais Comtal.

— Ces courtines et ces tours sont complètement
dévastées, observa Gaston, cette enceinte ne sert plus
à rien. Pourquoi un tel manque d'entretien ? Il serait
préférable de tout démolir.

Effectivement, les fortifications dépassaient rarement une ou deux toises et les tours étaient presque
entièrement abattues.

— Les courtines sont si vieilles, expliqua Gaufredi. La plupart datent du roi René. Et les tours sont
maintenant hantées par toute une population de miséreux. Je suppose que si la ville s'agrandit vers le faubourg Saint-Jean, tout sera jeté à bas rapidement. Leur
ruine sera un bon prétexte pour tout démolir.

Ils arrivèrent devant une tour ouverte au vent dont
on distinguait un escalier encore solide qui montait
vers un minuscule chemin de ronde. Ils s'arrêtèrent un
instant.

— Celle-ci est la tour Maury, affirma Gaufredi,
si vous voulez, nous pouvons monter, vous apercevrez
ainsi la campagne environnante.

Ce qu'ils firent, sauf Bauer qui, à cause de son
poids, avait peur de faire écrouler le fragile escalier.
L'intérieur de la tour était rempli d'ordures et la puan-
teur qui y régnait était suffocante. Ils grimpèrent l'escalier effectivement branlant et arrivèrent à un rempart
dont les mâchicoulis avaient été abattus par le temps.
Ils avaient là une vue splendide sur le midi.

— Voici le quartier Saint-Jean, expliqua Gaufredi
en tendant la main. Là-bas, au fond, vous apercevez
l'église des Hospitaliers de Saint-Jean-de-Jérusalem

qui appartient à l'ordre de Malte. Le chemin qui y mène s'appelle le chemin de Toulon[1]. Les enclos et les potagers, en face de nous et en contrebas, dépendent de l'archevêché. Ce sont ces jardins qui constituent le futur clos Mazarin, ou encore d'Orbitelle, comme vous me l'avez raconté.

Louis avait en effet narré l'histoire du feu d'artifice raté et du lien que les Aixois avaient fait entre l'incident et l'échec militaire devant la ville de Toscane.

Le chemin de Toulon était bordé de très nombreuses maisons et entrait dans la ville par une porte proche située à leur gauche. Louis regarda au pied des murailles : des douves puantes et des cloaques bordaient l'enceinte. Il aperçut de gros rats courir. Visiblement, on rejetait en ce lieu toutes les immondices, les pots d'ordures et les eaux usées. Plus loin, la vue des jardins et des champs soigneusement cultivés atténuait l'impression répugnante du lieu. Entre les jardins se dressaient aussi quelques généreuses bastides, des hôtelleries dont on apercevait les enseignes ainsi que des cabanons de paysans.

Louis remarqua aussi le grand carrefour de chemins de terre devant la porte Saint-Jean. L'un d'entre eux était la lice qui serpentait jusqu'à la porte des Augustins[2].

— Et ça, qu'est-ce que c'est ? demanda Gaston en montrant une sorte de moulin à eau ruiné devant la porte Saint-Jean.

— De mon temps, c'était un moulin alimenté par un ruisseau, la Torse, que vous voyez courir le long des

---

1. Ce chemin est devenu la rue d'Italie !
2. Le futur cours Mirabeau.

remparts et qui baigne les douves[1]. Il y a là encore un petit bassin que l'on appelle l'abreuvoir de Saint-Jean. Avant d'être un moulin, c'était, je crois, la barbacane de la porte Saint-Jean.

— Et cette montagne, au loin ?

— C'est Sainte-Venturi.

Jugeant avoir tout vu, ils descendirent.

— Nous allons prendre la rue qui part de cette tour, proposa Gaufredi, c'est la rue des Grands-Carmes[2], je vais vous montrer une curiosité.

Ils quittèrent les lices et longèrent le couvent des Carmes en se dirigeant vers le Palais[3]. Maintenant, à leur droite, se trouvait une hôtellerie : *La Tête Noire*, et tout contre, sur une placette, se dressait une église. Gaufredi s'arrêta et expliqua :

— Un de nos précédents gouverneurs, Henri d'Angoulême[4], un fils bâtard d'Henri II, n'hésitait pas à se débarrasser de ceux dont il jugeait qu'ils étaient des ennemis de son roi. Il faut dire que la Ligue était alors toute-puissante contre Henri III. Un noble Marseillais, M. d'Altovitis, qui avait épousé une ancienne maîtresse d'Henri III, Renée de Rieux, et qui pour cet illustre honneur avait été fait baron de Castellane à

---

1. Ce moulin se situait là où se trouve actuellement la statue du roi René, en haut du cours. Quant à la Torse, elle est retournée à son ancien lit et coule en haut de la ville, près du stade municipal.

En 1630, durant la révolte des Cascaveoux, lors des troubles liés à l'édit des Élus, le moulin avait été sommairement restauré pour retrouver son rôle protecteur de la porte de la ville.

2. L'actuelle rue Fabrot.

3. Les vestiges des Carmes sont encore visibles dans le passage Agard.

4. Henri d'Angoulême, fils illégitime de Jane Stuart et de Henri II. Né en 1551 et tué à Aix en 1586. Il fut Grand Prieur de France et gouverneur de Provence de 1579 à 1586.

condition de laisser son épouse à Paris dans le lit du roi quand il en avait besoin, se plaignit justement à elle, dans une longue lettre, du comportement du gouverneur envers les Marseillais, lesquels étaient considérés comme de fervents soutiens à la Ligue. L'épouse montra la lettre à son royal amant, qui la fit passer malheureusement au gouverneur, son demi-frère.

» Henri d'Angoulême crut qu'Altovitis appartenait secrètement au parti de la Ligue et qu'il voulait le faire chasser de sa charge de gouverneur en utilisant l'influence de son épouse. Il jura donc de se venger. À quelque temps de là, il y eut une réunion des États de Provence et Altovitis vint y assister en tant que député de Marseille. Henri d'Angoulême, apprenant que le baron de Castellane était à l'auberge *Saint-Jacques*, où nous logeons, s'y précipita. Là, on lui annonça que son ennemi venait de partir pour cette autre auberge devant laquelle nous nous trouvons : *La Tête Noire*. Le gouverneur y courut, l'épée à la main. Apercevant Altovitis à une fenêtre, il grimpa à l'étage, défonça sa porte et lui cria, plein de fureur : « Est-ce toi qui as écrit cette lettre ? »

» Et tandis que l'autre, surpris, balbutiait quelques mots d'excuse, il lui passa son épée au travers du corps.

Gaston et Louis s'étaient arrêtés pour regarder en souriant le spectacle de Gaufredi mimant la terrible scène avec beaucoup de sérieux. Même Bauer paraissait passionné par le récit.

— Altovitis eut pourtant encore la force de saisir son poignard et, furieux, il en perça à son tour le Grand Prieur dans le bas-ventre. Et c'est ainsi qu'ils moururent ensemble, conclut Gaufredi, philosophe.

— Fâcheuse pratique de la part d'un gouverneur représentant la justice du roi, remarqua Gaston qui restait un policier avant tout.

Il s'arrêta quelques instants, puis ajouta un peu troublé :

— Espérons que le gouverneur actuel est plus respectueux des lois que son prédécesseur et parent.

Louis hocha la tête, lui aussi plus préoccupé par l'anecdote qu'il n'aurait dû l'être car, après tout, cette époque de la Ligue était particulièrement troublée et violente.

Ils reprirent finalement leur marche et tournèrent à droite. Gaufredi s'arrêta à nouveau.

— Nous sommes dans la rue des Gantiers, expliqua-t-il. Devant nous, un peu à gauche, ces curieuses tours à colonnes que vous voyez plus loin dépasser des toits[1] font partie du Palais Comtal. Cette portion de la construction du palais daterait des Romains et l'empereur Auguste, lui-même, y aurait séjourné lors d'une venue à Aix[2].

Le Palais Comtal occupait alors l'emplacement actuel de l'ancienne prison, du palais de justice et de la place du Palais. Si le monument apparaissait, de l'extérieur, fort ancien et bien délabré, il était, à l'intérieur, encore plus laid, plus sombre et plus humide qu'on ne l'imaginait. Son aspect rébarbatif et disgracieux était accentué par sa faible hauteur, car il n'avait qu'un étage et de médiocres combles au-dessus.

---

1. La tour du Trésor et la tour de l'Horloge.
2. On sait que Gaufredi se trompe : en réalité le Palais n'était que l'extension de la porte romaine d'Aquae Sextiae. Et ce n'est pas Auguste qui est venu à Aix, mais son petit-fils. Voir *Attentat à Aquae Sextiae*, même éditeur.

Depuis un millénaire et demi, chaque génération de l'administration aixoise ou provinciale avait ajouté des bureaux, des salles et des offices. Maintenant, la vieille forteresse était devenue une petite ville avec ses ruelles intérieures, ses placettes, ses escaliers, ses tours, ses corridors, ses passages et ses jardins sauvages où poussaient des figuiers. Toute l'autorité de l'ancien comté de Provence s'y était réfugiée : d'abord le sénéchal, ensuite le parlement et ses trois chambres, mais aussi la Cour des comptes, les tribunaux, le présidial, la Cour des aides et diverses juridictions provençales. En outre, on y trouvait le domicile du gouverneur, la prévôté et la prison ainsi qu'une quantité incroyable d'offices publics. Tout cela le rendait cher aux Aixois, qui en tiraient force, prétention et gloire.

Le bâtiment formait une sorte d'énorme caisse dont l'assise aurait été un carré approximatif. En arrivant par les Carmes, et sur la gauche, la façade était constituée d'un grand mur décati au sommet duquel s'ouvraient de rares et minuscules fenêtres. Presque dans un angle, une arcade surmontée de mâchicoulis ruinés révélait l'architecture défensive des lieux.

— C'est l'entrée des quartiers du gouverneur, expliqua Gaufredi en montrant la poterne fortifiée. C'est ici que loge le comte d'Alais. De l'autre côté (il se retourna) se dresse le couvent des Grands-Carmes que nous avons longé, et cette église-là est la Madeleine.

Ils suivirent les murs du palais jusqu'à une grande et élégante place arborée qui s'étalait devant eux. Là, ils s'arrêtèrent un instant et Gaufredi poursuivit en montrant du doigt la seconde façade avec ses fenêtres à croisillons :

— Nous voici sur la place des Prêcheurs. Devant
nous vous voyez l'entrée principale du parlement et des
chambres judiciaires.

Au milieu de cette façade s'ouvrait effectivement
une porte monumentale entourée de pilastres surmontés
de lourdes consoles, d'où pendaient des frises de fleurs
et de fruits. Au-dessus de la porte, un fronton orné
d'armes, de guirlandes de fruits et de lascives vierges
captives mettait en valeur un médaillon du roi René et
un buste du roi Henri IV.

Ce côté du palais formait donc un L avec le précédent et se prolongeait jusqu'au Portalet sur la place
des Prêcheurs.

Ils reprirent leur chemin vers le milieu de la place
fort ombragée et agréable. Là, ils s'arrêtèrent à nouveau pour examiner plus longuement la façade principale du Palais Comtal. Son aspect délabré était celui
d'un vétuste manoir médiéval qu'on aurait altéré au
gré des époques et des goûts. Ainsi, on avait percé des
portes, puis des fenêtres, qu'on avait ultérieurement
garnies de meneaux de pierre, enfin on avait plaqué
colonnades, portiques et fronton pour gâcher définitivement le peu d'équilibre qui restait au bâtiment. La
crasse et la ruine s'étaient ensuite emparées des lieux.

— Pouah ! grogna Gaston avec dégoût en examinant l'édifice. Je crois que je préfère encore le Grand-
Châtelet. Il a plus d'allure !

— Et ça ? demanda sèchement Louis.

Il montrait du doigt de solides terrasses en pierres
maçonnées, en face et à droite de la façade du palais.
Sur celles-ci se dressaient plusieurs potences, dont une
était garnie d'un cadavre desséché. Sur une roue, un
corps sans vie et sans forme était encore étendu ; les

deux mains coupées, il était recouvert par d'énormes mouches noires qui le dévoraient.

— C'est l'échafaud, lâcha Gaufredi, visiblement mal à l'aise. Il est installé ici à demeure et non construit en bois uniquement pour les exécutions comme à Paris. C'est une des distractions préférées des Aixois.

Ils poursuivirent silencieusement leur route. À leur droite se trouvait une grande église ainsi que de vastes jardins entourant de massifs bâtiments.

Gaufredi reprit la parole :

— Vous voyez là l'église des Dominicains, expliqua-t-il, et derrière se trouve le couvent avec son cloître construit sur l'emplacement d'un ancien monastère de frères Prêcheurs. C'est pour cela que cette place s'appelle les Prêcheurs[1].

— Et ces constructions ? demanda Fronsac.

Louis montrait du doigt un chemin qui s'éloignait à leur droite et qui distribuait plusieurs immeubles et hôtels couverts d'échafaudages[2].

— C'est un agrandissement de la ville qui date de l'année de ma naissance. Les nouvelles rues y sont larges et droites. On l'appelle la Ville-Neuve. C'est là que se trouve, près des remparts, le collège Royal-Bourbon[3], où j'ai fait mes études. À mon époque, il n'y avait guère que des jardins aux alentours, mais je

---

1. Cette église fut reconstruite trente ans plus tard avec une nouvelle façade ; c'est le bâtiment que nous connaissons. À cette époque, on abandonna l'église de la Madeleine, qui était, nous l'avons dit, située sur une placette contre les Grands-Carmes, et l'église des Prêcheurs devint, à sa place, *La Madeleine*. Là où se trouvait la précédente église, depuis détruite, la rue fut appelée *de l'ancienne Madeleine*. Quant au couvent des Dominicains, il est devenu le collège des Prêcheurs, dont on peut visiter le cloître.

2. La construction de l'actuel hôtel de Simiane.

3. Le Sacré-Cœur.

constate que bientôt il n'y en aura plus guère. Quant à ce chemin, il conduit vers la porte Saint-Louis.

Ils montèrent par la rue Bellegarde, qui était beaucoup plus étroite que la rue Mignet qu'elle est devenue. Non seulement elle était resserrée, mais elle était obscure et lugubre car de part et d'autre de la voie, des murs sans fenêtres, particulièrement hauts, la bordaient.

— À gauche, vous voyez le couvent des Dominicaines de Saint-Barthélemy, déclara Gaufredi, et à droite celui de la Visitation.

Louis jeta un coup d'œil aux deux tristes bâtiments, dont les hautes murailles assombrissaient la ruelle à cette heure très encombrée par de lourds chariots de matériaux que des ouvriers apportaient pour la construction de l'église de la Visitation de Sainte-Marie[1].

Ils contournèrent difficilement les véhicules qui occupaient toute la largeur de la chaussée. Quand ce fut fait, ils purent distinguer devant eux les tours qui gardaient la porte Bellegarde. Ils étaient alors à mi-chemin et midi avait été égrené par toutes les cloches de la ville. Gaufredi leur proposa donc de s'arrêter pour se restaurer et se rafraîchir. La chaleur se transformait en fournaise et Bauer avait soif; ils n'avaient pas fait de pause depuis leur départ de l'auberge *Saint-Louis*, à la Calade.

Ils étaient alors arrêtés sur une minuscule placette d'où s'éloignait, à leur gauche, une ruelle encore plus resserrée que la rue Bellegarde.

---

1. L'église, fermée, est à droite en montant la rue Mignet, en haut de quelques marches.

— Nous voici devant la rue Boulégon, expliqua encore Gaufredi et, à notre droite, se tient l'auberge de la *Cloche*. Nous pourrons y manger, et surtout y boire.

— Enfin ! déclara sobrement Bauer.

Ils descendirent quelques marches vers une grande salle voûtée en pierre ocre, sombre et fraîche, au sol couvert de sable doré et non de paille comme c'était l'usage. Louis jeta un regard circulaire. Des planches sur des tréteaux formaient de rustiques tables. Au fond, une cheminée procurait un faible éclairage et, devant celle-ci, des rôtissoires portaient quelques lièvres qui cuisaient lentement. Dans l'âtre, plusieurs chaudrons pendus à des crémaillères bouillonnaient. Au milieu de la salle, un très grand puits fournissait une eau qu'ils allaient découvrir limpide et glacée.

Ils s'assirent près de l'entrée et une fille de salle leur porta pour deux sols de vin et d'eau.

— C'est du vin local, les avertit Gaufredi après l'avoir goûté. Il se boit toujours mélangé à de l'eau. Les mauvaises langues disent que c'est parce qu'il est aigre et mauvais, mais c'est faux. C'est simplement une ancienne habitude romaine.

Ils commandèrent des lièvres qu'on leur apporta avec un plat de légumes bouillis, non identifiables compte tenu de la faible luminosité de la salle, mais qu'ils mangèrent pourtant avec appétit.

— Cette auberge a aussi une histoire, reprit Gaufredi entre deux bouchées. Henri d'Angoulême, dont je vous ai déjà parlé, y a fait assassiner quelqu'un qu'il n'aimait guère. L'homme se tenait ici, à notre place, attablé, quand le beau-frère du baron de Sénas, un spadassin aux ordres du gouverneur, pénétra dans la salle avec quelques comparses et laquais. Ils avaient ordre de tuer le malheureux et lui tirèrent dessus au pistolet, ensuite ils l'achevèrent à coups d'épée et de dagues.

— On assassine souvent à Aix, remarqua Gaston la bouche pleine en l'essuyant avec sa manche. Et toujours avec la bénédiction du gouverneur. Sais-tu ce que sont devenus les agresseurs ?

— Ils n'ont pas été jugés, évidemment.

— Cette ville, où se trouvent pourtant plusieurs cours de justice, a une fâcheuse conception de celle-ci, s'étonna le procureur. Décidément la plus grande prudence s'impose ! renchérit-il avec ironie, et surtout, je retiens qu'il ne faut jamais contrarier le gouverneur !

Une fois encore l'anecdote mit Louis mal à l'aise. Quel genre d'homme était ce comte d'Alais ? Ressemblait-il à son prédécesseur Henri d'Angoulême ?

Alors qu'ils étaient repus et reposés, Gaufredi expliqua à ses compagnons où il allait les conduire :

— Nous allons suivre la rue Boulégon, puis la rue Saint-Laurent. C'est le chemin qui séparait auparavant les deux villes qui ont fusionné.

— Les deux villes ?

— Oui. Autour de la cathédrale se trouvait jadis la ville ecclésiastique, siège de l'évêché. On l'appelait autrefois le bourg Saint-Sauveur, alors que le Palais et ses environs constituaient la ville royale. Chacune des cités avait ses propres murailles, sa propre administration, et elles n'ont été réunies qu'il y a trois cents ans. Il y avait aussi, dit-on, une troisième ville : la cité des Tours qui a disparu[1].

---

1. Voir *L'Archiprêtre et la Cité des Tours*, à paraître, même éditeur.

La rue Boulégon était bordée de maisons étroites, sombres, serrées les unes contre les autres. Le sol était boueux et puant.

Ce fut bien pire lorsqu'ils arrivèrent à la rue Saint-Laurent. Le chemin qui marquait l'ancienne séparation entre la ville comtale et la ville ecclésiastique était encore bordé par places de pans de vieilles murailles noires. À son extrémité, un beffroi massif apparaissait.

— C'est une ancienne porte de la ville, déclara Gaufredi. Ici, dans ce recoin, vous voyez la chapelle Saint-Laurent[1].

Ils arrivèrent devant le beffroi, encerclé par un dédale de ruelles bordées de maisons basses et bancales.

— Qu'est-ce que ce bâtiment qui menace ruine?

— C'est l'hôtel de ville. Charles Quint a brûlé le précédent lorsqu'il a envahi la Provence[2]. Les consuls l'ont si mal fait reconstruire qu'à pcine terminé, il s'était déjà fissuré! Quand j'ai quitté la ville, on parlait d'en bâtir un nouveau mais à l'évidence rien n'a été fait[3].

Ils s'engagèrent, à droite, dans la Grand-Rue-Notre-Dame nommée aussi la rue Droite[4].

— On l'appelle encore rue de la Grande-Horloge depuis la réunion des deux villes, à cause de l'horloge placée dans la tour. C'est la rue principale de l'ancienne

---

1. Elle se trouvait à l'angle de la place de la mairie, face à la rue des Gondraux.

2. Voir *Nostradamus et le dragon de Raphaël*, même éditeur.

3. Il le sera quelques années plus tard à l'occasion de la destruction du pâté de maisons qui se trouvait devant lors de la création de la place de la mairie.

4. Devenue Gaston de Saporta.

ville épiscopale et elle conduit à la cathédrale. Ici, nous sommes dans l'ancien bourg Saint-Sauveur.

— Il y a quelque chose qui m'étonne, mon bon Gaufredi, interrogea Gaston de Tilly, vous semblez être un puits de science sur cette ville. Comment l'expliquez-vous alors que vous l'avez quittée il y a plus de quarante ans ?

Gaufredi sourit tristement.

— Voyez-vous, après ma naissance, ma mère, qui n'était qu'une simple servante, a toujours cru que mes droits en tant que membre de la famille Gaufridi seraient reconnus. Elle avait un peu d'argent et des bijoux que lui avait laissés mon père, qui était un brave homme, et elle me fit faire des études. J'ai ainsi appris à lire et à écrire. Elle m'a même fait placer au collège Royal-Bourbon durant deux ans. Hélas, elle est tombée malade et j'ai dû abandonner l'école. Elle est morte quand j'avais seize ans. Peut-être aurais-je pu devenir avocat. C'est au collège que j'ai beaucoup appris, ensuite je n'ai rien oublié.

Dans les regrets, Louis crut distinguer autre chose. Une promesse pour l'avenir ? Ou une revanche ? Il s'interrogeait encore quand le reître montra la dernière maison à gauche avant la cathédrale.

— Cet hôtel est celui des Forbin-Maynier.

Ils s'arrêtèrent un instant devant le porche. La façade était ornée et l'entrée couronnée d'un fronton[1]. Un laquais en mantille était assis dehors, sur un banc en pierre à droite du porche. Il sommeillait.

---

1. L'hôtel actuel, dit de Maynier d'Oppède, a une façade plus récente.

Gaston regardait la porte avec une curieuse expression méditative. Ils allaient repartir quand il proposa subitement à Louis :

— Dis-moi, tu pensais aller voir Forbin-Maynier après ta visite à Gaufridi et au comte d'Alais, mais puisque nous sommes devant son hôtel, ce serait dommage de ne pas en profiter, tu ne crois pas ?

Louis ne répondit pas immédiatement. Mais il est vrai que Gaston n'avait pas tort. Il ne désirait pas rester trop de temps à Aix, et cette journée allait être perdue. Il se décida vite.

— Tu as raison. Après tout, pourquoi ne pas tenter une visite ? S'il n'est pas là, nous en serons quittes pour revenir demain.

— Si cela ne vous fait rien, je préférerais rester dehors, ici aussi, murmura Gaufredi.

— C'est d'accord, restez donc tous deux à nous attendre. De toute façon, nous ne serons pas longs.

Il s'adressa alors au laquais qui, ayant ouvert un œil, lui jeta un regard mauvais.

— Je vais demander à M. Forbin-Maynier s'il veut bien vous rencontrer, répondit l'homme mécontent d'être interrompu dans sa sieste.

Ils entrèrent dans le vestibule, qui était autrement plus vaste que celui de l'hôtel Gaufridi, et attendirent quelques instants. Ils avaient décliné leur identité au laquais, mais Forbin-Maynier ne les connaissant pas, ils misaient surtout sur la curiosité du magistrat pour qu'il accepte de les recevoir sans plus d'explication.

Ce fut ce qui se passa et le laquais revint les chercher.

Ils le suivirent dans le grand escalier qui partait du vestibule. En haut, une antichambre de parade desservait deux ailes et ils prirent à droite. Le laquais frappa à une porte pour les précéder ensuite dans une salle de taille généreuse.

Un homme au visage débonnaire et poupin d'environ quarante ans, aux cheveux longs et bruns, aux petits yeux marron, aux joues pleines et potelées, était assis à une grande table de noyer, une plume à la main. Il les regarda entrer avec sur le visage une expression mi-bienveillante, mi-interrogatrice. Le laquais leur avança deux chaises tapissées et se retira après s'être incliné très bas. La pièce était lumineuse, les meubles tapissés étaient neufs, un tapis de Turquie recouvrait le sol. Louis reconnut aux murs des tableaux de Simon Vouet et de Sébastien Bourdon. C'était un lieu tout à la fois confortable, studieux et fastueux, qui n'avait rien à voir avec la sombre salle où les avait reçus le secrétaire du président Gaufridi.

— Messieurs, asseyez-vous, déclara l'homme en se levant avec une courtoisie que Louis apprécia.

En parlant, il faisait ballotter un double menton un peu ridicule. Il n'était pas très grand mais vêtu d'un pourpoint de soie bleu si bien ajusté qu'il inspirait immédiatement le respect.

— Ainsi vous venez depuis Paris pour me rencontrer ? s'enquit-il d'une voix douce. J'en suis surpris, je ne m'attendais pas à une telle visite. J'ai cru comprendre que l'un d'entre vous est procureur du roi ?

Louis regarda Gaston et prit la parole.

— Mon ami, Gaston de Tilly, présenta-t-il, est effectivement procureur. Je suis le marquis de Vivonne et je n'ai aucune charge de magistrat. Nous sommes à Aix en mission et nous venons vous informer de notre visite pour vous demander votre aide, si toutefois elle devait être nécessaire.

— Elle vous est acquise, répondit chaleureusement le gros bonhomme. (Il se rassit.) Mais qui donc vous envoie ? Le parlement de Paris ? Je connais bien Omer Talon, venez-vous de sa part ?

— Non, nous venons à la demande de Mgr Mazarin…

À ces mots, le visage de Forbin-Maynier se ferma. Toute expression en disparut et les lourdes paupières s'affaissèrent progressivement. Seul un regard perçant filtrait, qui ne les quittait pas des yeux. Louis associa spontanément le magistrat à un gros chat.

— Mgr Mazarin ? Vraiment ?

La voix était toujours douce mais le ton volontairement dubitatif et désobligeant.

— Oui, monsieur. Le Premier ministre nous a chargés d'une mission et nous a beaucoup parlé de vos qualités.

— Assurément ? De mes qualités ? Je suis surpris, messieurs. Terriblement surpris…

Il se tut et eut une petite moue avant de reprendre :

— … Je ne sais que vous dire. Mgr Mazarin vous a peut-être expliqué que je m'oppose à lui alors qu'il veut créer de nouvelles charges pour notre parlement. Je ne suis ni son ami, ni son allié, ni son partisan. Il est donc curieux qu'il vous envoie à moi.

— Nous savons cela, opina Louis. Mais vous êtes avant tout sujet du roi, n'est-il pas vrai ?

La question déstabilisa Forbin. Il remua un instant les lèvres, mal à l'aise, mais resta finalement silencieux. Louis et Gaston attendaient la réponse. Le silence devint vite hostile et finalement Forbin-Maynier le rompit dans un soupir. Il joignit l'extrémité de ses doigts boudinés pour lâcher :

— Oui.

Le ton était buté, contraint. Et de nouveau ce fut un long silence agressif.

Puis, pour la seconde fois, Forbin-Maynier le brisa :

— Quelle est exactement la raison de votre venue chez moi ?

Gaston s'interrogea sur les mots *chez moi*. Voulait-il dire dans sa maison, ou dans sa ville ?

— Il s'agit d'une enquête criminelle pour laquelle nous sommes tenus au secret. Voici cependant une lettre que m'a transmise le ministre à votre attention.

Louis tendit le pli.

Forbin-Maynier regarda le document comme s'il s'agissait de quelque chose de répugnant ou de dangereux. Finalement, il le prit et, à l'aide d'une dague qui se trouvait devant lui, l'ouvrit. Il lut la lettre avec la même expression dégoûtée, qui se transforma au fur et à mesure de la lecture en une mine contrariée. Quand il eut terminé, il posa le pli sur son bureau, le lissant machinalement avec la main et regarda nos amis avec des yeux malveillants, le tout dans un silence oppressant.

Son visage était impassible, mais légèrement rouge, ses yeux sombres étaient secs et durs, striés de veinules pourpres. Louis remarqua une veine qui palpitait rapidement sur le front du magistrat. Malgré le calme qu'il essayait de montrer, Forbin-Maynier était à la fois inquiet et irrité.

— Effectivement, M. Mazarin me demande de vous aider…, commença-t-il.

Louis nota qu'il n'utilisait pas le titre de monseigneur.

— … Il doit se trouver dans une situation bien difficile pour agir ainsi et pour envoyer deux personnes aussi éminentes que vous à Aix.

Le ton était maintenant moqueur. Il s'arrêta un moment, hésitant peut-être à dire le fond de sa pensée.

— Voyez-vous, s'il est en peine, je ne peux que m'en réjouir. Je ne dissimulerai pas mon opinion. M. Mazarin est mon ennemi et tout ce qui peut lui nuire – et que j'ignore – me satisfait. Il veut imposer sa loi à Aix avec cet hérétique de Gaufridi et le comte d'Alais. Il ignore qui nous sommes et ce qu'est notre parlement. Notre ville a longtemps été capitale royale. Croit-il que nous allons accepter qu'un fils d'intendant sicilien puisse nous diriger ? Je suis fidèle au roi, pas à ce ministre de pantalonnade.

Son regard se fit alors vraiment menaçant.

— Mais si vous venez pour une autre raison, pour ébranler ma position, me porter préjudice ou me compromettre, alors vous me trouverez en face de vous. Moi et mes amis.

Il se leva et ajouta, tranchant :

— Je vous remercie de votre visite, messieurs, mais vous n'aurez de ma part ni aide ni soutien.

Le visage poupin était dur. L'homme avait eu un air mou et débonnaire quand ils étaient entrés dans la pièce, mais il n'était ni l'un ni l'autre. Il ne l'avait jamais été. Louis l'avait mal observé. Maintenant qu'il se tenait droit, il était massif plutôt que gros, trapu plutôt que corpulent, sa figure était épaisse plutôt que joufflue. C'était un homme d'action, brutal et violent, et nullement cet individu bonasse, bienveillant et pacifique qu'il donnait l'impression d'être. Ce n'était pas un chat mais un tigre. Malgré les apparences, le baron d'Oppède était un homme entier et agressif, un patricien qui considérait que la ville d'Aix lui appartenait et qui ne laisserait personne la lui prendre.

Louis pensa à cet arrière-grand-père qui avait massacré trois mille Vaudois sans remords ni regret. C'était le même genre d'homme.

Ils se levèrent à leur tour et saluèrent tout aussi froidement. Forbin-Maynier sonna une clochette et un jeune homme entra.

— Dominique, raccompagnez ces messieurs.

Il n'y eut pas d'autres mots. L'homme, sans doute un de ses secrétaires, leur ouvrit la porte, ils le suivirent et redescendirent dans la rue.

— C'est bien la première fois que l'on me chasse ainsi, s'étouffa Gaston. Mais pour qui se prend ce robin avec sa noblesse de pacotille ?

— Pour l'homme le plus puissant de Provence, lui répondit placidement Louis. Et sa noblesse est fort ancienne, tu es injuste. En tout cas, nous savons que nous avons un ennemi qui, au moins, n'a pas caché son jeu.

Gaston haussa les épaules.

— Croit-il vraiment que nous venons pour lui ?

Louis soupira.

— Il craint Mgr Mazarin avec juste raison. J'admire notre ministre, mais ses méthodes tortueuses m'effrayent bien souvent. Ceci étant, rien n'indique que Forbin soit mêlé d'une façon ou d'une autre à notre enquête.

— Mais rien n'indique non plus l'inverse, remarqua Gaston avec un rictus mauvais.

Ils rejoignirent Gaufredi et Bauer, tous deux assis sur un banc de pierre dans le porche de la cathédrale. En voyant Gaufredi qui sommeillait au soleil, l'image du secrétaire de Forbin qui les avait raccompagnés revint en mémoire à Louis. Mais cette impression diffuse disparut aussitôt. Il resta cependant mal à l'aise pendant que Gaston racontait leur visite.

Quand le procureur eut terminé, Bauer donna son avis, ce qu'il faisait rarement :

— Cet homme veut la guerre ! Voulez-vous que je m'en occupe ?

Il s'appuya d'un air mauvais sur son espadon.

Louis lui toucha l'épaule.

— C'est sans importance, Bauer, s'il ne veut pas nous aider, d'autres le feront. Après tout, nous ne comptions pas vraiment sur lui.

— Avez-vous aperçu quelqu'un d'autre dans la maison ? questionna Gaufredi.

Louis savait pourquoi il demandait cela. Mais quarante ans après, que pouvait être devenue Claire-Angélique ? Sans doute était-elle mariée et entourée d'une ribambelle de petits-enfants. Plus probablement était-elle enterrée dans cette église qu'ils avaient devant eux. Sous une dalle froide.

— Non, personne, mis à part un secrétaire.

Et de nouveau, il eut cette curieuse impression de déjà vu en songeant à ce secrétaire.

— Je propose que nous poursuivions notre visite, le coupa Gaston avec entrain. Par où allons-nous, mon bon Gaufredi ?

Après le départ de ses visiteurs, Forbin-Maynier resta pensif un long moment à sa table de travail. Il sortit de sa rêverie lorsqu'on frappa à la porte. C'était son secrétaire, Dominique.

— Ils sont partis ? demanda le baron.

— Oui. Vous avez l'air bouleversé, monsieur. Que voulaient-ils ?

— Je ne sais rien de précis, mais me nuire certainement…

Il médita un instant.

— … J'ai besoin d'éclaircissements. Renseignez-vous, Dominique, par tous les moyens. Que manigancent ces gens-là ? Je veux tout connaître d'eux. Et s'il le faut, faites le nécessaire pour les mettre hors d'état de me nuire. Définitivement.

Ignorant l'inquiétante décision de Forbin, nos amis montèrent la rue jusqu'à la porte Notre-Dame et prirent les lices à gauche. Après quelques minutes de marche silencieuse le long des remparts ruinés, Gaufredi expliqua :

— Nous sommes ici dans la rue des Étuves. Voyez-vous ces enseignes sur certaines maisons ? Ce sont des bains publics. Il existe dans les caves d'anciennes baignoires et de petites salles qui datent de l'époque romaine. Toutes sont alimentées par une eau bouillante qui jaillit naturellement du sol. Chacun peut venir et, pour quelques sols, se laver ou simplement se tremper dans une eau qui guérit, dit-on, de nombreuses maladies.

— Quelle horreur ! lâcha Gaston, qui se lavait rarement et préférait la toilette sèche consistant à se frotter avec un linge parfumé puis à se frictionner avec des pommades afin de masquer la crasse et les odeurs.

— Eh bien ! Pour ma part, ceci me convient. Je viendrai ce soir prendre un bain, le contraria Louis.

Chez les Fronsac, une citerne placée sous la cour de l'étude alimentait la maisonnée en eau propre et, très tôt, Mme Fronsac avait habitué ses enfants à se laver. Il faut dire qu'elle ne croyait pas à cette rumeur sur la porosité de l'épiderme qui, laissant s'infiltrer l'eau, apportait la peste.

À Mercy, l'époux de son intendante, Michel Hardoin, avait installé plusieurs pompes et des roues à godets sur la rivière voisine, dont l'eau était amenée dans une salle réservée au lavage, au rez-de-chaussée du château. Julie y avait installé une baignoire sur le modèle des deux bains qui existaient à l'hôtel de Rambouillet.

Ils descendirent la rue des Étuves, Louis étudiait les tarifs parfois affichés à l'extérieur, sous les enseignes. En bas de la rue, ils traversèrent des bassins ruinés entourés de colonnades brisées. Les herbes folles poussaient partout.

— Ce sont les thermes romains, fit remarquer Gaufredi.

Et puis ce furent de nouveau des ruelles fraîches et des maisons couvertes de vignes.

— Ici, nous sommes dans le quartier des Anglais, ajouta-t-il. Et là-bas, vous voyez la porte des Cordeliers. Le couvent des Cordeliers est juste en face.

— D'où sortent ces Anglais ? interrogea Gaston. Nous sommes pourtant bien loin de chez eux.

Gaufredi haussa les épaules.

— On ne sait pas trop. Je crois qu'il y a trois ou quatre cents ans, un roi d'Angleterre est venu à Aix pour marier sa fille avec le comte de Provence. Cette parcelle de la cité était alors en dehors des murailles et les Anglais y avaient établi leur campement. C'est tout au moins ce que l'on raconte.

Ils remontèrent un moment la rue des Cordeliers puis, lorsqu'elle devint trop étroite, prirent à droite un entrelacs de ruelles sordides et puantes qui les amena à la rue de l'Official.

De là, ils regagnèrent leur auberge.

Après avoir vidé quelques pichets de vin et s'être installés dans leurs chambres, Louis expliqua à Gaston qu'il allait retourner rue des Étuves pour se laver.

Il laissa ses compagnons et reprit, en sens inverse, le chemin par où ils étaient arrivés. Après s'être quelque peu égaré, il reconnut enfin les vieilles tours qui se dressaient le long de la rue des bains et, au bout d'un instant, il aperçut les enseignes qu'il avait déjà observées. Il entra dans une des maisons qui lui parut moins sale que les autres.

Dans un vestibule, une matrone monstrueuse, qui aurait facilement battu Bauer à la lutte, lui demanda trois sols, puis le fit descendre vers des caves par un escalier humide couvert de moisissures et terriblement étroit, raide et glissant. Les marches conduisaient à un couloir sablé dans lequel, de part et d'autre, s'ouvraient des sortes de caves, en fait des bassins ou des cuves d'une toise de largeur. Louis en compta trois de chaque côté. On pénétrait dans chacune des cuves par un porche bas et voûté, masqué par une tenture crasseuse et dégoulinante d'humidité. Il distingua de l'eau bouillonnante qui sortait par une conduite en plomb et un trop-plein courait ensuite formant une profonde rigole le long du couloir. Il se déversait Dieu sait où.

La matrone le guida jusqu'au bout du couloir. En passant, le marquis entrevit quelques personnes, nues, dans les bassins et perçut quelques éclats de voix. Au fond se trouvaient des bancs et des tonneaux, où un vieil homme assis sommeillait. En haut du passage, quelques soupiraux apportaient une médiocre lumière.

— Vous laissez vos vêtements ici, ordonna la femme d'un ton revêche. Attention ! Les hommes sont de ce côté. Allez au bassin que vous voulez. L'autre couloir est pour les femmes. N'essayez pas d'y aller ou de regarder, sans cela vous aurez affaire à moi ! Vous n'êtes pas dans un bordeau.

Elle leva vers Louis un poing gros comme un melon en ouvrant une gueule féroce, laissant entrevoir des dents puissantes bien que jaunes et gâtées.

— Voici un drap pour vous essuyer.

Elle prit sur le banc un chiffon crasseux et détrempé et le lui jeta avec force. Ensuite, l'ayant regardé méchamment avec ses petits yeux porcins, et jugeant qu'elle l'avait suffisamment terrorisé, elle repartit en se dandinant.

Louis se plaça dans un coin d'ombre et se déshabilla entièrement. Alors qu'il était tout nu, deux femmes d'un certain âge sortirent d'une cave et éclatèrent de rire en le voyant en tenue d'Adam. Confus et humilié, il se jeta aussitôt dans un bassin où se trouvaient déjà deux personnes. Là, il commença à se frotter avec ses mains. L'un des inconnus lui tendit une étrille.

— Il vaut mieux apporter ses affaires ici, fit sobrement l'inconnu.

Louis se lava en silence. L'eau était brûlante et agréable. Ses deux voisins sortirent et il resta seul, un très long moment, savourant le repos dans l'eau thermale. La cuve était bâtie avec d'énormes blocs de pierre ocre, polis par l'usage mais encore parfaitement bien scellés ; elle devait remonter à l'époque romaine. Finalement, propre, reposé et réconforté, il jeta un œil dans le corridor, et voyant qu'il n'y avait personne, sortit, se sécha sommairement avec le drap humide et se rhabilla.

Il rentra à l'auberge pour le repas du soir. La salle était pleine de monde et il trouva ses amis en train de discuter en l'attendant. Le repas du soir était le même pour tous ceux qui pouvaient payer : des saucisses d'Espagne, du lard et des lentilles. Le dessert était constitué de pâtisseries aux raisins secs. Ils mangèrent tout leur saoul.

Le repas terminé, il faisait encore jour. Bauer alla à *lou filadoux* pendant que nos trois amis discutaient de la façon dont ils allaient occuper leur soirée.

— Nous pourrions effectuer un tour extérieur de la ville à cheval, proposa Gaston.

La promenade fit l'unanimité et, quand Bauer revint, ils se rendirent à l'écurie préparer quatre chevaux. Ils ressortirent de la cité par la porte Royale après avoir descendu la Grand-Rue-Saint-Esprit. Reprenant le chemin d'Avignon, ils longèrent un moment les fortifications, aux lices extérieures plantées d'ormeaux. Ensuite, ils obliquèrent à main droite sur une large avenue dans laquelle débouchait la porte Valois, également bordée d'arbres.

— C'est le faubourg des Cordeliers, expliqua Gaufredi.

Ils passèrent devant la porte des Cordeliers. À partir de là, les murailles étaient visiblement très vieilles et nombreuses étaient les maisons adossées à elles. Des tours, datant de plusieurs centaines d'années, se dressaient encore, ruinées et envahies de broussailles. Ils prirent de nouveau à droite. De l'autre côté des lices, face à la rue des Étuves, on apercevait de vastes étendues empierrées.

— Là-bas se trouve l'aire du Chapitre[1], on y foule les blés de la ville, commenta leur guide.

Un peu plus loin, sur une hauteur, ils aperçurent l'hôpital Saint-Jacques et son église des Capucins, longée par le chemin de Puyricard et d'Entremont, où se trouvaient des bâtiments ruinés remontant aux Gaulois. C'est tout au moins ce que raconta Gaufredi, mais Gaston ne le crut guère.

— C'est là-haut que le duc d'Épernon s'était installé pour faire le siège de la ville sur ordre d'Henri IV, car elle était alors un nid de ligueurs. J'avais neuf ans à l'époque. Épernon ravagea la campagne et commit tellement d'horreurs que, même après son départ, on disait d'un gamin désagréable : *Il fait autant de dégâts que d'Épernon.*

Ils passèrent devant la porte Notre-Dame, puis longeant toujours l'esplanade des lices, ils arrivèrent

1. L'actuel quartier Grassi.

devant la porte Bellegarde, face à la route de Pertuis.
Là, une rampe raide montait à la chapelle Saint-Eutrope
et on apercevait au sommet quantité de moulins à vent.

Les auberges étaient nombreuses à cette entrée de
la ville. Non loin de la porte Bellegarde, un petit pont
de pierre enjambait le ruisseau de la Torse, qui longeait
ensuite les courtines. L'esplanade, au-delà des remparts ruinés, était dégagée et arborée. Le chemin y était
large, bien entretenu, et il aurait permis une promenade
agréable s'il n'avait longé des douves puantes pleines
d'ordures.

Heureusement qu'en face des remparts, des
champs cultivés et des vergers attrayants s'étendaient
à perte de vue.

De nouveau, ils tournèrent à droite. Les lices
étaient bordées de couvents jusqu'à la porte Saint-Louis
et le chemin de Vauvenargues[1]. Ensuite, ils longèrent
la Plate-Forme, un bastion défensif en forme de pique
de carte à jouer avec la pointe à l'extérieur. Plus loin,
le chemin descendit. Le ruisseau serpentait toujours le
long des remparts. Sur leur gauche, maintenant, c'était
le quartier Saint-Jean, avec des maisons déjà serrées
et alignées le long de chemins qui partaient tous de la
porte fortifiée.

Ils passèrent devant et suivirent la promenade des
lices extérieures. En contrebas constructions et jardins
y étaient déjà nombreux.

— À partir d'ici, ce sont les jardins de l'Archevêché, précisa Gaufredi. C'est là que commence ce que
vous appelez le *clos Mazarin*[2].

---

1. Face à l'école des Arts et Métiers.
2. Nos amis suivent ici ce qui deviendra le cours Mirabeau.

Au bout des lices, ils retrouvèrent le grand carrefour d'où partait la route de Marseille et de l'autre côté celle d'Avignon.

Plus loin, sur la route de Marseille, on apercevait la Maladrerie Saint-Lazare. Ils restèrent un moment à poser quelques questions à leur guide puis rentrèrent par la porte des Augustins, retournant à leur hôtellerie.

5

Matin du vendredi 10 mai 1647

— Cette auberge est sordide ! se lamenta Gaston à son réveil.

Comme Louis, il avait fort mal dormi sur une pauvre paillasse inconfortable, dans une chambre surchauffée située sous les combles. Attaqués toute la nuit par une vermine féroce et affamée, ils essayaient maintenant de se raser dans une bassine d'eau croupie en plaçant au hasard le rasoir sur leur peau car, malgré le jour levé, leur chambre restait dans la pénombre tant la fenêtre grillagée, constituée de petits carreaux dépolis couverts de crasse, ne diffusait qu'une chiche luminosité.

Louis l'approuva, maussade, irrité, fripé par le manque de sommeil. Déjà la veille, il avait noté que leurs chevaux n'avaient pas été brossés et que leur carrosse était utilisé pour entreposer les bassines d'osier remplies d'épluchures qui provenaient des cuisines !

— Dès que nous aurons un moment, annonça-t-il, nous allons en chercher une autre. Ce ne sont pas les hôtelleries qui manquent dans cette ville. Nous n'avons qu'à ouvrir les yeux.

Ils s'habillèrent. Louis, comme d'habitude, passa un long moment à nouer des rubans noirs, des galans, comme on disait à l'époque, aux poignets de sa chemise. Ensuite, il revêtit son pourpoint marron à manches fendues, veillant à faire ressortir élégamment une partie du linge de sa chemise. Enfin, il rejoignit Gaston qui, affamé, était déjà descendu et l'attendait.

En bas, dans la salle principale, Gaufredi et Bauer terminaient leur bol de soupe aux fèves dans laquelle ils avaient trempé du pain chaud.

— Ce pain au levain est excellent, déclara le Bavarois en mastiquant. Les Aixois l'appellent le pain d'Aix, mais Gaufredi m'a signalé que les Marseillais le nomment le pain de Marseille.

Louis s'installa à côté de Gaston et un valet leur porta leur soupe fumante.

— Gaufredi, expliqua Fronsac après qu'il eut avalé quelques gorgées, cette auberge est aussi malpropre et puante que la bauge d'un sanglier. Je comprends maintenant pourquoi les Aixois ont été si souvent décimés par la peste. Nous allons en trouver une autre avant que nous n'attrapions la maladie à notre tour.

À contrecœur, Gaufredi en convint.

— Bien. Ce matin, nous allons voir ton neveu, reprit Louis en souriant à son attention. Il devrait nous avouer qui lui a proposé cette lettre de conseiller. Après quoi, nous irons rendre visite à la personne en question et il faudra la faire parler.

— Je m'en charge, annonça sinistrement Bauer.

— Puisque nous sommes tous prêts, allons-y.

Bauer vida son vin, plaça son espadon sur une épaule et jeta son manteau roulé sur l'autre. Un pisto-

let et un large couteau de chasse étaient déjà pendus à
son baudrier, où était accrochée une épée espagnole en
acier de Tolède. Gaufredi ramassa aussi son manteau
écarlate, le roula à son tour pour le fixer en travers de
son dos. Il se couvrit ensuite de son chapeau à plume de
coq et boucla son ceinturon soutenant sa longue épée
à manche de cuivre. Il glissa enfin un pistolet à rouet
dans une poche du pourpoint élimé qu'il avait endossé
sur sa cuirasse de buffle.

Gaston portait une élégante épée de cour à poignée de nacre et Louis rien. Comme il l'expliquait à
ceux qui s'en étonnaient, sa tête pourvoyait à tout mais,
en réalité, il comptait surtout sur les autres. Avant de
partir, il alla voir l'aubergiste.

— Il y a dans nos bagages quantité de chemises
ainsi que quelques vêtements sales, pouvez-vous nous
les faire laver et apprêter?

L'homme acquiesça en grognant mais sa compagne, qui semblait diriger l'auberge, intervint plus
aimablement :

— J'enverrai une fille de salle à l'Arc, c'est la
rivière qui coule en bas de la ville. Il y a là-bas des
lavandières. Elles vous ramèneront vos habits bien
propres dès demain, monseigneur.

Louis laissa une dizaine de sols pour le travail.

Dehors, ses amis l'attendaient. Ils se dirigèrent à
pied vers l'hôtel de Gaufridi. La journée s'annonçait
chaude et le ciel était d'un bleu limpide, sans aucun
nuage. Quel climat exquis, songea Louis.

Ils reprirent le même chemin que la veille et pénétrèrent dans le vestibule obscur de l'hôtel de Gaufridi.
Les bancs de pierre étaient tous occupés par une dizaine
de gardes en casaques rouge et bleu du régiment de

Dauphiné. L'un des laquais qu'ils avaient vus la veille était encore là et parlait aux soldats. En apercevant les visiteurs, il les reconnut, se leva et leur expliqua que M. le baron les attendait avec monseigneur le gouverneur.

Ils grimpèrent tous ensemble l'escalier jusqu'au grand palier. Un homme élégamment vêtu de noir était assis sur l'une des deux banquettes. Il avait le visage sombre et olivâtre, totalement imberbe, et il portait une chevelure mi-longue d'un noir de corbeau.

L'inconnu les considéra un instant avec un mélange de curiosité et d'intérêt. Un sourire étincelant se plaqua ensuite sur son visage, laissant apercevoir des dents parfaites. Constatant que les visiteurs étaient quatre, il se leva et s'avança vers eux. Au même instant, une porte au fond de la galerie s'ouvrit.

L'homme qui apparut ressemblait à l'évidence à Gaufredi. Maigre, une moustache tombante entourant une bouche grave et sérieuse. Il avait juste dépassé la quarantaine, mais son front était déjà dégarni et son visage ridé et fatigué. Ses cheveux longs et châtains cachaient une grande partie de son col de dentelle brodée. Le reste du vêtement était noir, avec un liseré vert. Louis devina qu'il s'agissait du président de la Chambre des requêtes.

— Lequel d'entre vous est M. Fronsac ? demanda-t-il d'une voix grave, agréable et chantante.

Il haussa les sourcils dans une brève interrogation muette en apercevant l'espadon sur le dos de Bauer. Une arme incongrue à Aix et dans sa maison.

— C'est moi ! (Louis s'avança.) Et voici M. de Tilly, procureur du roi, qui m'accompagne ainsi que mes deux autres compagnons.

Intentionnellement, il ne les nomma pas.

Gaston dévisageait l'homme en noir, toujours debout et souriant. Il nota un imperceptible frémissement à l'énoncé de son titre de procureur.

— Entrez donc, je suis Jacques Gaufridi, Mgr le comte d'Alais nous attend.

Il se tourna vers l'homme au teint olivâtre.

— Excusez-moi de vous faire attendre, monsieur Gueidon, je n'en aurai pas pour longtemps.

Puis il s'adressa de nouveau à nos amis :

— Philippe Gueidon est avocat du roi à Marseille et il vient me voir pour plusieurs affaires que nous traitons à Aix. Je le verrai après vous. Nous avions rendez-vous, mais il ignorait votre visite.

Ils entrèrent tous dans la pièce attenante, après quoi Gaufridi en referma soigneusement l'huis. La salle était minuscule et contenait une table de travail ainsi que trois chaises vides. Sur un fauteuil était assis un homme bedonnant, à l'expression quelque peu cruelle et vindicative, avec des lèvres fines et moqueuses. Il avait les cheveux blonds assez courts, une moustache en pointe et une longue barbiche droite dont la mode était passée depuis longtemps. Son habit de satin vert foncé et sa chemise finement brodée lui donnaient une allure opulente et raffinée malgré son visage flasque et empâté. Il portait plusieurs bagues d'or aux doigts.

Louis devina qu'il s'agissait du fils du comte d'Angoulême, le dernier Valois. Ce petit-fils de Charles IX était le comte d'Alais et présentement le gouverneur de Provence.

Les quatre visiteurs le saluèrent avec déférence. Le Valois eut un faible rictus, sourire à la fois satisfait et dédaigneux. Il les considéra un moment avec un semblant d'intérêt, puis se mit à parler d'un ton précieux, lent et suffisant. Pour tout dire, désagréable.

— Monsieur Fronsac ? J'ai été prévenu de votre visite par une lettre de mon cousin, le roi. Je suis à vos ordres pour votre enquête.

À l'évidence, le comte se moquait totalement de la basse besogne de police du marquis de Vivonne. Ce dernier écarta les mains, paumes ouvertes en signe de bonne volonté. Il eut un bref regard vers le président de la Chambre des requêtes, debout à gauche du gouverneur, puis se tourna à nouveau vers le comte d'Alais.

— Dans ce cas, nous ne serons pas longs, précisa-t-il en guise de préambule. Vous savez ce qui nous amène, monseigneur, et je puis donc aller droit au but. M. le président vous a signalé qu'on lui a proposé la vente d'une lettre de provision vierge et signée par Mgr Mazarin pour une charge de conseiller au parlement. Le présumé vendeur n'a pas été nommé et c'est lui que nous recherchons.

Alais, toujours le seul assis, eut un ample geste de la main, plus débonnaire qu'amical, faisant comprendre à Gaufridi qu'il avait la parole. Celui-ci serra un instant ses lèvres, puis tripota machinalement sa moustache tombante, visiblement embarrassé. Finalement, il s'expliqua :

— Hum ! En effet… j'ai préféré taire son nom car je ne savais pas si l'affaire aurait une suite, et la situation était un peu gênante…

Il s'arrêta un instant, considérant tour à tour les participants, sauf Bauer et Gaufredi, sur lesquels son regard glissa. N'observant aucune réaction, il reprit :

— … Il est clair que ce que je vais vous dire doit rester confidentiel… Voyez-vous, il existe une rue, derrière le palais, où les magistrats se retrouvent parfois pour prendre un peu de bon temps, après une rude journée de travail, loin de leurs épouses…

Il s'arrêta de nouveau, rouge de confusion, aussi c'est le comte d'Alais qui reprit la parole, le regard égrillard et cynique.

— Monsieur le président veut parler de *Bouèno-Carrièro*, la bonne rue. Depuis trois cents ans, par privilège des comtes de Provence et d'Anjou, les femmes sont autorisées à se montrer mamelle découverte dans cette ruelle, qui s'appelle en fait la rue du Four du Temple, car le Temple était juste derrière. C'est là que se sont installés les lupanars et les bordeaux de la ville[1] ! Je dois dire qu'on y trouve parfois de fort plaisantes garces !

Le président de la Chambre des requêtes, une expression gênée sur le visage, poursuivit en butant nerveusement sur les mots.

— Oui… Bref, je me trouvais… il y a quelques semaines *Bouèno-Carrièro*… avec… une bagasse… (il eut un bref sourire grivois) quand quelqu'un m'a proposé une de ces fameuses lettres, non pour moi, précisat-il avec une sorte d'effroi, mais éventuellement pour une de mes relations qui aurait pu être intéressée.

— Mais qui ? Qui vous a abordé ? s'enquit Gaston irrité par les atermoiements de Gaufridi.

— Il s'appelle Jean Frégier… C'est ce que vous appelez à Paris, je crois, un courtier en fesses.

— Un maquereau, donc, déclara Gaston.

---

1. La Bonne Rue, *Bouèno-Carrièro*, existe encore en partie, entre la place Saint-Honoré et l'ancienne prison. Quant au Temple, ses fondations ont été incorporées au pied de la face sud de l'ancienne maison d'arrêt devenue tribunal.

— C'est cela, il possède plusieurs établissements dans la rue. Et il connaît beaucoup de monde. Forcément. Des gens… plus ou moins scrupuleux…

— Je vois…, répliqua froidement Gaston, que ce mélange entre ceux qui faisaient appliquer les lois et ceux qui les violaient hérissait.

Lorsqu'il était commissaire, il avait suffisamment approché les courtiers en fesses et les maquerelles pour savoir quel genre d'individus ils étaient.

— Bien, nous allons le trouver maintenant et je lui demanderai d'où il tenait cette lettre, le coupa Louis, inquiet de la tournure des échanges, car il se méfiait du caractère entier de son ami.

Il savait que Gaston, qui plaçait la loi au-dessus de tout, n'allait pas hésiter à faire part de sa réprobation au président. Et il voulait éviter un éclat qui ne pourrait que les desservir. Il demanda alors au président Gaufridi.

— … Mais vous venez de parler de lettres au pluriel. Il y en aurait donc plusieurs ?

— C'est effectivement ce que m'a déclaré Frégier.

— Diable !

Il resta pensif un instant avant de reprendre :

— Autre chose, nous souhaitons rencontrer M. Jean-Henri d'Hervart, qui a racheté les droits d'enclore le faubourg Saint-Jean à Mgr Mazarin.

Alais fronça les sourcils et un voile passa dans son regard :

— Croyez-vous que cette opération d'urbanisme puisse avoir un rapport avec votre affaire ? intervint-il d'un ton dubitatif.

— Vous savez bien que si la ville s'agrandit, de nouvelles charges de conseillers seront mises en vente. Ces lettres de provision sont certainement en rapport avec cette opération du clos d'Orbitelle, répliqua Louis en se tournant courtoisement vers lui d'un air innocent.

— Hervart n'est pas à Aix, affirma le président Gaufridi, il est en ce moment à Arles, où il réside habituellement.

— C'est bien gênant, déclara Gaston. A-t-il des relations ici, des amis, des parents ? Bref, quelqu'un que l'on pourrait interroger et qui pourrait nous renseigner ?

Le président de la Chambre considéra Alais, guettant visiblement une autorisation de parler. Et effectivement Louis nota que le comte hochait la tête en signe d'approbation.

— Hervart courtise Lucrèce de Venel, la sœur de M. Gaspard de Venel, qui est un de nos plus éminents conseillers. Peut-être pourriez-vous le rencontrer ? Il connaît un peu les affaires d'Hervart. Venel habite rue Rastoin, dans le bourg Saint-Sauveur. Ce n'est pas très loin d'ici.

Louis hocha la tête et consulta son ami du regard. La réponse qu'il y lut lui convint.

— Je crois que nous avons toutes les informations que nous désirons, conclut-il. Nous vous tiendrons informés du déroulement de nos investigations.

— Attendez ! (Le président Gaufridi avait pris une expression préoccupée.) Êtes-vous bien logés ?

Gaston et Louis ne s'attendaient pas à une telle question et durant quelques secondes, ils ne surent que répondre. Ce fut Gaston qui, le premier, retrouva la parole.

— Pas très bien… effectivement… nous allons certainement chercher une autre auberge…

— Aïe ! C'est bien ennuyeux. Terriblement ennuyeux, grimaça Gaufridi. Je vous aurais bien accueillis chez moi, mais je n'ai pas de place, cette maison est minuscule et si peu confortable.

Il se mordit la lèvre, ne cachant pas son désarroi avant de poursuivre :

— Je dois vous prévenir que M. de Venel est un peu… original. Il va sûrement vous poser la même question et donc vous proposer de vous héberger. Mais surtout, surtout, refusez ! Je vous en conjure !

Cette fois, nos amis furent interloqués, ils regardèrent successivement les deux Aixois sans comprendre.

Le comte d'Alais intervint alors, d'un ton suffisant, appuyé par quelques mouvements de main comme pour chasser une situation qui lui déplaisait.

— Voyez-vous, messieurs, Venel est un éminent magistrat, fort respecté au palais. Il a en outre épousé, il y a une quinzaine d'années, la fille fort riche et fort belle d'un trésorier des États, mais malheureusement, c'est aussi un farceur redoutable. Il adore loger des gens de passage chez lui et, dans ce but, il a fait construire des chambres truquées de manière à martyriser à plaisir ses visiteurs.

Louis eut un sourire un peu niais. Où diable voulait-il en venir ?

— Je vois, dit-il stupidement.

En vérité, il ne voyait rien.

— La dernière fois qu'il a logé quelqu'un, expliqua Gaufridi, le lit de son invité a été relevé dans la nuit avec des cordes et quand la personne a voulu se lever pour satisfaire ses besoins naturels, elle est tombée de très haut et s'est fait terriblement mal. Toute contusionnée et dans un demi-sommeil, elle a cherché à tâtons son lit, ne comprenant pas ce qui venait de lui arriver, mais Venel avait laissé le lit suspendu et supprimé toute lampe. Son invité s'est finalement rendormi par terre, à moitié estropié et souffrant terriblement. Avant qu'il ne se réveille, Venel a fait redescendre le lit et la personne a cru, le matin, qu'elle avait rêvé. Il lui restait pourtant force meurtrissures et douleurs inexplicables.

Gaufridi avait terminé, et toute son expression traduisait combien il trouvait le comportement de Venel lamentable. Alais, lui, gardait un sourire ironique – ou indulgent ? – sur son visage.

— Bah ! Maintenant que nous sommes avertis, déclara Gaston avec insouciance, nous ne risquons plus rien… S'il nous invite, nous mettrons les matelas par terre, je vous le promets !

Gaufridi eut un mouvement de dénégation.

— Non ! Ne croyez pas que ce soit tout ! Venel a une foule de mystifications sataniques à sa disposition et toujours fort pénibles pour les autres ! Son imagination perverse est sans aucune limite. C'est un homme diabolique ! En vérité il a truqué plusieurs pièces de sa maison, des chambres de réception pour ses invités. Certaines possèdent des mécanismes à poulies, par exemple pour relever les lits comme je viens de vous le dire, d'autres ont de fausses fenêtres et des portes qui se verrouillent toutes seules. Celui qui y entre ne peut en sortir ! Il a aussi installé des judas qui lui permettent d'observer ses victimes à loisir. Il drogue parfois la nourriture de ses invités. Tenez, un autre jour, il a laissé son visiteur dormir toute la nuit dans sa chambre sans fenêtres et lorsque l'homme s'est levé, durant ce qu'il croyait être le matin, le laquais, appelé, lui a fait remarquer qu'il n'était que minuit. C'était faux bien sûr, et c'était une autre idée malveillante de Venel. Le visiteur s'est alors recouché et rendormi. Plus tard, de nouveau réveillé, il a appelé le laquais pour déjeuner. « Mais, monsieur, il est une heure du matin, tout le monde dort ! » a répondu le domestique. Et la plaisanterie s'est poursuivie durant des heures ! Venel a ainsi enfermé le malheureux durant vingt-quatre heures, le forçant au sommeil. Son invité a failli devenir fou, surtout quand il a découvert qu'il ne pouvait sortir de sa chambre dont les serrures étaient condamnées.

Son regard exalté allait de l'un à l'autre, cherchant à vérifier si ses explications avaient été suffisantes. Il ne vit que l'incompréhension. Alors il acheva en levant les bras, vivante image du désespoir :

— Je vous assure, M. de Venel est inépuisable dans ses facéties démoniaques. Nous autres, magistrats, le craignons plus que tout. Quoi qu'il vous propose, refusez, car ce sera un piège !

— Évidemment, admit Gaston quelque peu ébranlé, je crois que, dans ces conditions, nous resterons où nous sommes. En tout cas, encore merci de nous avoir avertis.

Louis, qui avait l'habitude des plaisanteries du même genre faites à l'hôtel de Rambouillet, souvent à l'instigation de la marquise, n'était pas vraiment choqué par les canulars du conseiller aixois – même si ceux-ci semblaient dépasser certaines limites –, il préféra en revenir au sujet de leur visite.

— À propos de ces lettres, monsieur le président. Quelle est en fait leur valeur réelle, vous qui en avez vu une ?

— Ces lettres sont acceptables, bien qu'elles soient vierges, assura Gaufridi. Elles possèdent le sceau de cire verte du ministre et, correctement remplies avec l'âge, le lieu de naissance et les fonctions du récipiendaire, il serait difficile de les rejeter. Il est évident que si le parlement d'Aix est agrandi et que l'on crée des charges de conseillers, ceux qui se présenteront avec de tels documents pourraient bien être agréés puisqu'ils sont signés de Mgr Mazarin. Évidemment, beaucoup trouveront étrange qu'il n'y ait pas les doubles habituels à la Chancellerie, mais les refuser provoquerait un effroyable scandale !

— Le parlement pourrait cependant les récuser ?

— De quel droit ? À quel titre ? s'insurgea Gaufridi avec une véhémence qui surprit Louis. S'il le faisait, le ministre serait contraint de reconnaître qu'elles sont authentiques simplement pour éviter d'être mis en cause. Malheureusement, s'il y en a plusieurs… Une charge sera vendue cinquante mille livres environ. Vous rendez-vous compte de ce que peuvent valoir vingt ou trente fausses lettres de provision ?

Louis hocha la tête : un million ou plus ! C'était extravagant ! Et le scandale balayerait le ministre si l'affaire était découverte.

— Un dernier point, précisa Louis, notre visite doit rester confidentielle et surtout, en aucun cas, Mgr Michel Mazarin ne doit être au courant de notre enquête.

— Ne vous inquiétez pas, le rassura Alais, légèrement agacé par cette demande.

Il prit cependant aussitôt un visage plus ouvert pour leur proposer une invitation :

— Dimanche commenceront les jeux de la Fête-Dieu. À cette occasion une réception sera donnée au palais le soir de ce premier jour de fête. J'espère que vous serez des nôtres, vous pourrez ainsi rencontrer beaucoup de monde et vous aurez la liberté d'interroger bien des magistrats, ce qui ne pourra que faire avancer votre recherche.

— Ce sera avec plaisir, monseigneur, remercia Louis. Nous nous y rendrons certainement.

Alais se leva au moment même où Gaston reprenait la parole en s'adressant à Gaufridi.

— Je suis un ancien commissaire, monsieur le président, précisa-t-il. Si nous avions besoin de l'aide de la police de votre ville, pourriez-vous nous dire quelle sorte d'homme est votre prévôt ?

— Un homme intègre, efficace et perspicace, l'assura Gaufridi. Nous n'avons qu'à nous en louer depuis qu'il est en poste. Il a son cabinet au Palais Comtal. Vous pouvez compter sur lui comme sur nous. Mais vous pouvez aussi vous adresser au lieutenant criminel, qui se mettra à votre service.

Gaston hocha la tête. Ils étaient convenus avec Louis qu'en cas de difficultés, il valait mieux pour eux travailler avec le prévôt, plus au fait de la police urbaine, qu'avec le lieutenant criminel, un haut magistrat qui informerait obligatoirement Forbin-Maynier de leurs agissements.

La réunion était terminée. Gaufridi tira un cordon et presque aussitôt un domestique entra par une porte cachée dans une boiserie et que Louis n'avait pas remarquée.

— Allez faire chercher la voiture de M. le comte et son escorte, ordonna le président.

Ils sortirent. Louis passait la porte le dernier quand Alais le retint un instant par le bras pour lui glisser quelques mots.

— Qui est cet homme avec vous, monsieur? interrogea-t-il à voix basse. Celui qui a un manteau écarlate.

— Il est à mon service, c'est, disons, mon garde du corps et je lui dois plus d'une fois la vie.

— C'est curieux, mais son visage me dit quelque chose. Est-il aixois? A-t-il des parents ici?

— En effet, il a un neveu que vous connaissez, assura Louis sans rire.

— Ah! C'est bien ça! Je suis plutôt physionomiste, précisa-t-il, d'un ton suffisant. Et qui est ce neveu?

— M. le président de la Chambre des requêtes.

Il laissa le comte d'Alais interloqué pour rejoindre ses amis.

Gueidon était toujours là, assis et patient. Il attendait, apparemment indifférent à leur visite. Avait-il entendu la question du gouverneur et la réponse qu'il lui avait faite? Louis regretta vivement d'avoir parlé trop fort. Il le salua pourtant et descendit dans le vestibule, puis dans la rue.

6

Après-midi du vendredi 10 mai 1647

— Que faisons-nous, maintenant ? s'enquit Gaston. Il est inutile de nous rendre ensemble chez Frégier. Je me propose d'y aller seul pendant que tu t'occupes de ce Venel, plaida-t-il. Tu es un vieil habitué des farces de la marquise de Rambouillet et tu seras plus à même de faire face à ce redoutable plaisantin.

La marquise de Rambouillet n'avait qu'un seul défaut. Elle raffolait des mystifications, sans toutefois les pousser aussi loin que Gaspard de Venel. Ainsi, lorsqu'on lui prêtait un livre, elle le rendait tout déchiré. En fait, celui qu'elle rendait était un autre exemplaire, et elle se gaussait alors de la physionomie contrariée du prêteur devant son ouvrage en ruine. Une autre de ses facéties consistait à remplacer les vêtements de quelqu'un qui dormait chez elle par des vêtements identiques, qu'elle faisait coudre dans la nuit, mais de plus petite taille. Au matin, l'invité était alors persuadé d'avoir grossi et n'osait plus se montrer ! Malgré tout, ses espiègleries restaient plutôt de bon goût et surtout n'atteignaient jamais l'intégrité physique des victimes, contrairement à ce que faisait apparemment le magistrat aixois.

— C'est une bonne idée, Gaston ! Je préfère pourtant interroger Frégier moi-même. Je te charge donc du charmant Venel. Après tout, tu es procureur et il n'osera pas se moquer d'un officier de justice.

Louis se tourna alors vers Gaufredi qui attendait, impassible. La vue de son neveu ne semblait pas avoir affecté le vieux reître.

— Où donc est cette *bonne rue*, mon ami, toi qui sais tout ici ?

— La deuxième à gauche, monsieur, vous ne pouvez pas vous tromper, elle est minuscule et encore plus sale que les autres.

Louis jeta un œil distrait sur le sol boueux couvert d'immondices et eut une grimace.

— J'y vais avec Bauer, toi Gaston, emmène Gaufredi comme guide.

Voyant l'air contrarié de son camarade, il le rassura :

— Ne t'inquiète pas ! Tu auras certainement d'autres occasions d'aller voir ces femmes aux mamelles nues. Nous sommes à Aix pour quelques jours, que diable !

Bauer éclata d'un rire gras pendant que Gaston et Gaufredi prenaient la rue de l'Official. Au vacarme du Bavarois, plusieurs Aixois se mirent à leurs fenêtres, croyant à l'annonce de quelque catastrophe. Louis lança encore à son ami un dernier conseil :

— Et n'accepte aucune invitation à dormir !

Louis rejoignit Bauer, qui s'était déjà éloigné, et ils prirent ensemble la direction du Palais Comtal. Ils furent à la *Bouèno-Carrièro* en quelques instants.

La ruelle était sombre, étrangement déserte et sinistrement silencieuse. Aucune échoppe ne semblait s'y être jamais installée. Ils s'avancèrent prudemment sur le revers, essayant d'éviter les flaques de boues et de déjections qui coulaient au milieu de la chaussée de terre. Une grosse femme jeta un seau d'excréments par sa fenêtre et ils sautèrent en arrière pour éviter d'être éclaboussés. Louis l'interpella vivement :

— Je cherche Frégier. Quelle porte ?

La femme eut une grimace. Elle ne donnait pas l'impression d'avoir compris. Au bout d'un instant, pourtant, elle réagit et cria dans un français difficilement compréhensible :

— À cette heure, ses filles dorment encore ! Enfin, si vous êtes pressés, c'est la troisième à gauche !

Elle fit un signe pour indiquer la direction. Ils s'y rendirent.

La porte n'étant pas fermée, Louis la poussa pour pénétrer dans une minuscule et obscure entrée, dont le sol était couvert de paille pour essuyer les souliers. Devant lui se dressait une seconde porte et un escalier à vis, étroit et raide. Il avait noté de l'extérieur que la petite maison n'avait qu'un étage.

— Attends-moi dehors, Bauer. Et ne laisse entrer ou sortir personne, souffla-t-il.

— Prenez ça, proposa le Bavarois avec une expression farouche.

Il lui fit passer son pistolet à rouet, puis il décrocha l'espadon de son épaule en ajoutant à voix basse :

— Je n'aime pas ce silence, monsieur. Mais soyez assuré que personne ne passera.

Louis ouvrit lentement et prudemment la porte devant lui. Pas un grincement. Quand son regard fut habitué à l'obscurité, il vit deux filles endormies sur des paillasses et pauvrement vêtues de robes criardes. Il n'y avait personne d'autre. Il referma la porte sans bruit et gravit l'escalier. Celui-ci donnait directement sur une chambre, visiblement celle de Frégier. Fronsac eut un regard circulaire ; il y avait là un lit à rideau, une table branlante, deux tabourets et une chaise cassée, un coffre dans un coin. Et sur le sol, devant le lit, un homme, sans doute Frégier, couché au milieu d'une épaisse flaque de sang. Il était sur le dos et une plaie béante à la gorge lui faisait une seconde bouche. Rouge. Le sang avait coulé sur le plancher de pin et s'était infiltré entre les lattes de bois, laissant une trace rouge. Il n'avait pas encore coagulé. Visiblement, Frégier venait d'être tué depuis moins d'un quart d'heure.

Louis se mit à trembler. Il se força à respirer lentement, contenant les battements erratiques de son cœur. Dès qu'il fut un peu calmé, il fouilla sommairement la pièce. Il n'y avait rien qui pût l'intéresser. Le coffre était vide, aucun papier ne traînait. Soit Frégier ne possédait rien, soit il plaçait ses biens ailleurs, soit encore tout avait été emporté.

Fronsac redescendit, encore mal assuré sur ses jambes. En bas, en hachant les mots et d'une voix sourde, il raconta à Bauer ce qu'il avait vu.

— Que faisons-nous ? questionna le Bavarois indifférent au cadavre au-dessus de leur tête.

— Il faut prévenir le prévôt, affirma le marquis. Il est inutile que nous ayons des ennuis supplémentaires. Puisqu'il siège au Palais Comtal, essayons de le trouver.

Ils s'engagèrent dans la rue toujours aussi vide et la remontèrent jusqu'à un petit carrefour. De là, ils aperçurent un curieux monument à colonnade circulaire et campanile qui dépassait des toits. Sans doute une des tours du Palais. Ils se dirigèrent vers lui. Il y eut un nouveau carrefour d'où débouchaient des ruelles obscures. De nouveau, ils tournèrent à droite pour arriver sur une placette à peine un peu moins sombre que les rues environnantes.

Louis reconnut alors l'église de la Madeleine et, dans l'angle et légèrement en retrait de l'esplanade[1], le passage à mâchicoulis qui conduisait au logement du gouverneur. Le porche était ouvert et on apercevait à l'intérieur la grosse tour coiffée d'un campanile en fer forgé qui leur avait servi de repère. Elle portait un cadran d'horloge.

La muraille tout au long était constituée d'énormes pierres de taille noirâtres et percée de rares fenêtres.

Ils s'avancèrent vers le porche. C'était un profond passage voûté qui remontait peut-être à l'origine de la ville. Dans ce corridor, des bancs de pierre avaient été encastrés. Deux exempts s'y reposaient, appréciant la fraîcheur de la galerie et jouant aux dés au lieu de monter la garde. Bauer s'avança vers eux, l'espadon nonchalamment placé en travers des épaules, ses deux énormes mains posées dessus. Lorsque la montagne de muscles leur obscurcit la faible lumière qu'ils recevaient, les deux gardes levèrent les yeux. Ils eurent d'abord une expression surprise, puis inquiète, suivie enfin rapidement d'un bref mouvement de panique. Que leur voulait cet ogre immense ?

— Conduisez-moi au prévôt, ordonna l'Allemand. Vite !

---

1. Une partie de la place de l'ancienne Madeleine qui n'existe plus.

Ils se levèrent précipitamment, l'un des deux regarda son collègue avec une expression à la fois désemparée et épouvantée.

— Mon compagnon ne comprend pas le français, expliqua le second garde à Bauer, mais moi oui. Nous ne pouvons quitter notre poste. Pour vous rendre au bureau de police, il vous faut faire le tour et passer par l'entrée principale du palais. Là, un concierge ou un huissier vous conduira.

— Nous n'avons pas le temps, maraud, gronda Bauer en le saisissant par le col et en le soulevant.

— Dans ce cas…, murmura le garde d'une voix étranglée, je… je vais vous conduire.

Bauer le lâcha et l'homme leur fit signe de le suivre. Ils traversèrent le passage vers une courette dans laquelle poussait un figuier. Il y avait là un carrosse aux armes des Valois qui attendait. Sans doute celui du gouverneur. Un fragment de tour dépassait d'un mur à leur gauche. Une seconde tour romaine vraisemblablement. Plusieurs gardes traînaient autour et les ignorèrent. Ils franchirent une porte massive – Louis apprit plus tard qu'elle permettait de rejoindre les appartements du gouverneur –, et longèrent un passage assez large où se tenaient de maigres échoppes, puis un second particulièrement sinistre, pour déboucher dans une cour plus vaste que la précédente.

Dans celle-ci, ils contournèrent une autre tour antique, prirent une nouvelle poterne suivie d'un escalier aux marches rendues glissantes par les siècles. De là, ils gagnèrent une terrasse ensoleillée décorée de vases d'Anduze aux lauriers en fleurs, pour redescendre dans une cour humide et empestant l'urine.

De nouveau, des passages, des escaliers et des corridors se succédèrent avant qu'ils ne débouchent dans une autre cour avec une remise à voitures dont on se demandait comment elles avaient pu arriver jusque-là.

Ils passèrent dans un jardinet avant de remonter par un passage sordide vers une galerie en angle, qui tombait en ruine et dont certaines portes ouvraient sur le vide. Il y avait aussi des escaliers qui ne montaient nulle part. On apercevait parfois des jardinets et des terrasses, puis une grande cour entourée de portes ferrées. Peut-être des prisons. C'était un labyrinthe confus et inextricable qui avait dû être conçu par un architecte dément.

Finalement – par chance ou par miracle ? – ils parvinrent dans une sorte de salle d'attente où se tenait une vingtaine d'archers. Plusieurs d'entre eux étaient assis par terre faute de bancs.

— C'est la petite salle des pas perdus, expliqua l'homme qui parlait français. Le bureau de police du prévôt est par là.

Deux portes s'ouvraient devant eux. Il montra celle de gauche, n'osant s'approcher plus. Louis n'eut pas ce scrupule. Suivi par Bauer, il ouvrit la porte et entra sans frapper.

Un petit homme, vêtu d'un pourpoint de velours noir sans aucun apprêt, sinon un minuscule col de toile blanche, était assis à une table très ordinaire. En les entendant entrer, il leva la tête. Il ressemblait quelque peu à Isaac de Laffemas[1]. Ses lèvres fines et déplaisantes

---

1. Lieutenant civil à Paris jusqu'en 1643, surnommé *le bourreau de Richelieu.*

dessinaient une ligne quasi invisible sur son visage lisse. Son crâne presque chauve mettait en évidence un large front. Il portait une courte barbe droite, un nez étroit et busqué et surtout un regard hostile. Il fixa un instant les intrus pour lâcher sans aucune aménité, les mains à plat sur sa table :

— Que voulez-vous, messieurs ? Qui êtes-vous, d'abord ?

— Mon nom est Louis Fronsac, chevalier de Mercy et marquis de Vivonne. Veuillez, je vous prie, monsieur le prévôt, prendre connaissance de cette lettre que m'a remise Mgr le cardinal Mazarin, fit Louis en s'avançant.

Il sortit un pli de son pourpoint et le tendit au prévôt, qui le prit et le lut après avoir chaussé de ridicules lunettes rondes.

Louis, par la grâce de Dieu, Roy de France,
Nous nommons par la présente le marquis de Vivonne Louis Fronsac, lieutenant du roi. M. Fronsac aura les pouvoirs exceptionnels et extraordinaires d'un intendant de justice avec un commandement absolu sur toutes les autorités civiles, militaires et judiciaires. Ce qu'il fera en Provence sera suivant mon plaisir et mon cousin Valois se chargera d'exécuter ses décisions.
À Paris, au mois d'avril, l'an de grâce 1647,
Louis

Le policier releva les yeux, jaugeant Fronsac avec un regard cette fois interrogatif et soupçonneux.

— Qui donc est informé de votre venue et… de ces ordres ?

C'est bien, songea Fronsac, il comprend vite.

— Personne. J'ai rencontré ce matin M. le gouverneur, mais je ne lui ai pas montré cette lettre. Il sait seulement que je suis en mission ici. Je ne désire pas faire état de mon titre de lieutenant du roi et d'intendant de justice. Vous êtes le seul informé, et pour moi, c'est déjà trop. Mais j'ai une difficulté telle que j'ai besoin de vous…

Il s'arrêta un instant puis se retourna vers son compagnon.

— Bauer, vérifiez que personne n'écoute à la porte.

Bauer sortit et Louis reprit sa lettre, qu'il plia soigneusement et replaça dans sa veste. Ensuite, il choisit une chaise qui lui paraissait confortable et s'assit.

— Je viens de me rendre chez un M. Frégier qui tient un bordeau *Bouèno-Carrièro*… J'avais des questions à lui poser…

Le prévôt fit un signe de têtc montrant qu'il connaissait le tenancier. Il joignit l'extrémité des doigts de ses mains, prêt à écouter l'histoire en dardant sur Louis des yeux perçants.

— Malheureusement, on venait juste de l'égorger. Essayez de savoir qui a fait ça. Je suis à l'auberge *Saint-Jacques*. Prévenez-moi si vous trouvez l'assassin.

S'il fut surpris, le prévôt ne le manifesta pas. Il interrogea Louis avec une certaine indifférence :

— Ce meurtre peut-il avoir un rapport avec votre visite à Aix ?

— Je le crains. Et surtout soyez discret, il semble que certains, dans votre ville, vont chercher à me nuire. Et donc à nuire à Sa Majesté. Ils commencent déjà. Toutes les informations que vous obtiendrez me seront donc utiles.

— Pourquoi m'avoir choisi plutôt que le lieutenant criminel ? interrogea encore le prévôt.

Louis écarta les bras en se levant.

— Disons que j'ai pensé que vous seriez plus discret. Ai-je eu tort ?

— Non, monsieur, fit le prévôt avec un sourire de satisfaction en se levant à son tour pour raccompagner Fronsac à la porte comme s'il le connaissait depuis toujours.

» Je m'occupe sur-le-champ de Frégier, monsieur le marquis, lui assura-t-il, cette fois avec courtoisie et respect.

Ils passèrent la porte et le prévôt héla un garde :

— Boniface ! Raccompagnez ces messieurs.

Le dénommé Boniface, armé d'un mousquet et vêtu d'une casaque bleue, défraîchie et déchirée, se leva de mauvais gré de son banc en leur faisant signe de le suivre. De nouveau, ce fut le dédale des ruelles, placettes et escaliers. Curieusement, ils sortirent cependant bien plus vite qu'ils n'étaient entrés, mais Boniface les laissa devant l'entrée principale, sur la place des Prêcheurs.

— Rentrons à l'auberge maintenant, proposa Louis à Bauer. Gaston ne va pas tarder. J'espère qu'il aura été plus efficace que nous.

Ils revinrent sans se presser à l'hôtellerie. À aucun moment, ils ne firent attention à l'ombre mystérieuse qui s'attachait à leurs pas.

Ils étaient attablés devant un cruchon de vin récolté sur les coteaux d'Aix en mangeant des olives avec du pain quand Tilly et Gaufredi apparurent. Chacun d'eux tira un demi-tonneau d'un coin de la salle pour s'y affaler après avoir déposé manteau et armes par terre, mais cependant à portée de main. La chaleur les accablait visiblement tant ils transpiraient abondamment.

— Alors ! Cette *Bouèno-Carrièro*, comment l'avez-vous trouvée ? demanda ironiquement Gaston, avec une pointe de regret et de jalousie.

— Tuante !

Et Louis raconta ce qui s'était passé ainsi que la visite au prévôt.

L'histoire terminée, l'ancien commissaire resta méditatif un moment. Chacun buvait en silence le vin frais. Ce ne fut que lorsqu'il eut fini son verre que Gaston reprit la parole.

— Tout indique que nous avons un adversaire qui n'a pas froid aux yeux. Seulement, comment Diable a-t-il su que tu allais voir Frégier ?

— Probablement Gaufridi en aura parlé autour de lui, proposa Louis, fataliste.

— Et Frégier aurait été tué juste avant ta venue ? Allons ! Des coïncidences comme ça n'existent pas dans mon métier.

— Alors, c'est un domestique de Gaufridi qui aura écouté aux portes pendant notre visite.

— Et qui serait allé rapidement tuer Frégier ? Ce devait être un besoin pressant, ironisa-t-il.

Il haussa finalement les épaules pour conclure :

— Ta solution est idiote !

Louis ne répondit pas car il se faisait les mêmes reproches.

Gaston resta de nouveau songeur un moment, puis proposa :

— Il y a bien cet avocat qui attendait chez Gaufridi. Je n'ai pas aimé sa tête. Trop sombre à mon goût. Et puis ces cheveux noirs, ces vêtements d'arriviste… Non, assurément tout me déplaisait chez lui. Tiens, même les souliers qu'il portait, ils étaient trop brillants, trop nets.

Louis haussa les épaules à son tour.

— Si tous les gens qui ont le teint mat te sont suspects, il y en a beaucoup ici. On n'est pas à Paris.

— D'autant, renchérit Gaufredi avec philosophie, que pendant longtemps les Barbaresques ont fait des incursions en Provence, parfois loin dans les terres, et les premières choses qu'ils faisaient en arrivant étaient de violer les femmes. C'est pourquoi tous les enfants ici ont plus ou moins un teint sombre. Quant aux Marseillais, ils commercent avec la Grèce, l'Italie, Venise et le Levant. Toutes ces nationalités sont présentes à Marseille et ces gens-là sont rarement blonds ou roux. M. le chevalier a raison. Il y a ici trop de visages foncés pour en faire des suspects et encore moins des coupables.

— Bien ! Bien ! Je me plie à vos arguments, convint Gaston en levant une main, la paume en avant, mais je garde confiance dans mon intuition. Espérons au moins que le prévôt trouvera quelque chose…

Il eut une moue de dépit, et ajouta :

— Mais j'en doute.

— Que veux-tu dire ?

— Que s'il découvre quoi que ce soit, il le gardera pour lui. Les Provençaux n'aiment guère laver leur linge en public. Surtout avec des gens de Paris.

Louis médita un moment la réponse en examinant ses rubans noirs parfaitement bien noués. Alors, il remarqua :

— Il y a pourtant un suspect évident. M. de Forbin-Maynier pouvait connaître l'offre de Frégier. Ce courtier en fesses a peut-être proposé sa lettre aux deux présidents et Forbin a pu décider de faire disparaître l'homme pendant notre visite chez le président de la Chambre des requêtes.

— Gaufridi a aussi bien pu agir ainsi ; rien ne te permet de croire qu'il soit très content de notre venue.

Louis approuva de la tête.

— Sur ce point, tu as probablement raison. Il suffit de se souvenir de son attitude lors de notre entrevue. Au fait, et toi, quelle information ramènes-tu de notre farceur ?

— Venel est un brave homme, sourit Gaston. C'est au moins l'impression qu'il donne. Il semble continuellement jovial. Il a été fort surpris que je le questionne sur Hervart, qu'il connaît effectivement bien. Il est exact que l'Arlésien désire épouser sa sœur, seulement il est huguenot et les Venel sont catholiques. Alors, les deux familles hésitent. Pourtant, Hervart est riche, très riche, ce qui peut lever bien des difficultés dogmatiques[1]. Je n'ai pas vu Lucrèce, qui était absente, cependant son frère m'a donné une information intéressante : il aurait entendu son – éventuel – futur beau-frère expliquer à sa sœur qu'il avait appris que Michel Mazarin souhaitait vendre ses droits par l'intermédiaire

---

1. Jean-Henri d'Hervart, seigneur d'Hevinquem, était banquier et huguenot, comme son frère Barthélemy Hervart qui deviendra intendant des finances. Il épousera Lucrèce de Venel en 1651.

d'un moine hospitalier qui servirait d'intercesseur avec l'acheteur définitif.

— Un moine hospitalier ? répéta distraitement Louis.

— Oui, il y a, je crois, un ordre hospitalier par ici, non ? (Il se tourna vers Gaufredi.) Saint-Jean ou Saint-quelque chose ?

Gaston n'avait jamais été porté sur la spiritualité et encore moins sur les évangiles malgré ses études chez les jésuites.

— Saint-Jean-de-Jérusalem, monsieur. Un ordre de Malte. Leur commanderie et leur église sont à l'extérieur de la ville, précisa Gaufredi. Justement dans la partie de la ville qui constitue le clos d'Orbitelle ou le clos Mazarin.

— Tiens, tiens, intervint Louis, soudainement intéressé. C'est amusant cette nouvelle coïncidence !

Mais déjà Gaston poursuivait :

— C'est ça ! Saint-Jean. C'est ce que m'a dit Venel, et notre homme s'appelle Balthazar. Comme le roi mage ! Balthazar Rastoin.

— On peut toujours aller l'interroger, proposa Fronsac. De toute façon, nous n'avons pas d'autre piste.

— Mangeons d'abord, déclara sentencieusement Bauer. Sinon nous tomberons malades. Et il nous faut boire beaucoup, avec ce climat et cette chaleur.

Fronsac jeta à Bauer un regard en biais. Il ne paraissait pourtant pas de constitution délicate.

Ils déjeunèrent d'un bouillon, de viandes en sauce et de fèves assorties de force pichets de vin d'Aix. Le repas terminé, rassurés quant à l'éventualité éloignée de tomber malades, ils se rendirent à l'écurie seller leurs chevaux. Ils devraient sortir de la ville, avait annoncé Gaufredi, et des montures seraient plus pratiques. Avant de partir, Bauer et lui remontèrent dans leur chambre pour ramener deux mousquets et quatre pistolets de fonte.

De nouveau, ils descendirent la rue Nazareth jusqu'aux remparts, qu'ils longèrent cette fois par la lice jusqu'à la porte Saint-Jean. La chaleur commençait à être lourde et un orage s'annonçait. Avec tout le vin qu'ils avaient bu, Louis était finalement bien content d'être à cheval. De ce fait, l'esprit un peu embrumé par l'alcool, personne ne regarda derrière soi. Cette négligence devait être fâcheuse par la suite.

Leur passage à la porte Saint-Jean fut retardé par un encombrement de charrettes. C'est à cette porte, leur expliqua Gaufredi, que l'on faisait payer un octroi sur les farines et les déclarations y étaient longues et fastidieuses. Finalement, la porte fut passée et ils franchirent un petit pont – le pont Moreau – qui enjambait le ruisseau alimentant l'ancien moulin en ruine. L'eau baignait ensuite les fortifications et se perdait librement dans la campagne.

Une fois dans le faubourg, Louis remarqua que les constructions y étaient fort nombreuses, solides et parfaitement alignées sur des chemins bien tracés et plutôt propres. Devant eux, des enseignes d'hôtelleries se balançaient gaiement sur les façades en grinçant.

— Ce chemin est la route qui arrive de Toulon et de l'Italie, expliqua Gaufredi, c'est pourquoi il y a tant d'auberges.

Ils avançaient fort lentement, rarement à plus de deux de front, tant le trafic de voitures, de chariots et de

charrettes qui arrivait en face d'eux était important et
les gênait. Gaufredi poursuivit :

— Les jeux de la Fête-Dieu commencent
dimanche et beaucoup de monde arrive déjà ainsi que
de la nourriture, des boissons et des fourrages, qui
seront nécessaires pour tous ces visiteurs.

— Dans ce cas, il faut rapidement changer d'auberge, s'inquiéta Gaston. Sinon toutes les hôtelleries
seront pleines et nous ne trouverons plus rien de libre.

Ils avaient quitté le chemin de Toulon et tourné
à droite. Ils longèrent alors une grande église fortifiée
pour déboucher sur une placette plantée d'herbage et
bordée de peupliers. Une fontaine abreuvoir coulait
devant eux. Accolé à l'église se trouvait un bâtiment
massif, sans doute le prieuré. Ils attachèrent leurs chevaux près de la fontaine pour qu'ils puissent boire[1].
Bauer resta à les surveiller.

— Je dois vous prévenir, expliqua Gaufredi alors
qu'ils s'approchaient de la porte du bâtiment conven-
tuel, que les frères de la commanderie n'ont pas très
bonne réputation ici. Dans le passé, le procureur du roi
les a plusieurs fois fait condamner pour avoir reçu dans
le prieuré des femmes impudiques de la *rue bonne* !

— Curieux ! persifla Gaston. Décidément à Aix,
tout se passe autour de cette *bonne rue*. Il faudra vraiment que je m'y rende !

La porte du prieuré était entrouverte, ils entrèrent
dans un petit vestibule sans lumière. Un moine, vêtu
d'une robe de bure, s'y tenait assis sur un tabouret de
pin à trois pieds. Un bréviaire en main, il priait ou plus

---

1. Le musée Granet s'est installé en partie dans l'ancienne commanderie de Malte.

probablement dormait. En les entendant entrer, le religieux leva faiblement de lourdes paupières fatiguées.

— Nous venons pour rencontrer l'un de vos frères, expliqua Louis. Il se nomme Balthazar Rastoin. Pouvez-vous nous conduire ou le faire chercher.

Le moine les dévisagea un bref instant, puis baissa les yeux dans une fausse humilité.

— Je crains que ce ne soit impossible, répondit-il sourdement.

— Pourquoi ? demanda Gaston d'un ton menaçant.

— Frère Balthazar est parti, il y a une heure environ.

— Quand reviendra-t-il ?

Le moine releva la tête pour affirmer :

— Certainement ce soir, mais si c'est après vêpres vous ne pourrez le voir avant demain. Les visites ne sont plus possibles après vêpres.

— Si c'est la règle, répliqua Louis étrangement conciliant, nous reviendrons demain. Dites-lui cependant de nous attendre.

Louis ne voulait pas inquiéter le moine par trop d'empressement. Si ce Balthazar avait quelque chose à se reprocher, il fallait éviter sa fuite.

Le portier opina faiblement en se levant pour quitter le vestibule.

— Attendez ! Frère Balthazar est-il parti seul ? Et savez-vous où ? demanda Gaston agressivement.

— Quelqu'un est venu le chercher. Ils sont partis ensemble, mais je ne sais ni pourquoi ni où.

Gaston fronça les sourcils en regardant Louis. Encore une coïncidence ? Décidément, cette fois, c'était trop. Mais que faire d'autre qu'attendre ? Il lança un dernier regard sans aménité aucune au frocard et se retourna, la main posée sur son épée.

Ils sortirent et reprirent leurs chevaux.

Le retour se fit dans un silence morose.

Nos témoins disparaissent et les ténèbres s'épaississent, s'inquiéta Louis. Allons-nous revenir à Paris bredouilles ?

Arrivés à l'auberge, Louis et Gaston décidèrent de retourner voir le prévôt. Ils laissèrent Gaufredi et Bauer pour se rendre au Palais. Louis y guida Gaston un moment, faisant étalage de sa connaissance du labyrinthe mais, lamentablement égaré au bout de quelques couloirs, il fut contraint à demander de l'aide.

Ils se retrouvèrent enfin dans la salle des gardes et Louis frappa à la porte du prévôt. Ils entrèrent.

Le prévôt était en pleine discussion avec deux archers. L'un d'eux était Boniface. Le policier eut une grimace de mécontentement en voyant entrer Louis et son compagnon tandis qu'il s'adressait sèchement à ses hommes :

— Sortez maintenant.

Quand les archers furent dehors et la porte close, Louis présenta Gaston. Le prévôt eut alors une attitude encore plus contrariée.

— Avez-vous trouvé notre coupable ? demanda Louis.

— Non. Et personne n'a rien vu. Je n'ai même pas trouvé l'arme qui a servi. Il semble que l'on ait vidé la pièce de tout document. J'ai commencé à interroger les relations de Frégier, mais je n'ai aucun espoir. Frégier était connu car il s'occupait de nombreux trafics. Il avait beaucoup d'ennemis et pourtant ceux-ci ne diront rien, heureux de prendre sa place. J'ai aussi questionné la fille qui dormait en bas…

— La fille ? Deux jeunes femmes étaient dans la pièce du bas quand je suis passé, le coupa Louis.

— Vous vous trompez ! Quand je suis arrivé, il n'y en avait qu'une. Elle était endormie et j'ai dû la réveiller, mais elle ne savait rien et m'a juré qu'elle était seule.

— Étrange ! s'étonna le marquis. Pourquoi mentirait-elle ? Pour ma part, je suis encore capable de distinguer deux femmes !

— Il n'y a là rien d'étrange, le contredit Gaston. La seconde fille s'était réveillée entre-temps, elle est montée voir Frégier et s'est enfuie, terrorisée par ce qu'elle a vu. L'autre a peur aussi et ne dira rien.

— Mais elle aurait dû avertir le prévôt de ce crime ! s'insurgea Louis.

Il se retourna alors vers le policier.

— Pourriez-vous la retrouver ?

L'homme leva les bras au ciel comme si on lui demandait l'impossible.

— Je demanderai à l'autre radasse. Mais vous savez, Frégier avait tant et tant de cagnes[1]. Ce ne sera pas facile. Personne ne doit savoir qui elle est. Il allait chercher ses bagasses à la campagne et il les renvoyait quand les clients se lassaient.

— En quelque sorte, vous avez peu d'espoir d'éclaircir ce meurtre, lui reprocha Gaston.

— Oh non ! Pas *peu d'espoir*. Aucun espoir, répliqua le prévôt cyniquement.

---

1. Filles livrées à la prostitution.

7

Matin du samedi 11 mai 1647

Ils furent très tôt réveillés par un vacarme infernal qui avait envahi l'hôtellerie ainsi que la rue juste sous leur fenêtre. Alors que le soleil n'était pas encore levé, le claquement des sabots sur les pavés, les grincements des roues des voitures mal graissées, les cris et les hurlements des cochers devinrent insupportables. Exaspéré, Louis se leva de la paillasse pouilleuse sur laquelle il tentait de dormir pour se rendre à l'unique fenêtre afin de comprendre les raisons de ce tumulte incroyable à cette heure si matinale.

L'ouverture donnait sur la rue Nazareth. Il se pencha et, dans le crépuscule de l'aurore naissante, il distingua quantité d'attelages qui occupaient toute la chaussée. Certains attendaient même d'entrer dans la cour de l'auberge. Une frénétique et tapageuse agitation régnait tout autant dans les rues alentour.

Entendant du bruit dans la chambre contiguë où logeaient Gaufredi et Bauer – eux aussi devaient être réveillés, songea-t-il –, il frappa à la mince cloison de séparation.

— Gaufredi ? Que se passe-t-il dehors ?

— C'est la Fête-Dieu, monsieur, répondit une voix fataliste et ensommeillée. Les gens viennent pour les Jeux. Et ils arrivent tôt ; certains auront voyagé toute la nuit pour s'installer à Aix ce matin.

— Hé bien ! soupira Gaston, qui s'était réveillé lui aussi, ce n'est pas aujourd'hui que nous trouverons une nouvelle auberge. Elles sont certainement toutes pleines. Nous aurions dû chercher hier.

Louis se retourna vers lui. Gaston était hirsute avec ses cheveux rouges en bataille.

Après avoir rapidement regardé sur les deux tables de leur chambre, Louis s'assit dans un fauteuil vermoulu et se mit à enfiler ses bottes en rageant :

— L'aubergiste n'a pas préparé de cruches d'eau, impossible de se laver ou de se raser ce matin.

— Bah, ce n'est pas le plus grave ! répliqua Gaston qui ne se lavait qu'exceptionnellement.

Louis haussa les épaules et sortit, en chausses et chemise, avec un récipient ébréché qu'il alla remplir au puits d'eau chaude, au coin de la rue.

Lorsqu'il revint avec son eau tiède, tous ses amis étaient déjà prêts pour leur déjeuner. Le jour se levait enfin.

— Je fais ma toilette, leur lança-t-il avec aigreur, et je vous rejoins.

En bas, la grande salle était pleine, aussi Gaston, Bauer et Gaufredi durent-ils se serrer à une table déjà occupée par des marchands qui venaient d'arriver. Lorsque Louis les retrouva un moment plus tard, ils écoutaient leur voisin qui venait de Marseille. L'inconnu parlait avec un terrible accent en avalant une soupe aux haricots avec force pichets de vin rouge. C'était un petit homme affable et disert, tout en rondeur, chauve, au nez couperosé et au visage plein de bourrelets.

— Je viens chaque année, expliqua-t-il, j'ai un emplacement juste devant l'échafaud. C'est une bonne place, les Aixois aiment bien cet endroit. J'y vends des gâteaux secs et des pâtisseries que mon frère fabrique à Marseille, où nous avons un four pas loin des quais. Les Aixois adorent ces friandises et, durant toute la semaine des jeux, ça rapporte bien. Ici, les gens sont riches et ne regardent pas à la dépense, alors on augmente nos prix ! Pardi !

» Nous logeons à l'auberge et nous arrivons à l'aube car, d'ici une heure, il faut qu'on ait monté nos tréteaux… C'est qu'on est nombreux et les premiers sont les mieux placés !

Louis, mal réveillé, avala son épaisse soupe en silence. Si la fête durait toute la semaine, ils n'allaient pas dormir beaucoup. L'idéal serait qu'ils résolvent cette histoire de lettre rapidement. Mais comment ? Peut-être le frère Rastoin allait-il leur apporter des lumières ? Songeur, il se mit à refaire machinalement les nœuds de ses rubans noirs à ses poignets.

Ayant terminé leur collation matinale, ils sortirent, sellèrent leurs chevaux dans l'écurie encombrée et reprirent le chemin des remparts. Les lices aussi étaient envahies. Partout des chariots ou des charrettes à bras étaient arrêtés. Les gens qui ne pouvaient descendre dans une auberge installaient sur place un campement provisoire, mêlant leur domicile de l'heure à leur commerce de la semaine. Les premiers arrivés avaient choisi les tours ruinées, les autres s'étaient mis dans le dernier recoin au sec, les derniers s'installeraient dans les égouts à ciel ouvert. Certains construisaient même des cabanes avec des branches et des morceaux de toile.

À la porte Saint-Jean, les encombrements étaient encore plus nombreux que la veille, ils durent donc attendre fort longtemps pour passer l'octroi.

Le long du chemin de Toulon, l'activité était tout aussi trépidante qu'en ville. Comme à l'intérieur de l'enceinte, des commerçants s'installaient dans le moindre espace disponible, dans le plus petit jardin qu'on leur proposait. Les marchands savaient que beaucoup de visiteurs logeraient hors de la cité et ils étaient sûrs de faire des affaires quand bien même ils resteraient à l'extérieur des murailles.

Nos amis arrivèrent enfin à la commanderie de Malte. Le frère portier avait changé et, lorsque Louis demanda à voir Balthazar Rastoin, le moine concierge eut une expression embarrassée. Il bafouilla :

— Euh… Balthazar ? Hum… Pouvez-vous attendre un instant ?

Il quitta alors précipitamment sa loge et rentra dans le corps du bâtiment, verrouillant soigneusement la porte derrière lui. Gaston et Louis se jetèrent un regard autant interrogatif qu'inquiet.

L'attente ne fut pas très longue. La porte fut déverrouillée et un homme entra majestueusement. Grand, élégant, sévère et sec. Une courte barbe grise et des cheveux bouclés au fer. Un costume sombre mi-prêtre, mi-cavalier avec un pourpoint ample et des bottes hautes. Une épée ciselée au flanc et de nombreuses bagues aux doigts.

— Je suis Honoré Pellegrin, prieur de Saint-Jean-de-Malte, fit le nouveau venu d'une voix grave et distinguée, que désirez-vous, messieurs ?

— Nous venons visiter Balthazar Rastoin, monseigneur, répondit Louis. Il s'agit d'une affaire privée.

— À quel titre exactement ? demanda sévèrement le prieur. Qui êtes-vous, d'abord ? Vous ne vous êtes pas présentés…

Louis fronça les sourcils. Que signifiaient cette interrogation et ces reproches ? Ce fut Gaston qui répondit. Sèchement et brutalement comme il en avait l'habitude.

— Je suis procureur du roi et je viens de Paris. Conduisez-nous à lui rapidement ou nous reviendrons avec le prévôt, le lieutenant criminel et un régiment de gardes.

— Vous n'êtes pas dans la juridiction de la ville ou du parlement, opposa insolemment le prieur en relevant la tête, une main fièrement appuyée sur son épée.

— Écoutez, monsieur le prieur, expliqua glacialement Gaston qui bouillait. J'ai pleins pouvoirs de Mgr Mazarin pour faire vider votre prieuré et envoyer tous vos frères aux galères. D'ici une heure si cela est nécessaire. Comprenez-vous cela ?

L'homme déglutit en entendant la terrible menace, puis le considéra un moment, remuant les lèvres sans qu'il en sorte un son. Mais il ne lut dans les yeux de Gaston que la fermeté et l'inéluctable. Il céda, baissa les paupières et la tension disparut.

— Je vais vous conduire auprès de frère Balthazar. Veuillez me suivre, messieurs.

Ils passèrent la porte par laquelle le prieur était venu. Il les précéda dans un couloir, puis ils tournèrent à gauche et franchirent successivement deux portes, que le prieur déverrouillait et verrouillait soigneusement derrière eux à chaque fois. Après la deuxième porte, il se retourna pour leur dire :

— Vous êtes armés, messieurs. Veuillez laisser vos épées ici.

Lui-même décrocha son baudrier. Bauer, obéissant, empila sur un banc et dans un effroyable bruit de ferraille, tout son arsenal : épée, couteaux, dagues, pistolets. Ses compagnons agirent de même.

Quand ce déballage fut terminé, le prieur ouvrit le passage devant eux. Ils franchirent la porte et descendirent une volée de marches. Louis constata qu'ils étaient dans l'église, plus exactement dans la dernière chapelle du bas-côté droit. Le prieur s'agenouilla, se releva et continua son chemin vers la nef centrale. Là, au milieu du chœur et sur deux tréteaux, un cercueil était posé. Ils s'approchèrent en silence. La bière n'était pas fermée et contenait un corps revêtu d'une simple robe de moine.

— Le frère Balthazar, annonça le prieur dans un souffle. Il est mort cette nuit après une très longue et douloureuse maladie.

Gaston et Louis se regardèrent, interdits, ne dissimulant guère leur surprise. Gaufredi, plus à l'écart, dévisageait le prieur avec un visage vide. Bauer était aussi resté en arrière. Il n'aimait pas les églises. Sauf pour en brûler une, de temps en temps, quand on le laissait faire et qu'il était d'humeur à ça.

Ils restèrent un instant immobiles et silencieux. Louis fit ensuite un signe à Gaston, qui prit la parole en essayant de maîtriser sa rage.

— Nous n'avons plus rien à faire ici, monsieur le prieur. Sortons, je voudrais obtenir de votre part quelques éclaircissements.

Le prieur hocha la tête avec compassion. Il leur fit signe de passer devant.

— Je vous rejoins, monseigneur, murmura Louis d'une voix basse et recueillie. Je désire prier un instant pour l'âme de Balthazar.

Gaston et les deux autres s'étaient déjà dirigés vers la sortie. Dans un mélange d'hésitation, de soupçons et de contrariété, le prieur les regarda s'éloigner, puis il jeta un œil à Louis marmonnant. Il décida finalement de rejoindre le groupe qui quittait l'église. Il attendrait le quatrième à la porte, décida-t-il.

Dès qu'ils furent hors de vue, la porte était cachée par les transepts de gauche, Louis se rapprocha du cadavre. Il fit un rapide signe de croix, puis souleva la robe du mort. Balthazar était nu au-dessous et si sa mort avait été douloureuse comme l'avait affirmé le prieur, elle n'avait sûrement pas été longue. Une plaie béante et fraîche de la poitrine au ventre en témoignait.

Il remit la robe en place et rejoignit les autres rapidement.

Hélas, à aucun moment il ne leva les yeux en haut de la nef. Là, sur une sorte de jubé en bois, au-dessus du narthex de la porte d'entrée principale, un homme l'avait observé et n'avait rien perdu de ses gestes. Dès le départ de Louis, l'inconnu descendit précipitamment et sortit par la porte principale de l'église.

Pendant ce temps, nos amis récupéraient leurs armes et Gaston exigeait des explications :

— Nous sommes venus hier, monsieur le prieur, et on nous a affirmé que le frère Balthazar était sorti. Comment cela était-il possible s'il était si malade ?

— C'est exact, hélas, révéla le prieur les paupières mi-closes et avec une affliction que l'ancien commissaire jugea parfaitement exagérée. Frère Balthazar souffrait beaucoup et un ami lui avait proposé de le conduire chez un rebouteux. Le pauvre homme a cru qu'il pourrait être ainsi soulagé. Il est rentré épuisé, la fièvre l'a pris dans la nuit et il est mort à l'aube. Que Dieu ait son âme !

— Pouvez-vous nous dire où se trouve ce rebouteux ? le pressa Gaston qui n'abandonnait pas facilement. Simplement pour vérifier.

Le prieur marqua une hésitation, pris de court par cette question à laquelle il ne s'attendait pas.

— Je…

Louis, qui venait d'arriver de l'église, se glissa alors devant son ami pour venir au secours du religieux.

— C'est inutile, monseigneur, notre enquête va s'arrêter là car elle n'a plus de raison d'être. Merci sincèrement pour votre aide si précieuse.

Il dut donner un coup de coude à Gaston, qui allait exploser. Le prieur, impavide, baissa les yeux et ne répondit pas. Un léger sourire de victoire marqua pourtant ses lèvres.

Il les raccompagna en silence et les laissa à la porte de la commanderie.

Leurs chevaux les attendaient près de la fontaine.

— Mais enfin, Louis ! s'emporta Gaston qui ne pouvait plus se retenir. Cet homme mentait ! Son histoire n'avait ni queue ni tête. Moi, je l'aurais fait parler !

— Moi aussi, opina gravement Bauer, qui approuvait toujours dans ces cas-là.

— C'était trop tôt, leur expliqua Louis. Je préfère que l'on nous prenne encore pour des crédules que l'on peut aisément berner. Ce qui est certain, c'est que nous avons des ennemis décidés et que le crime n'arrête pas. Mais ils commencent à s'affoler.

— Que veux-tu dire ?

— Quand je suis resté dans l'église, j'ai découvert le corps. La maladie de Balthazar ressemblait furieusement à un coup de poignard dans le ventre.

— Il a donc été assassiné ? Je m'en doutais…

— Tout comme Frégier. Pour les mêmes raisons, peut-être de la même manière et, pourquoi pas, par la même personne, affirma Louis.

— Mais alors… le prieur le savait, il serait complice de l'assassin !

Gaston se retourna vers le prieuré avec un geste de colère.

— Peut-être est-il effectivement complice, peut-être cherche-t-il simplement à protéger son ordre d'un scandale. Comment savoir ?

— Retournons-y ! menaça le procureur. J'arriverai bien à le faire parler !

— Non ! Attendons un peu, rien ne presse, proposa Louis en prenant l'épaule de Gaston pour le calmer. Essayons plutôt de voir comment les choses vont évoluer.

Ils remontèrent finalement à cheval pour se diriger vers la ville.

— Il va falloir être prudent, lâcha alors Gaufredi qui avait écouté la discussion en silence.

— Penses-tu que notre ennemi oserait s'attaquer à nous ? À des représentants du roi ? ironisa Gaston avec un ricanement d'incrédulité.

— Ce n'est pas en ignorant le danger que nous l'éloignerons, répliqua sèchement le reître. À partir d'aujourd'hui, il vaut mieux circuler en cuirasse et brigandine. Et surtout bien armé.

Louis approuva d'un mouvement de tête pour préciser au bout d'un moment :

— Avec le prieur, nous avons un suspect de plus à ajouter à notre liste, qui comprend déjà M. Gaufridi, le comte d'Alais, M. Gueidon, quelques domestiques ainsi que le baron d'Oppède. Et pour autant, pas un début de piste sérieuse.

— C'est vrai, mais cet ennemi ne sait pas que nous ne savons rien, plaisanta Gaston qui s'était calmé. C'est un avantage pour nous. Tant que nous sommes à Aix, il ne peut rester indifférent à nos recherches et il commettra forcément une erreur. Si nous retournions voir le prévôt ? Peut-être connaît-il ce frère Balthazar et il nous dira au moins ce qu'il sait du prieur. Ce religieux est un fourbe qui me déplaît particulièrement.

De nouveau, Louis approuva.

Ils arrivaient à la porte de la ville, devant le pont qui passait le ruisseau. À l'abreuvoir de Saint-Jean, un homme faisait boire sa mule. Une mule noire. Il se retourna devant eux et les interpella jovialement en désignant leurs chevaux :

— Vous devriez aussi les faire boire. L'eau est saine ici et bien meilleure qu'en ville pour les bêtes.

— Il a raison, approuva Bauer qui sauta de cheval et conduisit sa monture au ruisseau.

Tous firent de même. Ils n'avaient de toute façon pas grand-chose d'autre à faire avant de rencontrer le prévôt.

— Vous venez pour la fête ? s'enquit l'inconnu avec une figure ravie quelque peu niaise.

— Non, répliqua Gaston rudement.

— Holà ! Vous voulez pas parler, vous ! Vous êtes pas du midi, vous ! Vous seriez pas parisiens, par hasard ? fit leur interlocuteur en riant.

— C'est vrai, répondit Louis en souriant à son tour. Nous sommes ici pour quelques jours.

— Pécaïre ! Et vous êtes logés où, mes gentils-hommes ?

— À *Saint-Jacques* !

— Ouille ! Ouille ! Ouille ! Mais c'est terrible ! Vous devez être mal ! Changez vite d'auberge, *Saint-Jacques* : c'est la pire de la ville !

— Ah, bon ! On croyait que c'était la meilleure, répliqua Gaston considérant Gaufredi avec une grimace sévère. Et vous en connaissez une meilleure, vous ? Et avec des chambres libres ?

— Bien sûr ! Peuchère ! Venez chez moi ! Je suis le patron de l'hôtellerie de la *Mule*. Juste de l'autre côté des remparts. Là-bas, le quartier est calme, il n'y a que des jardins ! Je peux vous donner mes deux meilleures chambres.

Ils se regardèrent, tentés par cette proposition inattendue.

— Et le prix ? s'enquit Gaston.

— Pareil qu'à *Saint-Jacques*. Parole !

— Nous acceptons, décida Louis. Et nous nous installons sur-le-champ si vous êtes d'accord.

— C'est une bonne décision ! Suivez-moi. Au fait, mon nom est Pierre Romani.

Le regard en biais, Louis observa un peu plus longtemps l'hôtelier de la *Mule*. Il était plutôt gros, avec un triple menton qui sautillait lorsqu'il parlait. Il affichait un visage ouvert, barré d'une large moustache gris et noir. Ses cheveux, rares et gras, pendaient dans le cou. Il avait des mains fortes, calleuses, et était vêtu très simplement. Un brave homme, sûrement.

L'hôtelier monta sur sa bête avec plus de légèreté qu'on ne l'aurait cru.

— Ma mule, elle s'appelle Annette, j'aime les mules, c'est solide et résistant. C'est pour cela que j'ai acheté l'auberge de la Mule. Ah ! Que je vous explique, il y a une autre auberge de la Mule à Aix, elle est sur le chemin d'Avignon. Pour ne pas les confondre, on appelle souvent la mienne : la *Mule Noire*. Vous verrez, je suis près du rempart, à une minute du palais. Vous devez aller souvent au palais, non ? Des gentilshommes comme vous… sûrement !

Ils passèrent la porte.

Romani était connu de tous et les archers le firent passer devant tout le monde. Nos amis en profitèrent.

Ils tournèrent à droite, longeant un chemin de terre rougeâtre parallèle aux fortifications. Laissant une première rue à leur gauche, ils furent rapidement devant l'auberge, qui formait un coin entre les lices et un chemin.

L'hôtellerie était apparemment vaste, avec une belle cour et des communs propres et aérés. Ils entrèrent dans la cour et l'aubergiste fit signe à un garçon de s'occuper des chevaux.

— Je vais vous montrer vos logements, leur proposa-t-il.

Un escalier extérieur, ajouré dans la façade, distribuait deux étages en sautant par un porche élégant au-dessus de l'écurie. Les chambres se situaient au premier étage et au second. Sur l'autre façade, en angle droit, se trouvait une grande salle commune et, au-dessus, des logements pour l'hôtelier et son personnel.

Leur guide leur montra l'escalier ajouré avec sa rampe extérieure et ses élégants balustres.

— C'est beau ! Hein ! Par ici, c'est au premier.

Ils gravirent l'escalier jusqu'à un palier qui donnait sur un large couloir, éclairé à son extrémité par une fenêtre à meneaux. De part et d'autre se succédaient des portes donnant accès sans doute à des chambres. Louis en compta six. Romani ouvrit la première à sa gauche. Ils entrèrent. La pièce contenait deux lits à rideaux, une table couverte de cruches et de bassines en terre cuite vernissée jaune, un siège percé, une cheminée, un grand coffre clouté avec une serrure ainsi que quelques tabourets. C'était luxueux.

— L'autre chambre est en face, expliqua-t-il. Mais c'est la deuxième porte. Celle-ci donne sur un jardin et l'autre sur les lices. Dans les deux cas, ce sont des pièces très calmes et très silencieuses. Je vais vous la montrer.

Il ressortit et ils le suivirent. La seconde chambre était moins belle. Les lits étaient de simples paillasses, mais elles ne paraissaient pas infestées de vermine.

L'hôtelier alla à la fenêtre. On apercevait les courtines toutes proches et la campagne au-delà. Il expliqua :

— Cette partie de la ville a été agrandie il y a soixante ans environ. On l'appelle Villeneuve. Les terrains formaient le Jardin du roi, car c'est là que le roi René faisait ses plantations. Vous savez qui c'est le roi René ?

Devant les hochements de tête affirmatifs, il poursuivit, déçu :

— Les consuls les avaient achetés à M. de La Cépède, c'est pourquoi nous autres appelons le chemin d'en bas la rue de la Cépède. De nos jours, il n'y a plus de La Cépède et leur héritier, M. de Simiane, qui fait construire son hôtel aux Prêcheurs, se fait appeler le seigneur de Villeneuve-lez-Aix !

» Bientôt, tout sera construit par ici, poursuivit-il avec un brin de regret dans la voix. Enfin, en attendant, il y a encore beaucoup de jardins et pas trop d'habitants !

— Faites-nous porter du vin bien frais, le coupa Gaston froidement, l'histoire de la ville et la philosophie de l'hôtelier ne l'intéressant pas.

L'aubergiste le salua, puis sortit en se dandinant.

— Tout de même, reprit le procureur, je trouve surprenant que ce bonhomme nous propose de si belles chambres à un si bas prix.

— Encore ta méfiance de policier ! lui répliqua Louis avec insouciance. Tu vois des criminels et des fripons partout. Honnêtement, que peut-on reprocher à ce brave Romani ?

Gaston ne répondit pas mais eut une grimace. L'homme était à ses yeux trop familier et trop complaisant pour être honnête. Il se jura de le surveiller.

Gaufredi et Bauer partirent payer leur séjour à l'auberge *Saint-Jacques*. Ils revinrent une heure plus tard avec la voiture, les chevaux, les bagages et leur linge lavé.

Deux valets montèrent ensuite leurs bagages et leurs armes sous la surveillance de Gaufredi.

— Posez tout ça dans un coin, ordonna Louis aux valets. Nous rangerons plus tard.

Il expliqua alors à Bauer et à Gaufredi que Gaston avait fait monter quelques flacons de vin frais qu'il leur proposait de vider avant d'aller se restaurer.

Les valets sortirent et Gaufredi referma la porte sur eux. Louis remarqua alors son expression surexcitée.

— Monsieur le chevalier, il y a du nouveau, fit le reître.

Gaston haussa les sourcils, interrogateur. Gaufredi reprit :

— Une femme est passée à l'auberge en notre absence. Elle désirait vous parler et elle a demandé à l'hôtelier de vous dire qu'elle vous attendrait ce soir, à cinq heures, sur la Plate-Forme.

— A-t-elle dit qui elle était ?

— D'après l'aubergiste, elle n'a rien ajouté de plus et il m'a assuré ne pas la connaître. Il m'a juste précisé qu'elle était assez jeune et plutôt jolie.

— Nous irons donc à ce mystérieux rendez-vous. Peut-être est-ce un rendez-vous galant, qu'en dis-tu Gaston ? En attendant, il est bientôt midi. Nous allons manger, puis nous habiller en guerre et nous rendre chez le prévôt.

— Je vous rejoins, fit Gaston. Je vais auparavant ranger nos armes dans ce grand coffre qui possède une

clef. Pendant ce temps, installez-vous et gardez-moi
une place.

Le sol de la grande salle de l'auberge était couvert
de paille pas trop souillée. Quelques chiens errants,
couchés sous les tables, faisaient office de nettoyeurs.
La pièce était envahie par toute une populace bruyante
et mélangée. Il y avait là des archers et des gardes en
casaques de drap, râpées et sales, des marchands aux
vêtements de velours, amples et sombres, parfois gar-
nis de l'ancien col à la Sully que l'on ne portait plus à
Paris depuis longtemps, ainsi que des magistrats et des
officiers en robe noire.

On apercevait aussi quelques rares gentilshommes
aux chausses de soie et habits multicolores couverts de
dentelles.

Enfin, des clercs et des laquais, tout aussi inso-
lents que ceux qui hantaient le Pont-Neuf, faisaient
grand tapage.

Dès qu'il vit arriver ses nouveaux clients, Romani
trottina vers eux faisant force signes d'amitié.

— Par ici, messeigneurs ! Suivez-moi !

Il les précéda jusqu'à une table occupée par des
clercs à l'expression visiblement embrumée par le vin
et qui jouaient aux dés sur la desserte encore recouverte
des reliefs d'un repas abondant.

— Allez-vous-en ! leur cracha l'aubergiste avec
violence. Vous avez terminé ! Inutile de traîner ici, ce
n'est pas un tripot !

Les étudiants se levèrent, chancelant sur leurs
jambes et partirent en ronchonnant. Nos amis s'installèrent.

D'un vaste mouvement Romani précipita les déchets par terre et deux chiens affamés se jetèrent dessus. Ensuite, l'hôtelier eut un grand sourire aimable pour s'excuser :

— Ces étudiants et ces clercs sont insupportables, ils s'installent parfois pour la journée et occupent ainsi toutes mes tables. Je dois toujours les chasser. Enfin ! Que voulez-vous ? Je peux vous apporter des saucisses d'Espagne au lard et aux fèves ainsi que du pâté de perdrix et de levraut. Et pour finir, vous goûterez mes pâtisseries de pommes et raisins secs.

— Ce sera parfait, déclara Gaston qui venait d'arriver.

Romani s'éloigna.

— Ce Romani est vraiment trop bon avec nous, ajouta-t-il d'un ton grinçant en s'asseyant.

Une servante, moins laide que sale, leur apporta plusieurs cruchons de vin frais. Ensuite, ce furent les pâtés qu'ils mangèrent de bon appétit. Tout était succulent. Louis, assis face à un mur, avait devant lui Bauer, qui ne cessait de considérer un angle de la salle.

— Que regardes-tu ainsi, Bauer ? demanda Louis après avoir remarqué le manège du Bavarois.

— Rien de particulier, monsieur. Seulement il y a là-bas quelques soldats attablés et l'un d'entre eux est celui qui nous a raccompagnés lorsqu'on a quitté le prévôt, hier. Or il ne cesse de nous observer et je n'aime guère ce manège.

Louis et Gaston regardèrent à leur tour. Louis reconnut effectivement le garde.

— Décidément bien du monde s'intéresse à nous, sourit-il. Est-ce un suspect de plus ? Peut-être le prévôt nous fait-il surveiller ? À moins que ce ne soit lui, notre mystérieux adversaire, ou qu'il soit à sa solde !

Gaston grava le visage du garde dans son esprit et ne répliqua pas au ton ironique et insouciant de Louis.

Le repas terminé, ils remontèrent se vêtir pour sortir. Louis enfila sa brigandine, un corselet léger formé de plaques d'acier articulées autour d'une chemise de soie, que lui avait offerte le marquis de Pisany quelques années auparavant. Gaston avait une cuirasse constituée de plaques d'acier en forme d'écaille qu'il avait ramenée de Rocroy. Gaufredi et Bauer, anciens reîtres et combattants sur tous les champs de bataille d'Europe, possédaient un équipement encore plus complet avec corselet et gorgerins.

Alors qu'ils s'apprêtaient à sortir, Gaufredi se remit à fouiller dans ses bagages.

— Donnez-moi votre chapeau, monsieur, demanda-t-il à Louis en sortant une demi-sphère d'acier creuse.

Tout en lui tendant son chapeau à plumet, Louis regarda l'objet avec surprise. Le reître fixa habilement la pièce de métal à l'intérieur de la coiffe, l'ajustant étroitement grâce à des fixations de cuir.

— J'ai acheté ça à Paris l'année dernière, expliqua-t-il enfin. C'est une invention des Anglais, ils placent ces coupoles de fer dans leurs chapeaux qui sont alors transformés en casque sans que cela ne se remarque. C'est pourquoi on les appelle des têtes-rondes. J'en ai une seconde pour M. de Tilly. En principe, cette ferraille devrait arrêter une balle ou un coup d'épée sur le crâne.

Fin prêts, ils quittèrent l'auberge pour le Palais Comtal, où ils se rendirent à pied. Ils prirent le passage des Carmes pour arriver face aux tours romaines. Ce n'était pas l'itinéraire le plus court mais, de là, ils savaient désormais se diriger sans se perdre vers le bureau du prévôt.

Celui-ci les reçut tous les quatre, cette fois sans étonnement ni contrariété, et même avec un peu de chaleur.

Lorsqu'ils furent confortablement installés sur des chaises, le policier leur fit porter du vin cuit tout en s'excusant avec simplicité :

— C'est un vin de mes vignes. J'espère que vous l'apprécierez. J'ai une petite maison de campagne au-dessus de la ville, dans le village de Puyricard.

Le vin était doux et, après l'avoir apprécié, Louis prit la parole :

— Notre enquête nous a amenés vers la commanderie de Saint-Jean. Pouvez-vous nous en dire un peu plus ? Nous avons appris que les frères avaient eu maille à partir avec la justice dans le passé.

Le prévôt balança la tête, montrant ainsi qu'il n'était pas entièrement d'accord.

— C'est vrai et c'est faux. Il est exact que certains moines ont été des débauchés notoires, amenant parfois des filles publiques dans la commanderie, mais c'était au siècle précédent et ils furent alors tous condamnés pour leur lubricité. Depuis que je suis prévôt, je n'ai jamais rien entendu de tel. Cependant, il est certain que ce ne sont pas des saints car la chair est faible, mais s'ils courent les garces, ils sont discrets et, je vous le répète, je n'ai jamais été saisi de plainte.

— Pourquoi le prieuré a-t-il accepté l'extension future de la ville ? La commanderie va se situer à l'intérieur de la ville désormais. Quels avantages les religieux vont-ils en retirer ?

Le prévôt soupira en hochant la tête.

— Aucun avantage, et c'est même terrible pour eux. Le précédent prieur, Anne de Naberat, avait toujours été opposé à une telle extension de la cité qui engloberait les prés et les terrains de la commanderie. Ou alors, il souhaitait que ce soit leur ordre qui la réalise. Il semble pourtant que son successeur, Honoré Pellegrin, n'y ait pas fait obstacle.

— Y aurait-il eu quelque intérêt ? s'enquit Gaston toujours suspicieux.

— C'est possible, mais je l'ignore. Ceci étant, la décision d'ajouter le clos d'Orbitelle, comme on l'appelait, ou le clos Mazarin, comme on le dit maintenant, vient du Premier ministre, qui est aussi cardinal, et leur ordre ne pouvait s'y opposer.

— Je comprends qu'ils auraient préféré réaliser l'opération eux-mêmes et s'enrichir grassement, cependant l'agrandissement ne leur coûte rien et leur rapportera certainement, remarqua cyniquement Gaston. Leurs jardins et enclos seront lotis pour de riches maisons à construire.

— Ne croyez pas cela ! protesta le prévôt. Nombreux vont être les prés qui leur seront retirés par contrainte et à vil prix car ils n'en ont que l'usufruit. A contrario, ils devront participer aux frais de construction des nouvelles murailles et ils seront désormais soumis à l'octroi. Croyez-moi, c'est pour eux une malédiction.

L'ordre perdra beaucoup d'avantages et devra débourser beaucoup d'argent dans cet agrandissement.

— Si je vous comprends bien, ils auraient eu un intérêt certain à s'y opposer, mais sans pouvoir agir ouvertement contre le Premier ministre, conclut Louis.

Laissant son esprit vagabonder un instant sur ce que cela impliquait, il poursuivit au bout d'un instant :

— Dans ce cas, la ruine de Mazarin ne pourrait que les servir, n'est-il pas vrai ?

— C'est certain. Encore que je ne vois pas comment ils pourraient la provoquer. Auriez-vous, vous-mêmes, des informations à ce sujet que j'ignorerais ? demanda matoisement le policier.

Louis ne répondit pas directement mais s'adressa à Gaston :

— Le prieur pourrait bien être notre adversaire. Déjà nous savons qu'il nous a menti, ce qui en fait, sinon un coupable, tout au moins un suspect évident.

— Ne pouvez-vous m'éclairer plus avant ? redemanda le prévôt, cette fois sur un ton irrité. Le lieutenant criminel m'a interrogé sur la mort de Frégier et je n'ai pas su quoi lui dire.

— Hélas, pas encore, répliqua Louis en se levant. Cependant je vous promets que vous saurez tout à la fin de notre enquête. Alors, vous pourrez agir et faire châtier l'assassin.

Le prévôt ne répondit pas mais son visage parlait pour lui. Il dévisagea Louis avec une expression soucieuse et contrariée. Ensuite, il les raccompagna à la porte.

Une fois dehors, Louis expliqua à Gaston :

— Ce qui me gêne dans nos soupçons envers le prieur, c'est de ne pouvoir les rendre vraiment plausibles. Si Balthazar Rastoin le gênait, s'il voulait l'empêcher de nous parler, il pouvait simplement l'éloigner. Pourquoi aller jusqu'au crime, surtout avec un de ses propres frères ? Et puis, est-ce raisonnable de penser qu'il aurait pu assassiner Frégier, là-bas, au milieu de toutes ces filles ?

— Nous avons peut-être plusieurs adversaires, émit Gaston comme hypothèse. Quoi qu'il en soit, l'heure de notre rendez-vous avec la mystérieuse inconnue approche et nous devons nous presser.

Ils contournèrent le palais, laissant l'échafaud à leur gauche et, guidés par Gaufredi, ils prirent la rue du Grand-Boulevard. Quelques minutes plus tard, ils arrivaient à la Plate-Forme. Une sorte de redoute défensive en forme de pique dont la pointe était tournée vers l'extérieur. Le lieu était désert et écrasé de soleil.

Ils s'assirent le long de la contre-escarpe, posant leurs armes à côté d'eux. Bauer grimpa sur la muraille, armé d'un mousquet. Trois rues, des chemins poussiéreux plutôt, aboutissaient à la Plate-Forme : la rue de l'auberge où ils logeaient désormais[1], la rue du Grand-Boulevard, et la rue du Collège[2]. De là, on ne pouvait leur tendre de piège puisque l'endroit était désert, entouré essentiellement de jardins.

Gaufredi s'installa confortablement sur son manteau écarlate, posa ses armes à portée de main et commença à sommeiller. Louis et Gaston, appuyés contre

---

1. Qui devint la rue de la Mule Noire.
2. Respectivement Émeric David et Manuel.

le mur, se mirent à parler de leurs souvenirs de collège. Un chat passa et les examina longuement.

Le temps s'étira, lentement.

— Quelqu'un s'approche, cria subitement Bauer.

Ils se levèrent aussitôt. Une jeune femme montait effectivement le chemin du Collège.

Avoir choisi cette voie et ce lieu avait-il une signification ? songea Louis. La jeune femme relevait sa robe pour ne pas trop la salir. Elle les vit et s'approcha d'eux plus rapidement. Louis reconnut alors son visage.

— Messeigneurs, les salua-t-elle d'un ton ironique associé à une révérence effrontée qui leur montra ses seins lourds débordant de son corsage échancré.

Elle n'était ni très belle ni très jeune. Ses traits ingrats et grossiers n'avaient rien d'attirant et sa peau épaisse et rougeâtre trahissait son origine campagnarde. Son visage était marqué par les violences et les privations. Ses yeux, seuls, retenaient l'attention ; des yeux secs et calculateurs. Louis devina qu'elle avait quitté son village depuis longtemps et que c'est en ville qu'elle avait appris à survivre. Sa robe de toile fleurie, agrémentée d'un collet de tissu blanc, était sale. Ses cheveux, mal crêpés, imitaient sordidement une coiffure à bouffons et étaient couverts d'un petit bonnet de dentelle, avec un lacet défraîchi. Le décolleté de sa robe ne cachait rien d'une robuste et opulente poitrine.

C'était une des deux drôlesses qui dormaient chez Frégier.

— Vous vouliez nous parler, mademoiselle ? demanda Louis d'un ton neutre.

— Oui, et dans un endroit discret. C'est pourquoi j'ai choisi ce lieu…

Maintenant, elle hésitait à poursuivre. Elle les considéra à tour de rôle, puis murmura :

— Je travaille *Bouèno-Carrièro*. Je suis une des filles de Frégier. Je m'appelle Blanche Rascas, mais on me nomme Blanche de Naples, à cause de mes cheveux noirs.

Elle secoua la tête d'un air de défi. Gaston et Louis étaient maintenant attentifs.

— Frégier a été tué et je ne veux pas qu'il m'arrive le même sort. Je dois quitter Aix et j'ai besoin d'argent. Donnez-m'en et, en échange, je vous dirai tout ce que je sais.

Elle s'arrêta, puis lâcha brusquement :

— Je veux cent livres. Tout de suite.

Bauer se mit à rire du haut de sa muraille.

— Cent livres ? Et puis quoi encore ? Moi, je la ferai parler pour rien, lança-t-il à Gaston. Laissez-la-moi un moment…

La femme leva les yeux et eut un regard de terreur devant le colosse à l'aspect terrifiant. Bauer, mains velues en avant dans une posture agressive, mimait les sévices qu'il envisageait de lui faire subir.

Louis, agacé, fit signe à Bauer de cesser de faire peur, en même temps, il rassurait la pauvre fille.

— Ne l'écoutez pas, il plaisante. Il adore ça. Tous les Allemands sont comme lui. (Il ajouta plus sérieusement :) Vous aurez votre argent si ce que vous nous dites nous est utile.

— Puis-je vous croire ? gémit-elle. On m'a tant trompée !

— Vous avez ma parole de chevalier, mademoiselle. Ainsi que celle de mon ami, qui est procureur du roi et ancien commissaire de police. En outre, j'ai de quoi vous payer.

L'expression douloureuse de la jeune femme fit place à un regard plus inquiet.

— Un commissaire ? Il me fera fouetter si je reconnais avoir commis des actes répréhensibles…

— Certainement pas, lui assura Gaston dans un sourire amical. Nous ne sommes pas là pour vous et le prévôt n'en saura rien. Nous avons des affaires plus graves à résoudre.

— Bon… Vous me paraissez honnêtes et généreux. Mon histoire est assez longue. Êtes-vous certains que nous ne serons pas interrompus ?

— Bauer, surveille ! Commencez, mademoiselle, nous vous écoutons.

Elle releva sa jupe avec indécence et s'assit devant eux sans façon. Ils se postèrent autour d'elle. Sans paraître remarquer leur méfiance, elle expliqua :

— Nous étions deux filles à travailler pour Frégier, des bagasses comme on dit ici. Mais il trouvait toujours que nous ne lui rapportions pas assez, alors, parfois, quand un client était riche et peureux, Frégier arrivait subitement pendant que l'homme me mignardait. Il venait avec un témoin, un homme de loi, et menaçait le client de tout dévoiler à sa femme ou à sa famille. Il racontait aussi quelquefois qu'il était mon époux et qu'il voulait venger son honneur bafoué.

Elle eut un sourire.

— Du chantage ! dit Gaston sévèrement. Ce procédé est vieux comme le monde.

— Oui, mais ça ne réussit pas toujours, certains s'en moquent, et les sommes que l'on extorque ainsi ne sont pas très importantes. Alors, ayant toujours besoin d'argent, Frégier avait décidé d'attirer quelqu'un de riche et de puissant, mais aussi quelqu'un que le scandale effrayerait. Quelqu'un qui serait obligé de payer.

— Il a choisi votre archevêque, Michel Mazarin, devina Louis.

— Comment le savez-vous ? demanda-t-elle.

Ses yeux grands ouverts fixaient Louis avec stupéfaction.

— Je me doutais de quelque friponnerie dans ce genre. Continuez…

— J'ai écrit une lettre à l'archevêque en lui expliquant qui j'étais et que j'avais besoin d'aide. En vérité c'est une amie de Frégier qui l'a écrite. Dans ce billet, je lui racontais que j'avais entendu parler d'une conspiration contre son frère par un de mes clients. Qu'il devait venir me voir un certain jour et à une certaine heure. Dans le plus grand secret évidemment. Et ce sot est venu !

Le mépris – ou la malice ? – se lisait maintenant dans ses yeux. Elle poursuivit :

— Je l'ai reçu, puis je lui ai demandé de m'accorder un instant. Je suis passée derrière un rideau où je me suis déshabillée. Je suis ensuite revenue dans la pièce, nue comme le jour de ma naissance, exactement au moment où Frégier entrait accompagné de deux hommes qu'il a présentés comme des avocats. Mon souteneur a crié : « — Ma femme ! Avec l'archevêque ! Quel sacrilège ! Je vais chercher le prévôt ! Mes amis, gardez cet homme impie, mon honneur doit être vengé. »

» Mazarin est devenu livide. Il n'était pas si sot et a tout de suite compris le piège. Il s'est su perdu. « Combien ? » a-t-il simplement demandé. « Cent mille livres », a répliqué Frégier, du tac au tac. « Je ne les ai pas ! » Frégier a ricané : « Tans pis ! Signez-nous ce bon de caisse en attendant, et nous vous aiderons à les avoir. Si vous refusez, c'est le prévôt, la prison et le déshonneur. Ce sera aussi la ruine pour votre frère. » Mazarin n'avait pas le choix. Il a signé et je ne l'ai plus revu.

Elle s'arrêta et les considéra. Ni honteuse ni repentante.

— Qu'a fait Frégier après ?

— Je l'ignore, il ne m'en a jamais reparlé. L'interroger, c'était recevoir une correction.

— Vous aurez votre argent, promit Louis lentement.

Il sortit un petit sachet de son pourpoint et compta six pièces d'or.

— Il y a là six écus de vingt livres.

Elle tendit la main avec avidité, mais il recula la sienne.

— J'ai un autre service à vous demander.

— Je suis prête à tout pour cet argent, répliqua-t-elle d'un ton vulgaire en les regardant perversement à tour de rôle.

— Nous ne serons pas exigeants, vous allez nous accompagner jusqu'à la commanderie de Saint-Jean. Je désire vous montrer quelqu'un.

— Tout de suite ?

— Oui.

Elle hésita.

— … D'accord… Mais je ne veux pas être vue avec vous. Je vous retrouverai là-bas.

Louis acquiesça pour ajouter :

— Encore autre chose. Je vous ai vue couchée et endormie quand j'ai découvert Frégier mort. Savez-vous qui l'a tué ?

Une ombre rapide passa sur le visage de la drôlesse.

— Non.

— Mais quand le prévôt est venu, c'est vous qui étiez là, ou était-ce votre amie ?

— Ce n'est pas mon amie, protesta-t-elle avec un frémissement de haine. Nous n'avons pas d'amie ici ! Simplement, j'ai entendu quelqu'un descendre de chez Frégier, c'était étonnant car il n'avait jamais de visite si tôt, alors je suis allée voir. Il était mort et j'ai fui immédiatement la maison. J'ai eu peur.

— Et vous avez laissé l'autre fille ? demanda Gaston.

— Oui. Tans pis pour elle.

— Je comprends, dit Louis qui ne souhaitait pas la juger.

Il hocha longuement la tête en caressant distraitement sa moustache.

— Gaston, as-tu d'autres questions à lui poser ?

— Non. J'en sais assez pour l'instant.

— Alors, agissons comme convenu. Nous vous retrouverons à la commanderie. Vous aurez votre argent là-bas.

Elle partit, reprenant la même route. Quand elle se fut suffisamment éloignée, ils descendirent la rue qui menait à l'auberge.

— Nous commençons à y voir plus clair, remarqua Gaston. Cette fille est certainement cynique et amorale, mais nous lui devrons beaucoup. Toute l'histoire se résume à un chantage, comme le suggérait Mazarin.

— Sans doute. Mais tout ne s'explique pas pour autant. Il reste encore tant de questions sans réponse ! Michel Mazarin a signé une reconnaissance de dette, soit. C'est aussi pour la payer qu'il a revendu ses droits sur l'agrandissement de la ville. Mais plus tard, après qu'il eut payé, les menaces semblent s'être poursuivies car sinon, pourquoi aurait-il alors signé, au nom de son frère, ces lettres de provision pour des charges de conseiller ?

» Deuxièmement, pourquoi Frégier lui a-t-il demandé de faire ces faux. De tels documents sont malgré tout difficiles à vendre et je suis convaincu que le parlement et la chancellerie ne les auraient jamais acceptés. Il me semble que notre courtier en fesses aurait pu demander des actifs plus faciles à écouler.

— Sauf si c'était le but poursuivi, remarqua Gaston.

— J'y ai bien pensé, dit Louis. L'objectif de l'opération pourrait bien être ce scandale que Mazarin redoute tant. Mettre en lumière l'existence d'un trafic de lettres de provision organisé par le ministre ! L'organisateur d'une telle machination pourrait bien être l'assassin de Frégier et de Rastoin.

— Puisqu'on parle de Rastoin, tu veux savoir si la fille le connaissait, c'est pour ça qu'on va à la commanderie avec elle ?

— Entre autres, je voulais aussi avoir un peu de temps pour rassembler tous ces faits avec toi. J'aurai certainement d'autres questions à lui poser là-bas.

Ils sortirent de la ville.

Avec la chaleur orageuse et l'absence du moindre souffle, l'odeur pestilentielle des douves devenait suffocante. Avec tous les arrivants pour la Fête-Dieu, la salubrité, déjà médiocre, se dégradait encore plus. Chacun jetait ses ordures et ses déjections dans le ruisseau qui coulait le long des remparts et le petit cours d'eau avait changé de couleur. Le matin, l'eau y coulait fraîche et claire; à présent, c'était devenu un fétide cloaque verdâtre.

Ils s'en éloignèrent rapidement, laissant avec soulagement les relents infects derrière eux. Quelques minutes plus tard, ils arrivaient sans encombre à la commanderie de Saint-Jean.

La placette était vide et la jeune femme n'était pas encore là. Cependant, l'église était ouverte et ils pourraient facilement aller voir le corps, probablement toujours dans la nef.

Après une heure d'attente, Blanche de Naples arriva sans se presser en tirant une mule malingre qui portait ses maigres bagages.

— Je quitte la ville, leur expliqua-t-elle maussade. J'emporte la mule de Frégier puisqu'il n'en aura plus besoin. C'est pour la trouver que j'ai été si longue. Je retourne dans mon village d'Aubagne.

Louis, exaspéré par la longue attente, lui expliqua ce qu'il attendait d'elle :

— Nous allons vous montrer le corps d'un homme qui vient de mourir. Il est dans l'église, dans un cercueil ouvert. Dites-nous si vous le connaissez et ce que vous savez de lui.

Ils entrèrent et s'approchèrent des tréteaux. Blanche Rascas se signa, puis se pencha, regarda dans la bière et se détourna aussitôt, le visage décomposé.

Elle quitta rapidement l'église, presque en courant, et les attendit devant sa mule.

Louis s'approcha d'elle, l'air interrogateur.

— Je le connaissais… c'était un client. Il était très souvent avec Frégier. C'était son ami, avoua-t-elle.

Louis la prit alors par le bras pour l'emmener à l'écart.

— Ces deux hommes qui accompagnaient Frégier, le jour où Michel Mazarin était avec vous, que savez-vous d'eux ? Connaissez-vous leurs noms ?

— Je ne sais rien et lâchez-moi ! répondit-elle en détournant le regard et en se dégageant. Je veux mon argent ! ajouta-t-elle dans un mélange de rage et de sanglots.

Louis lui donna les pièces. Elle les glissa dans une poche de sa robe et fit mine de monter sur la mule. Pourtant Louis n'en avait pas terminé, il insista :

— Avez-vous prévenu quelqu'un de la mort de Frégier ?

— Non ! cria-t-elle.

En même temps, elle le repoussa avec violence, saisit le licol de la mule et s'éloigna sans regarder en arrière.

— Alors ? s'enquit Gaston en s'approchant, goguenard devant les succès féminins de son ami.

Louis donna un coup de pied dans une pierre. Il rageait.

— Je pense qu'elle connaissait les deux hommes qui étaient avec Frégier. Dans une si petite ville, tout le monde se connaît, mais elle avait trop peur. On n'a pas réussi à la rassurer.

— J'aurais pu la faire saisir et questionner, suggéra Gaston. Il est encore temps de la rattraper.

— Certes, elle parlerait sous la torture, mais Michel Mazarin serait inquiété, déshonoré et l'affaire deviendrait publique. Ce n'est pas ce que souhaite son frère.

Il ajouta, plus calme :

— À nous de trouver la solution sans son aide.

— Et comment comptes-tu t'y prendre ?

— Si nous ne savons pas qui a tué Frégier, celui qui a commis ce crime ne sait pas où nous en sommes. Laissons-le s'inquiéter de notre attitude. Rentrons à Aix et retournons voir le prévôt pour lui annoncer que nous sommes sur une piste sérieuse. À l'auberge, faisons savoir à tout le monde que nous partons d'ici un jour ou deux car l'enquête qui nous a amenés à Aix est en voie de trouver sa solution. Notre ennemi frappera forcément pour nous empêcher d'agir. À nous d'être prêts.

Gaston eut une grimace de scepticisme.

Ils retournèrent donc chez le prévôt pour lui annoncer de prochaines arrestations et une révélation complète de l'entreprise qui les avait conduits à Aix. Le policier les écouta, impavide, et ne posa aucune question. Il leur précisa seulement que son enquête n'avait donné aucun résultat.

Gaston eut la désagréable impression qu'il se moquait d'eux.

Rentrés à l'auberge, ils annoncèrent les mêmes succès prochains à un valet d'écurie ainsi qu'à une fille de salle qui les écouta avec bonhomie. Ils auraient voulu parler à Romani mais l'hôtelier n'était pas là.

— On l'a vu partir il y a une heure avec sa mule, mais il n'a dit à personne où il allait, leur expliqua-t-on.

— C'est étrange, assura Gaston avec un air préoccupé.

Louis ne releva pas la remarque. Il avait l'habitude des soupçons incessants de son ami.

Ils montèrent finalement dans leur chambre. Là, après plusieurs brouillons, Fronsac rédigea un long mémoire à l'attention de Mazarin. Quoi qu'il leur arrivât, le ministre devait désormais savoir ce qu'ils avaient appris. La rédaction du document lui permit en outre d'ordonner ses idées, d'échafauder des hypothèses et de délimiter les faits manquants. Elle donna lieu à de longues discussions avec Gaston.

Le compte rendu terminé, ils en copièrent un double pour le comte d'Alais. Après quoi, Louis écrivit une lettre à Julie, son épouse, lui racontant les péripéties du voyage et les beautés de la ville, mais en restant vague sur son enquête.

Il ne restait plus qu'à trouver un messager pour ces courriers.

8

Le dimanche 12 mai 1647

L'aubergiste s'approcha d'eux alors qu'ils s'installaient dans la salle commune pour déjeuner. La nuit avait été si calme qu'ils avaient dormi tout leur saoul. Romani affichait son sourire le plus affable, une expression que Gaston jugea – in petto – fourbe et scélérate.

— La rumeur circule que vous allez rentrer à Paris ? On raconte que vous êtes des magistrats, que vous faisiez une enquête et que vous auriez obtenu tous les éclaircissements que vous souhaitiez ?

Il ajouta un ton plus bas en roulant les yeux :

— Avez-vous arrêté quelqu'un ?

— Sous peu, ce sera effectivement fait, répliqua Gaston sèchement. Un témoin important et intarissable s'est présenté hier et nous a appris beaucoup de choses. Demain, au plus tard, nous aurons terminé.

Romani opina dans un sourire poli. En même temps, et avec déférence, il tendit un pli qu'il avait gardé en main.

— J'en suis très heureux pour vous, messeigneurs, sincèrement.

Gaston eut la désagréable impression qu'il se
moquait d'eux. Romani poursuivit en plissant les yeux :

— Cette lettre qui vous est destinée a été apportée
très tôt ce matin.

— Merci.

Louis la saisit, l'ouvrit et la lut à ses amis dès que
l'hôtelier se fut éloigné.

M. le marquis de Vivonne,
M. le procureur de Tilly,
À l'occasion des jeux de la Fête-Dieu, un bal sera
donné ce soir au Palais Comtal et j'espère que vous
serez des nôtres.
Ce dimanche 12 mai 1647,
Louis de Valois, Comte d'Alais,
Gouverneur de Provence

— Nous allons y aller, j'espère ? questionna
Gaston déjà excité.

— Certes, d'autant que je pense que notre adversaire y sera aussi.

Gaston eut une grimace de désaccord.

— Crois-tu vraiment qu'il s'y manifestera ? Pour
moi, notre ennemi, c'est ce mielleux hôtelier, lâcha
Gaston qui n'aimait pas rester avec ce qu'il avait sur le
cœur. J'ai la fâcheuse impression qu'il nous surveille
sans cesse pour nous préparer un mauvais coup. Mais
je veille, et il ne nous aura pas par surprise.

— Décidément, tu en veux à tout le monde,
lui reprocha Louis en haussant les épaules. Il y avait
Gueidon à qui tu trouvais un teint basané équivoque,

maintenant tu suspectes ce brave hôtelier qui veille sur nous uniquement pour chercher à nous satisfaire. Si je t'écoutais, je finirais par croire que tous les Aixois nous veulent la malemort.

— Ce qui serait bien possible, plaisanta aigrement Gaston. Mais mon instinct de policier se trompe rarement.

— Évidemment, si tout le monde est soupçonné, le coupable sera forcément parmi eux ! conclut Louis excédé.

Il se tourna vers Gaufredi.

— Tu ne nous as pas encore parlé de ces jeux de la Fête-Dieu, nous attendons tes explications pour que nous puissions y participer sans avoir l'air trop ignare.

Gaufredi termina son vin et commença :

— C'est une très vieille fête qui aurait été instituée par notre roi René. À l'origine, elle concernait surtout les parlementaires et les gens de loi. Voici de quoi il s'agit : le lundi de Pentecôte – lundi dernier pour cette semaine – le conseil de la ville se charge d'élire un *Lieutenant de Prince* parmi les étudiants, un *Abbé* parmi les enfants d'artisans et un *Prince d'Amour* parmi les jeunes des familles fortunées. Ensuite les procureurs et les notaires élisent à leur tour un *roi de la Basoche* parmi leurs clercs.

» Le samedi suivant, tous ces élus, qui représentent le nouveau pouvoir de la ville durant la période des jeux, accompagnés de tambours et de fifres, s'affichent en ville dès midi. Comme hier nous étions à Saint-Jean, puis à l'auberge, nous n'avons rien vu de cette parade.

» Le dimanche – donc aujourd'hui – ils vont écouter la messe aux Prêcheurs avec force musique et tambours. Ensuite, après l'office religieux, ils monteront sur des trônes de carton et choisiront leurs *lieutenants*, qui seront chargés d'organiser des tournois et des concours auxquels chacun pourra participer. Parmi ces divertissements traditionnels, il y a le jeu des diables où un prisonnier, censé être Hérode, doit sortir d'un cercle de démons armés de fourches en bois et aux visages recouverts de masques en papier. Dans une autre épreuve, les diables cherchent, à l'aide d'une perche, à décrocher une croix tenue par le joueur. Dans un troisième jeu, on jette bien haut un chat enfermé dans un sac que l'on doit rattraper sans se faire griffer.

» En vérité, la fête n'est qu'un prétexte pour se goinfrer, s'enivrer, danser, s'amuser et courir la gueuse. Avec tous les commerçants itinérants qui se retrouvent ici, la foire est le régal des enfants, des jeunes gens et surtout des amoureux car tout le monde se déguise et se masque. Il y en a même qui revêtent des costumes de centaure que l'on appelle les *chivaoux frux*. Les danses durent jour et nuit durant toute la semaine avec un sommet jeudi, le jour de la Fête-Dieu.

» En résumé, tout commence réellement aujourd'hui.

— Bien, nous irons ce matin aux Prêcheurs assister à la messe et à la parade. Et puis nous avons aussi le droit de nous amuser.

Gaufredi parut contrarié.

— Hum, c'est que… voyez-vous, monsieur, je pense que c'est un peu hasardeux. Au milieu de cette foule masquée et déguisée, un mauvais coup est vite donné et encore plus rapidement reçu. Qui sait si notre mystérieux ennemi ne va pas en profiter ? Si nous sommes en train de lui tendre un piège, il serait préférable de choisir notre terrain.

Gaston approuva :

— Tu as pleinement raison, nous resterons donc groupés et nous nous protégerons au mieux avec cuirasses et brigandines. Mais tu sais que nous ne pouvons rester enfermés ici, surtout si l'on désire que notre adversaire se manifeste…

Ils furent interrompus par un Romani encore plus obséquieux qui leur apportait un plat. Sur un ton pontifiant, il déclara en posant le gâteau – car c'était un gâteau – sur la table :

— C'est une pâtisserie aixoise, messeigneurs, un biscuit fabriqué avec des amandes, du miel et des fruits confits. C'est une ancienne recette italienne mise à la mode par notre bonne reine Jeanne il y a deux cents ans. On le nomme le *calisonne*. Gouttez-le, il va vous plaire et je vous l'offre !

Ils prirent chacun un morceau de biscuit alors que Romani s'éloignait.

Le *calisonne* était particulièrement savoureux.

— Tu peux dire ce que tu veux, expliqua Louis à Gaston, mais un homme qui fabrique de si bons gâteaux ne peut être mauvais.

— Ah ! répliqua Gaston avec une expression désabusée. Tu crois ça ?

Il médita un instant, finissant de mâcher la délicieuse pâte aux amandes puis reprit :

— Laisse-moi te raconter une histoire. Il y a quelques années, en fait quelques dizaines d'années, vivait un pâtissier dans l'île de la Cité. Dans la rue des Marmousets, exactement. Il faisait de si bons pâtés que tout Paris se rendait chez lui. C'est là, principalement, que les magistrats du Palais se servaient. Un jour, hélas pour lui, il oublia de fermer sa cave où il fabriquait ce régal, un de ses ouvriers y entra et vit, accrochés à la voûte, des cadavres d'enfants dont les cuisses et les parties charnues servaient à la confection du merveilleux pâté.

L'anecdote jeta un froid. Louis ouvrit même son gâteau pour vérifier qu'il y avait bien du miel et des amandes et Bauer examina, songeur, son assiette qui avait contenu un ragoût de lapereaux. De lapereaux ? Il n'en était plus sûr.

Un silence pesant s'installa entre eux, qui se prolongea durant quelques minutes. Finalement, Gaston, fort satisfait de son effet, donna le signal du départ. Ils le suivirent toujours en silence dans les chambres. Là, ils se revêtirent de leurs vêtements de guerre et de leurs chapeaux ferrés, puis sortirent.

Dans la cour de l'auberge, Gaston signala à ses compagnons que Romani était à une fenêtre.

— Le fourbe nous observe encore.

— Je ne crois pas, monsieur, démentit le placide Bauer. Avant-hier, j'ai parlé avec lui et il m'a raconté sa vie. Savez-vous que c'est un ancien soldat, comme nous ? Il a acheté cette auberge il y a quelques années, mais auparavant il était resté vingt ans au régiment du Dauphiné. Je crois qu'il regarde tout simplement nos armes avec envie.

— Tu vois ? pouffa Louis devant un Gaston vexé. Il y a une explication à tout.

La Grande-Rue-Saint-Jean[1] était méconnaissable. Toutes les fenêtres et les façades avaient été pavoisées et décorées. Sur toute sa longueur, les commerçants avaient étalé leurs auvents et leurs tréteaux. Enfin, une

_____

1. La rue Thiers.

multitude d'Aixois, soit vêtus de leurs plus beaux habits, soit déguisés de façon invraisemblable, se pressaient vers la place des Prêcheurs. Nos amis se laissèrent emporter par ce flux vivant et joyeux. Bien qu'il fût encore tôt, les marchands de nourriture étaient les plus nombreux et les plus actifs : vendeurs de châtaignes cuites, de pommes sucrées, de bonbons, de pâtes d'amande. Le vacarme était assourdissant à cause des rôtisseurs et des taverniers qui vociféraient et chantaient pour attirer l'attention des chalands. La nourriture, souvent rare durant l'année, s'étalait partout avec profusion et inconvenance.

Pourtant, tout n'était pas que pour le ventre. Il y avait aussi des chapeliers et des bonnetiers, des marchands de ceintures et de bottes, des gantiers proposant une variété inouïe de modèles y compris des gants parfumés d'Italie, des étainiers et des orfèvres, des drapiers et des fourreurs et pelletiers. Tous les commerces du monde semblaient s'être donné rendez-vous à Aix.

Devant le Palais Comtal, les embarras étaient moindres et les mouvements plus faciles. Gaston remarqua que l'échafaud avait été nettoyé et les corps exposés déplacés, sans doute à l'extérieur de la ville sur des fourches patibulaires. De la rue Saint-Sulpice[1], un flot ininterrompu de carrosses et d'équipages descendait dans un grand vacarme vers la place des Prêcheurs, abandonnant là sa cargaison de belles dames et de gentilshommes.

Sur la place, des barrières et une compagnie d'archers gardaient à distance la populace, d'ailleurs sans grand succès. Nos amis s'approchèrent tandis que

---

1. La rue Montigny.

Gaufredi leur expliquait en montrant du doigt la rue encombrée :

— C'est par là qu'arrivent les condamnés à mort après qu'ils ont fait amende honorable à Saint-Sauveur, aussi les Aixois ne l'appellent-ils plus la rue Saint-Sulpice, du nom d'une chapelle maintenant incorporée dans le couvent des Dominicaines, mais Saint-Soupir !

— Pour une fois, les convois qui descendent sont plus gais, philosopha Gaston. Mais je ne vois pas comment nous allons pouvoir entrer dans l'église avec ce monde. On ne nous laissera jamais passer.

Effectivement, une foule se pressait devant l'église en un mur humain infranchissable. Les hommes étaient là pour apercevoir leurs magistrats et la noblesse provençale, les femmes pour admirer les robes et les atours des filles et des épouses. Mais surtout tous venaient pour applaudir les *Princes* et *l'Abbé* de la fête.

Ce fut un archer qui, les ayant vus dans le palais, les reconnut. L'exempt quitta son poste pour se rendre vers le prévôt, placé devant la porte de l'église. Il lui dit quelques mots et aussitôt le policier franchit les barrages pour venir les chercher. Il ne cachait pas son expression mécontente.

— Monsieur Fronsac ! Vous auriez dû me faire dire que vous veniez assister à nos réjouissances, je vous aurais fourni une escorte, maugréa-t-il.

— C'était inutile, nous essayons de vivre comme les Aixois. Vous connaissez le proverbe : « À Rome, fais comme les Romains ! »

Le policier soupira en les guidant vers l'entrée de l'église. Tous les enfants glapissaient de joie en voyant Bauer avec son espadon dans le dos, ses pistolets et son costume bariolé de reître allemand. Tous croyaient à un déguisement. Très réussi d'ailleurs.

— Et votre enquête ? murmura le prévôt.

— J'espère la terminer bien vite. Savez-vous si le comte d'Alais va venir ?

— Bien sûr ! Il ne manquerait cette messe pour rien au monde ! D'ailleurs, le voici justement.

Le comte arrivait en carrosse du Palais avec une forte escorte et sous les vivats enthousiastes de la foule. Après être descendu et avoir fait quelques rapides signes d'affection à la populace, il rejoignit le groupe de notables et d'élégantes femmes qui l'attendait sur la placette. Saluant chacune et chacun de quelques mots aimables.

Puis les cloches carillonnèrent et tous entrèrent derrière le gouverneur. Louis vit le prévôt chuchoter quelques mots à l'oreille d'Alais puis revenir vers lui.

— M. le gouverneur aimerait vous avoir à ses côtés durant la messe, expliqua-t-il.

Louis le suivit seul.

Comme le voulait la tradition, la place d'honneur fut attribuée au *roi de la Basoche*, un jeune clerc au visage radieux et hilare qui était entouré de son *Capitaine*, de son *Porte-Enseigne*, de son *Lieutenant* et de son *Guidon*. Il était placé sur un trône en planches avec ses officiers de pacotille assemblés autour de lui. La messe fut dite rapidement et fréquemment interrompue par des vivats et des rires. L'ambiance était bon enfant et pleine d'intermèdes joyeux ou drôles. Vers la fin, Louis de Valois s'adressa à voix basse à son voisin.

— Vous souhaitiez me rencontrer, monsieur ?

— Je viens de terminer un premier mémoire pour mon ministre. Vous pourrez en prendre connaissance.

Avez-vous un moyen de le lui faire parvenir rapidement ?

— Deux fois par semaine, un courrier galope pour Paris et l'atteint en quatre jours. Il y en a un qui part ce soir.

— Bien, je vous ferai remettre ce pli dans l'après-midi.

Le service religieux se terminait.

— Les réjouissances ne font que commencer, souffla de nouveau Alais à l'oreille de Louis. Maintenant les consuls vont élire le *Guidon du Prince* parmi les marchands, puis des lieutenants à l'*Abbé*, ainsi que des bâtonniers. Ensuite, il y aura des défilés et les jeux commenceront cet après-midi.

Louis et ses amis suivirent tous ces événements avec attention. Cependant, ils déclinèrent le grand repas prévu au Palais Comtal, préférant se promener et admirer les décorations dans les rues. Surtout, ils ne voulaient pas rater les jeux.

À quelques heures de là, on était alors en début d'après-midi, ils flânaient sans but dans la rue des Templiers[1], que l'on nommait encore ainsi bien que le Temple ait été détruit depuis longtemps.

En vérité, leur avait expliqué Gaufredi, la rue s'appelait désormais Sainte-Claire, du nom du couvent qui y était situé, mais personne ne la désignait ainsi. Leur errance venait de les amener à une placette garnie de trois ormeaux quand, brusquement, celle-ci fut envahie d'une acre fumée sulfureuse, jaune et rouge. Au même

---

1. La rue Jaubert.

instant, un fracas épouvantable retentit, faisant vibrer toutes les façades. Ce tumulte fut accompagné de quantité de pétards et d'éclairs éblouissants. Lorsque la fumée fut partiellement dissipée et que le fracas eut cessé, chacun dans la rue resta frappé de stupeur, puis fut envahi d'épouvante : un démon rouge et noir, tenant une horrible fourche dégoulinante de sang, avec des ongles et une queue tout aussi sanglants, se dressait au centre de la place.

L'infernale apparition se mit à hurler :

— Aixois, repentez-vous ! Aujourd'hui sera l'Apocalypse. Agenouillez-vous devant votre seigneur Lucifer et demandez pardon. Jurez de désormais lui obéir ! Vous êtes tous damnés pour vos crimes, vos sacrilèges, votre luxure et vos vices. Moi seul pourrais vous sauver !

Tous les Aixois présents se jetèrent à genoux, terrorisés et convaincus. Même Bauer et Gaufredi se prosternèrent. Louis, lui ne savait plus que penser. Il n'avait jamais trop cru au Diable, mais là… il commençait à douter.

Peu à peu, une sourde prière monta de l'assistance. Les gens s'empressaient de réciter le *Pater Noster* et *l'Ave Maria* à l'envers comme il se doit pour satisfaire Belzébuth.

Seul Gaston resta impavide. Le Diable, il le côtoyait depuis longtemps et il savait qu'il n'agissait pas ainsi. Le Malin n'apparaissait jamais, il préférait s'introduire sournoisement dans l'esprit et le cœur de ses victimes pour les manipuler et les pousser au crime. Ce genre de manifestation, il en avait connu des quantités et le parlement de Paris jugeait désormais qu'il s'agissait toujours de supercheries[1]. Les sorciers et les sorcières n'étaient que de faux devins, des fripons et des illusionnistes qui abusaient des crédules et des ignorants. La magie n'était qu'imposture.

Et il en avait une devant lui.

Il s'avança donc sans crainte vers l'Être venu des Enfers pour saisir à deux mains son visage immonde et cornu et l'arracher violemment du corps.

Dessous apparut une tête penaude, mais hilare.

— Monsieur de Venel, lui reprocha tristement Gaston dans un soupir, croyez-vous que ceci soit de votre âge? Regardez donc ces malheureux que vous venez de terroriser.

La foule restait à genoux, beaucoup des nouveaux dévots de Satan n'osaient regarder, persuadés que le démon allait emporter l'insolent sacrilège. Louis, encore un peu ému, s'approcha alors de Gaston tout en dévisageant M. de Venel qu'il n'avait jamais vu.

— Comment as-tu deviné? s'enquit-il avec admiration.

— Bah! D'abord je ne crois pas à ce genre de diable. Le vrai je le connais et il n'a pas de cornes. C'est aux hommes qu'il ressemble. Ensuite, je dois t'avouer que j'ai reconnu la voix bien particulière de M. de Venel, que j'avais rencontré avant-hier. Un bon policier n'oublie jamais une voix.

À présent, les badauds se relevaient, certains riaient un peu trop fort de la mystification, assurant qu'ils n'y avaient jamais cru; d'autres criaient au sacrilège pour s'être ainsi moqué de Dieu – ou du Diable?

---

1. Voir à ce sujet R. Mandrou, *Magistrats et sorciers en France au XVIIe siècle*, le Seuil.

Ils ne savaient plus. Les derniers, et les plus nombreux, toujours terrorisés et n'ayant rien compris préféraient s'éloigner en silence. Ils ne reviendraient plus dans cette rue maléfique durant quelque temps.

En peu de minutes, la place fut déserte à l'exception de nos amis, de Gaspard de Venel et de quelques-uns de ses complices, des jeunes gens tous écroulés de rire.

— En tout cas, grand merci ! déclara Gaspard finalement assez confus. Je ne croyais pas que ma plaisanterie aurait tant de succès et quand j'ai vu ces gens à genoux prier le démon, j'ai quelque peu pris peur. Je ne savais plus très bien comment m'en sortir. Vous savez, ici certains ne comprennent pas toujours mes facéties et il n'y a qu'un pas de l'impiété au sacrilège.

C'est que le conseiller au parlement Gaspard de Venel savait parfaitement bien que la mort restait la punition du sacrilège.

À leur tour, ils quittèrent ensemble la place vide.

— Que cela vous serve de leçon, dit benoîtement Gaston. Il n'y a pas loin du rire aux larmes car la sottise et la crédulité humaine sont toujours sous-estimées. Mais que se passe-t-il là-bas ?

En marchant, ils avaient repris la rue des Templiers et, arrivés à la rue Neuve[1], ils venaient d'apercevoir tout en haut une immense procession qui arrivait de la rue Saint-Laurent.

— Allons voir, proposa Louis.

Nos amis abandonnèrent donc Venel, qui préparait déjà sa prochaine farce avec ses compagnons.

---

1. La rue Granet.

Alors qu'ils se trouvaient presque en haut de la rue Neuve, ils entendirent derrière eux un vacarme effroyable de hurlements.

Bauer se retourna ; c'était toute une bande de démons, habillés de rouge et de noir, couverts de grelots, avec le visage et le crâne dissimulés par un masque de carton similaire à celui que portait Venel. À leur tête, un grand Belzébuth menait le sabbat – M. de Venel, sans doute – en haranguant ses infernales troupes :

— Sus à eux ! hurlait le diable, ce sont des mécréants qui ne croient pas aux démons.

Tous étaient armés de fourches de pacotille qu'ils secouaient au-dessus de leurs têtes en braillant des insanités.

Gaston et Louis se retournèrent à leur tour, d'abord interloqués devant la meute hurlante qui se précipitait vers eux, puis rassurés en reconnaissant la tête de diable de Venel.

— Décidément, M. de Venel ne sait pas que les plaisanteries les plus courtes sont les meilleures, soupira Louis avec un peu d'accablement.

Les diables les entourèrent joyeusement en vociférant puis les séparèrent. Une partie de la horde entraîna Gaston, Bauer et Gaufredi vers la rue Saint-Laurent, où ils furent happés dans la procession, alors que le reste bousculait gentiment Louis vers la rue du Puits-Juif.

Il se défendit mollement un instant, se prêtant au jeu avec bonne grâce. Cependant, constatant que ses adversaires et Venel lui-même ne cessaient de le pousser vers la ruelle, il essaya de se dégager. En vain.

Une secousse violente le surprit. Brusquement, il prit conscience que les suppôts de Satan le frappaient avec plus de force, plus de vigueur, plus de sauvagerie. Il n'était pas encore vraiment inquiet, juste troublé. Alors les coups se mirent à pleuvoir sur toutes les parties de son corps. Si certaines des fourches étaient en bois, d'autres étaient en fer. Bousculé, il s'écroula, cherchant à se protéger tandis que les démons continuaient à frapper.

Alors qu'il était à terre, Louis prit soudainement conscience qu'il allait mourir, battu à mort dans cette ruelle sombre de Provence. Une mort diabolique, pensa-t-il stupidement. La dernière vision qu'il eut avant de perdre conscience fut une lame géante, fendant en deux la tête du satanique Venel et aspergeant de sang les murs environnants ainsi que ses agresseurs.

Une lumière se fit jour devant ses yeux alors qu'il entendait quelques voix lointaines. Il se força à ouvrir grand ses paupières. Une brume ne lui permettait pas de distinguer de détails et tout son corps n'était que douleurs. Devant lui, des ombres chuchotaient. C'était l'enfer sûrement, ou peut-être le purgatoire. Loin, très loin, il entendit des voix. Gaston ? Gaufredi ?

— Où suis-je ? murmura-t-il.

Maintenant, il distinguait Gaston devant lui et, à sa droite, un autre individu. Le prévôt ? Il lui sembla apercevoir derrière eux Bauer et Gaufredi. Tous avaient un visage de cire. Étaient-ils malades ?

— Tu es à l'auberge, souffla Gaston penché sur lui. Tout va bien.

Ça y est. Il voyait clair. Il essaya de se relever et toute la pièce tourna autour de lui. Puis se stabilisa. Mais pourquoi avait-il si mal ?

— Je me souviens, bredouilla-t-il. Les démons. Je me suis évanoui ?

— Oui. Au moment où nous arrivions. Tu es capable de nous entendre ?

Gaston l'aida à s'asseoir.

— Ça ira… raconte…

— Le groupe satanique nous a séparés et poussés en avant. Arrivé rue Saint-Laurent, Gaufredi, qui ne te perdait pas des yeux, a crié : « Le chevalier est resté en arrière, je ne le vois plus ! » Bauer a tout de suite deviné le piège et s'est précipité en écrasant la foule, distribuant force coups et faisant moult bosses. Il nous a pourtant fallu quelques secondes pour nous dégager. Puis on a entendu les cris et les grelots dans l'impasse : c'était la cohorte de diables de Venel ! Bauer s'est jeté sur eux en hurlant, son espadon à la main. Il l'a abattu sur le crâne de Venel. Le masque s'est fendu mais l'épais carton avait amorti le choc. Venel s'est enfui, laissant sa testière de carton sanglante. On va vite le retrouver. Et s'il n'est pas mort, je te garantis que d'ici la fin de la semaine, il garnira l'échafaud.

Louis se redressa. À part ses douleurs, il n'avait rien de cassé. Il se tâta en soupirant.

— Je dois une fière chandelle à ma brigandine et surtout à la tête-ronde de Gaufredi. Ils ont surtout tapé sur ma tête, ils devaient trouver étonnant qu'elle émette un bruit métallique !

Gaston se mit à rire. Ils étaient maintenant rassurés. Alors ce fut le prévôt, resté silencieux, qui intervint :

— Vos amis vous ont ramené sur une civière et m'ont fait prévenir. Je suis venu sur-le-champ. Êtes-vous certain que ce soit Venel qui a fait le coup ?

— Certain ? Non ! Je ne l'ai pas vu, convint Louis, mais c'était son déguisement, il n'y a là aucun doute. Par ailleurs, nous étions avec lui quelques instants auparavant et il savait parfaitement où nous étions. Et il est plus ou moins mêlé à l'affaire sur laquelle nous enquêtons. Nous ne pouvons vous en dire plus.

— C'est que c'est quelqu'un de considérable à Aix, assura le prévôt mal à l'aise, ainsi que son épouse d'ailleurs, qui est la fille du seigneur de Ventabren, le trésorier général des États de Provence. Il convient d'être très circonspect. Nous ne pouvons agir à la légère.

— C'est pourtant facile, proposa Gaston. Trouvez notre homme. Avec un peu de chance, il sera chez lui, soignant sa blessure s'il n'est pas déjà mort. Il y aura du sang dans la testière. S'il a une plaie au crâne, c'est lui. Je me chargerai alors de l'arrêter et de le transférer sur-le-champ à Lyon. Ce sera sous ma responsabilité.

Le prévôt hésita encore un instant, puis se résigna.

— Bien, si c'est vous qui agissez, j'accepte. Je vais tâcher de savoir où il se trouve et je viendrai vous prévenir. Et peut-être même vous l'amener.

— Et surtout, pas un mot à quiconque, prévint Louis. Même au comte d'Alais.

Le prévôt opina et sortit.

— Pourquoi as-tu parlé d'Alais ? questionna Gaston.

— Rien, une idée. Il se trouve que ce matin, j'ai annoncé au comte que nous venions de terminer un mémoire sur notre enquête et que j'allais le lui remettre pour l'envoyer à Mazarin. Et crac, trois heures après, on essaie de me tuer. C'est une curieuse coïncidence, non ?

— En effet. C'est vrai qu'Alais reste au cœur de cette histoire. Il a cependant à sa décharge d'être celui qui a prévenu Mazarin.

— C'était peut-être une ruse pour apparaître insoupçonnable. Il ne faut pas oublier que c'est un Valois. Il préférerait être à la Cour au lieu de végéter ici. Il n'aime pas Mazarin. Et puis, de toute façon, les Grands adorent comploter. Ils ont ça dans le sang !

— Alais, Venel, Gueidon, Pellegrin, Romani, Forbin-Maynier, Gaufridi, et pourquoi pas le prévôt avec ses gardes qui nous surveillent en bas ? Décidément, tout le monde paraît douteux dans cette ville. La tête me tourne devant de telles ténèbres. A-t-on déjà rencontré des Aixois qui ne soient pas désireux de vouloir notre mort dans cette histoire ? se lamenta Gaston.

— Oui, assura Bauer d'une voix grave.

Gaston le regarda, interloqué.

— Et qui donc ?

— Ceux qui sont déjà morts !

Louis s'était levé pour se nettoyer un peu. Il restait couvert de boue et de sang.

— Si Bauer est d'accord pour m'accompagner, j'irais volontiers prendre un bain chaud aux étuves, suggéra-t-il. Je dois être en forme ce soir pour le bal. Nous irons à cheval en passant par les lices. Pendant ce temps, tu pourrais aller au château porter notre lettre pour Mazarin, il y en a une aussi pour Julie. Alais m'a promis qu'il tenait un courrier prêt à partir.

— Si tu t'en sens capable, je suis d'accord. Mais ne te crois pas obligé d'aller te laver. D'ailleurs, comptes-tu vraiment aller au bal ce soir ?

— Plus que jamais, Gaston! Plus que jamais! Mais armé jusqu'aux dents!

Ils se séparèrent. Louis prit son bain dans les caves qu'il connaissait. Ce soir-là, la fréquentation était importante car beaucoup, parmi ceux qui venaient aux fêtes, en profitaient pour bénéficier des bienfaits de l'eau thermale d'Aix. Une eau curative finalement plus utilisée par les étrangers et les gens de passage que par les Aixois.

Bauer, ne voulant pas quitter Louis, l'accompagna pour se baigner et effraya tout le monde, non seulement par sa stature, mais surtout par ses longs poils roux qui lui couvraient le corps, comme une peau d'ours. Cela se sut dans les bassins et un défilé incessant d'hommes, et plus souvent de femmes, passait devant lui sous des prétextes futiles, pour l'examiner avec curiosité et étonnement.

Après ce bain, Louis se sentit prêt à affronter la soirée au Palais Comtal. Quant à Bauer, il était très fier d'être si propre et il se jura intérieurement de se baigner désormais plus souvent.

Il était six heures – tous les clochers sonnaient vêpres quand ils arrivèrent à l'auberge. Là, une surprise les attendait. Dans sa chambre, Louis trouva Gaston et le prévôt discutant très aimablement avec Gaspard de Venel.

9

Soir du dimanche 12 mai 1647

A l'instant où Louis pénétra dans la pièce, M. de Venel se leva pour se précipiter vers lui, tout à la fois affable, inquiet et ému. Louis remarqua immédiatement son front lisse, légèrement dégarni, ainsi que son crâne faiblement chevelu mais parfaitement bien coiffé et surtout sans aucune trace de coup ou de plaie.

— Chevalier ! M. le prévôt m'a tout raconté. Quel horrible concours de circonstances a-t-il fallu pour que vous m'ayez suspecté ! Et surtout quelle chance que ces monstres ne soient pas parvenus à leur fin !

Gaston, déçu autant qu'amusé par la situation, fit un signe à Fronsac en montrant le masque posé à ses pieds.

— Il va falloir s'y faire, Louis, M. de Venel n'y est pour rien. Non seulement il n'est pas mort, ou seulement blessé, mais voici sa tête de diable.

C'était en effet la satanique tête de carton de Venel qui reposait devant le tabouret sur lequel il était assis.

La testière était en parfait état et sans trace aucune de coup d'épée ou de sang[1].

— Ce n'était donc pas lui, poursuivit placidement le procureur, peut-être a-t-on essayé de lui faire endosser le crime.

— Je préfère ça ! soupira Louis en s'asseyant et en posant son chapeau de castor sur ses genoux. Moins de notables d'Aix seront impliqués dans cette histoire et plus facile sera l'administration du châtiment. Néanmoins, celui qui m'a attaqué portait une tête identique à la vôtre, comment l'expliquez-vous, monsieur de Venel ?

Le magistrat leva les bras en signe d'impuissance ou d'incompréhension.

— Certaines de ces têtes ont été construites il y a plus de cent ans. Celle-ci est dans ma famille depuis des générations. Les artisans qui les fabriquaient faisaient souvent le même modèle. Les Oppède, par exemple, en ont plusieurs absolument identiques à la mienne.

Louis tressaillit.

— Je comprends, répliqua-t-il. Les Oppède, vous en êtes certain ?

Mais il n'y eut pas de réponse directe. Soit Venel n'avait pas attaché d'intérêt à la question, soit il préférait ne pas accuser M. de Forbin-Maynier.

— Chevalier, maintenant que vous m'avez innocenté et que je suis rassuré sur votre état, puis-je vous quitter ? demanda-t-il. J'ai beaucoup à faire pour le bal de ce soir.

---

1. Des testières de diable utilisées durant la Fête-Dieu peuvent être admirées au musée du Vieil Aix.

Beaucoup de farces stupides à préparer surtout, songea Gaston en grimaçant.

— Certainement, monsieur le conseiller. Et veuillez accepter mes excuses pour vous avoir injustement soupçonné.

Venel partit.

— Si vous m'expliquiez maintenant pourquoi vous êtes à Aix ? questionna alors amèrement le prévôt. Parce que la situation devient intenable pour moi ! Vous m'avez montré une lettre du roi. Vous êtes allés interroger M. de Venel sur la vente du clos d'Orbitelle par le frère de notre ministre. Je le sais, car il me l'a dit en m'accompagnant ici. Il m'a aussi précisé vous avoir parlé de Balthazar Rastoin alors qu'on enterre ce pauvre moine demain – une mort subite étonnante mais qui ne dépend heureusement pas de ma juridiction. A-t-il été assassiné ? Dites-moi la vérité.

Louis opina en silence.

— Je m'en doutais. Je suppose qu'il est mort comme Frégier juste avant votre visite ! ironisa le policier. Et ce n'est peut-être pas terminé, car une des filles de Frégier a disparu alors que son amie m'a enfin avoué qu'elle lui avait annoncé aller prévenir quelqu'un avant de quitter la chambre. Et maintenant, c'est votre tour. On essaie de vous…

— Attendez ! Qu'avez-vous dit ? l'interrompit Louis. Une des filles de Frégier a annoncé à l'autre qu'elle désirait prévenir quelqu'un ?

— Oui, mais celle-là a disparu. Est-elle morte, elle aussi ? J'en ai bien peur ! (Il leva les bras au ciel.) Plus rien ne m'étonne ! Depuis que vous êtes à Aix, vous donnez à tout le monde les trois sueurs[1] ! Vous êtes pires que la peste ! tonna-t-il sans pouvoir plus se contenir.

— Rassurez-vous ! Pour cette fille, vous vous trompez, elle n'est pas morte, répliqua Louis ignorant la colère du policier. Nous l'avons rencontrée. Elle nous a annoncé vouloir retourner dans sa famille, à Aubagne. Cependant, elle ne nous a pas dit qu'elle avait prévenu quelqu'un…

Il réfléchit un instant pour ajouter :

— Elle nous a donc menti par omission, comme je m'en doutais. Mais nous pourrons la retrouver, et ce, dès demain. Nous irons à Aubagne la chercher et l'interroger si nécessaire. Il faut qu'elle nous dise à qui elle a parlé.

— Vous avez raison. Celui-là pourrait bien être notre assassin, intervint le prévôt.

— Non ! (Gaston secoua la tête.) Il y a forcément deux personnes différentes : celui qui a tué Frégier et celui qu'elle est allée prévenir. Elle ne serait pas allée voir le meurtrier de son courtier en fesses sauf si elle était complice du crime.

— Pourquoi pas ? démentit Louis. Elle pourrait parfaitement être complice. Peut-être souhaitait-elle se venger de Frégier et ce meurtre n'aurait donc pas de rapport avec nous. Ou alors, elle ne savait pas que celui qu'elle allait prévenir était l'assassin qui avait éliminé Frégier. Dernière interrogation : l'un de ces assassins est-il celui qui a essayé de me trucider ?

---

1. Ce sont les trois sueurs que l'on a avant de mourir.

— Celui ou celle, précisa Gaston qui se souvenait de l'affaire du tourmenteur-juré de la Bastille[1].

— Ce qui est certain, c'est que celui qui s'est attaqué à vous est un imbécile, affirma le prévôt. Il était avec une vingtaine d'hommes de main et il me sera facile, d'ici quarante-huit heures au plus, d'en retrouver quelques-uns. Je remonterai ensuite jusqu'à lui très facilement.

Il s'arrêta un temps, puis ajouta :

— Ce fou ignore certainement que c'est Mgr Mazarin qui vous a envoyés, sinon il aurait été autrement prudent. Il risque maintenant la roue !

— Vous avez raison, approuva pensivement Louis. Si je voulais compliquer la situation, je dirais qu'ils sont trois : l'assassin de Frégier ; celui qui a été prévenu par Blanche de Naples, comme le propose Gaston, et qui a peut-être tué Rastoin ; et celui qui a essayé de m'occire. Oui, au moins trois. Et chacun d'un tempérament différent. Le premier a tué car il était acculé : nous allions interroger Frégier et il devait empêcher cet interrogatoire. Le second a organisé son crime froidement, il a attiré Rastoin dans un piège après avoir appris la mort de Frégier. Celui-là est le plus dangereux. Le troisième est un inconscient, c'est un chien fou, un jeune sûrement. Ses raisons ne me paraissent pas claires. À moins qu'il n'ait été qu'un sicaire à la solde du premier ou du second tueur…

— Mais pourquoi ? s'emporta de nouveau le prévôt. Que cherchez-vous donc dans cette ville ? Allez-vous enfin me le dire ? Je ne peux pas vous aider si

---

1. Voir *L'Exécuteur de la Haute Justice*, même éditeur.

j'ignore tout de vos raisons. Cette histoire a un rapport avec la vente du clos d'Orbitelle, n'est-ce pas ? Suspectez-vous le prieur Pellegrin ? Ce serait terrible pour notre ville !

— Je comprends votre irritation et j'en suis désolé. Mais nous devons travailler seuls, c'est un ordre du Premier ministre. Pourtant, si nous retrouvons Blanche de Naples et si nous la faisons parler, nous serons proches de la solution. Quand notre enquête sera terminée, je vous l'ai promis, vous saurez tout.

— Au fait, questionna innocemment Gaston, nous faites-vous surveiller ?

— Pas du tout ! répliqua sèchement le policier. Pourquoi ?

— Bauer et moi avons remarqué ici un de vos gardes, il semble y avoir ses aises et nous observe un peu trop souvent.

— Boniface ! Oui, c'est sûrement Boniface Romani, le beau-frère de votre aubergiste !

Louis et Gaston se jetèrent un regard entendu.

— Je crois que c'est tout, monsieur le prévôt…, fit Louis.

Il ajouta lentement :

— … Sachez que j'apprécie beaucoup votre aide. J'aurai peut-être besoin de vous demain ou après-demain pour retrouver Blanche. Pendant ce temps, faites votre possible pour mettre la main sur nos agresseurs.

Ils se séparèrent particulièrement insatisfaits.

Nos amis mangèrent le soir à l'auberge. Romani leur avait préparé de la langue de bœuf en sauce blanche et du nougat au dessert. Encore un succulent dîner.

Décidément, pensa Louis, les Aixois tuent un peu trop souvent mais cuisinent vraiment bien.

Ensuite, ils se préparèrent pour le bal. Gaston et Louis, avec l'aide de Bauer, se vêtirent de leurs habits de cour. Gaufredi et l'Allemand gardèrent leurs vêtements habituels mais s'enveloppèrent dans leurs manteaux. À contrecœur, Bauer accepta d'abandonner son cher espadon à l'auberge.

De l'hôtellerie de la *Mule* au Palais Comtal, la distance était courte. L'animation de la journée avait bien décru et si les rues s'étaient vidées des commerçants et des chalands, elles s'étaient remplies d'ordures, de détritus et de crottin. Ayant mis leurs plus beaux habits, il était exclu qu'ils aillent au palais à pied pour arriver sales et puants. Ils firent donc préparer leurs chevaux.

Ils se dirigèrent ainsi vers la porte Saint-Jean et remontèrent la petite rue Saint-Jean ; cette voie moins encombrée longeait les Grands-Carmes et leur vaste jardin[1]. Au bout de la rue, ils prirent à droite et débouchèrent sur la petite esplanade du palais[2]. Devant eux se dressait l'immense et rébarbatif monument. Au fond, on apercevait la silhouette sinistre de l'échafaud devant l'église des Prêcheurs.

Sur l'esplanade du château régnait une cohue difficilement descriptible. Des dizaines de carrosses, de chevaux, de mules s'arrêtaient ou attendaient dans un désordre épouvantable et un nombre effrayant de

---

1. On peut voir les restes des Grands-Carmes dans le passage Agard et dans certains magasins environnants.

2. Rappelons que le palais occupait non seulement l'espace de l'ancienne prison et du palais de justice actuel jusqu'au Portalet, mais aussi la présente place du Palais. Ses murailles s'arrêtaient alors à quelques toises de la première maison de la Grande-Rue-Saint-Jean.

laquais, de cochers et de palefreniers tentaient vainement de ranger les voitures et de maîtriser les bêtes.

Continuellement, de nouveaux véhicules et des
chaises à porteurs arrivaient pour déverser notables,
magistrats et belles dames. Les chevaux et les carrosses étaient d'abord abandonnés devant le porche,
puis conduits dans des écuries et des enclos provisoires
construits à la hâte. Toute une foule bigarrée de domestiques attendait là car la plupart des invités laissaient
leurs laquais dehors.

Nos amis s'arrêtèrent un instant, quelque peu
étourdis par le bruit des sabots, les crissements des
roues ferrées, les hennissements des chevaux et les gla-
pissements orduriers des cochers. En réalité, ils voulaient aussi profiter de ce spectacle assez cocasse.

Finalement, ils s'approchèrent.

Si une grande partie de la bâtisse remontait à
l'époque romaine, la façade principale était, nous
l'avons dit, de style Renaissance et l'entrée, construite
en avancée quelques années plus tôt, dénaturait l'ensemble. Arrivés devant celle-ci, nos amis furent arrêtés
par des domestiques et des gardes qui assuraient un
certain contrôle des entrées. Louis expliqua qui il était
et montra la lettre que lui avait fait parvenir le comte
d'Alais. Devant une invitation venant du gouverneur,
chacun s'inclina bien bas en les laissant passer.

Tandis que des valets se saisissaient de leurs
chevaux pour les conduire dans les écuries intérieures,
les quatre hommes pénétrèrent dans le vaste porche
qui débouchait sur une cour de forme irrégulière dans
laquelle se dressait une tour romaine, la tour Saint-
Mitre.

De là partait un grand escalier qu'ils gravirent, guidés à la fois par les bruits de la réception et par un laquais en livrée. Louis retrouva, à sa gauche, le passage qu'il connaissait bien désormais et qui conduisait au bureau du prévôt.

Au premier étage, ils débouchèrent directement dans la grande salle de réception du gouverneur de Provence. En réalité il s'agissait de la salle des pas perdus des différentes chambres judiciaires qui avait été transformée pour la circonstance. L'immense pièce était magnifiquement éclairée par des lustres aux bougies sans cesse mouchées par des laquais. Environ deux à trois cents personnes des deux sexes, la plupart vêtues d'habits de cérémonie, s'y tenaient à l'aise et plus du double auraient pu s'y trouver sans être gênées.

Un peu partout des tables et des guéridons étaient couverts de victuailles et de boissons. Des dizaines de laquais assuraient le service. Sur une estrade décorée de fleurs, un petit orchestre de violes et de luth jouait une musique légère. D'immenses tableaux aux motifs mythologiques ou bibliques recouvraient les murs, il y avait là des Rubens, un Tintoret, des Vouet et des Dcruet que Louis apprécia.

Ils s'avancèrent lentement, examinant les lieux et observant les gens. Philippe Gueidon fut le premier à les apercevoir et aussitôt l'avocat se dirigea vers eux, un éclatant sourire de bienvenue aux lèvres. Louis eut la fugace impression qu'il paraissait soulagé. De quoi aurait-il pu l'être ? Il remarqua aussi que nombreuses étaient les jeunes femmes qui se retournaient pour murmurer sur le passage de l'avocat.

— Monsieur le marquis ! J'ignorais que vous alliez venir ! Je suis tellement heureux de vous revoir.

— Je l'ignorais aussi, répondit Fronsac plus froidement. Mais dites-moi, je vous croyais marseillais et vous êtes toujours à Aix !

— Non, pas toujours, répliqua benoîtement Gueidon. Le jour où je vous ai vu, c'était vendredi, je crois, je suis reparti le lendemain très tôt pour Marseille avec le secrétaire de M. Gaufridi. J'ai travaillé avec lui làbas jusqu'à aujourd'hui midi et ne suis revenu que pour le bal. Vous voyez, je ne suis pas si souvent dans cette ville !

— Vous voulez dire que samedi et ce matin, vous n'étiez pas à Aix ? intervint Gaston sournoisement.

Gueidon le considéra légèrement déconcerté. Il parut mal à l'aise.

— Absolument ! Cela vous surprend-il ? Aurais-je dû y être ?

— Pas du tout ! répliqua Louis impénétrable. Dites-moi, peut-être pourriez-vous nous désigner discrètement quelques personnes que nous ne connaissons pas ?

— Bien sûr ! Où ai-je la tête ! Regardez à votre droite, ce monsieur à la figure sèche, au visage en lame de couteau. C'est Charles de Grimaldi, marquis de Regusse et baron de Roumoules, le second président du parlement d'Aix. Son épouse, tout près de lui, en robe violette, parle à Mme de Forbin (il montra discrètement une direction). Messieurs de Regusse et de Forbin-Maynier sont les personnes les plus influentes de la ville. Justement, cet homme un peu fort, avec une figure épaisse. Oui, c'est cela, celui qui se rapproche de M. de Grimaldi. C'est Henri de Forbin-Maynier, le baron d'Oppède ; il est, lui aussi, vice-président du parlement d'Aix et c'est l'ennemi intime de M. Gaufridi, le président de la Chambre des requêtes, chez qui nous nous sommes rencontrés.

— Nous le savons. Mais qui est ce jeune homme avec lui ? Il m'a l'air blessé au visage et à la tête, s'enquit Tilly, l'air soucieux et faussement compatissant.

Il désignait du regard la personne qui les avait raccompagnés lors de leur visite chez Forbin-Maynier. Elle avait pour l'heure un large bandage qui prenait sur son front et son crâne. Le pansement était bien visible malgré le chapeau noir planté sur sa tête.

— C'est son secrétaire, Dominique Barthélemy. Il a dû avoir un accident, cette blessure semble récente. Ah ! Regardez, ils sont rejoints par Jean Henri de Puget, baron de Saint-Marc et lui aussi conseiller au parlement – celui qui est vêtu de soie bleue – ainsi que par son secrétaire, ce vieux monsieur tout en noir qui ressemble à un corbeau. Lui se nomme Antoine Daret.

Louis observa Daret. Un vieillard à la figure maigre, grêlée de taches de rousseur. Un vilain visage. Faux et méchant. Daret examinait quelqu'un dans un mélange de stupéfaction et de rage contenue. Louis suivit le regard haineux pour découvrir que c'était Gaufredi qui était visé. Il examina alors son ami. Le reître n'avait rien remarqué ou cachait bien ses sentiments. Quelle pouvait être sa réaction devant ces gens qu'il avait connus il y a si longtemps ? s'interrogea Louis. Il ne semblait en avoir aucune, mais quarante ans de guerre lui avaient forgé un sang-froid à toute épreuve. Le vieux soldat arborait un visage impénétrable. Le regard de Louis revint vers l'homme à la tête bandée et il questionna à nouveau l'avocat marseillais :

— Ce secrétaire, ce Dominique Barthélemy, il me paraît bien jeune…

— C'est vrai. En fait, il a repris la place de son père, Antoine Barthélemy, qui est mort de la peste et qui était un enfant trouvé recueilli par les Forbin. Je l'ai un peu connu dans ma jeunesse. Un très brave homme.

— Dites-moi, c'est bien le prieur Honoré Pellegrin qui est en grande conversation avec M. de Puget maintenant ? interrogea Gaston, qui se moquait totalement de la famille du secrétaire des Forbin.

— Vous connaissez le prieur des Hospitaliers ? En effet, c'est bien lui. Pellegrin et Saint-Marc sont en relation étroite. Ce sont même de grands et vieux amis.

Un inconnu s'approcha de Forbin-Maynier pour lui murmurer quelques mots à l'oreille. Immédiatement, le baron d'Oppède se retourna et son regard croisa celui de Louis, qui le salua en s'inclinant légèrement. Mais le regard que lui renvoya le magistrat était chargé de malveillance. Le prieur Pellegrin les aperçut à son tour et les salua, mais sans aménité aucune.

Gaston allait alors s'adresser à son ami pour faire quelque remarque désobligeante sur le comportement discourtois du baron d'Oppède, quand il fut interrompu par l'approche de Jacques Gaufridi. Le président de la Chambre des requêtes était revêtu de sa robe noire de cérémonie avec col d'hermine. Il était accompagné du comte d'Alais en costume de cour.

— Monsieur Fronsac, comment trouvez-vous notre ville d'Aix et ses habitants ? s'enquit Gaufridi.

— Votre ville est charmante mais vos habitants sont trop chahuteurs pour nous. Ils se sont déguisés en diablotins cet après-midi et ont essayé de m'occire à coups de fourches, plaisanta Louis.

Alais eut une expression incrédule.

— Qu'avez-vous dit, monsieur ?

— Ils ont essayé de m'occire cet après-midi, répéta Louis placidement mais à haute voix, tandis que son regard démentait le flegme de ses paroles.

Le Valois fit un signe et le prévôt, jusqu'à présent caché par la foule, s'approcha l'air contrarié.

— M. le prévôt, le présenta-t-il, ignorant que nos amis le connaissaient. Racontez donc votre aventure, monsieur Fronsac…

— Je connais M. le prévôt, monseigneur, et il est déjà informé de l'affaire, fit Louis. Mais voici les faits…

Il narra en détail son agression.

— Pouvez-vous retrouver ces diables, monsieur le prévôt ? demanda le gouverneur en s'adressant d'un ton sec au policier.

L'homme baissa les yeux avant de répondre.

— Sûrement, monseigneur. Mais pourrai-je les arrêter ? Et encore plus les faire juger ?

Il y eut un silence désagréable chargé de trop de sous-entendus.

— Que voulez-vous dire, monsieur le prévôt ? demanda Tilly en fronçant les sourcils. La justice du roi ne s'exercerait donc pas dans cette ville ? Faudrait-il un lit de justice pour qu'elle s'applique ?

Il prononça ces paroles de manière à ce que chacun l'entende autour de lui.

— Je dis seulement que ce ne serait pas la première fois que certains magistrats prendraient des libertés avec la loi, déclara courageusement le prévôt. Et que dans ces conditions, il est difficile, et parfois impossible, de les faire condamner…

— Votre cité est curieuse, pour un siège de tribunaux, persifla Louis. Mais vous en avez trop dit, monsieur le prévôt, continuez donc ! le pressa-t-il.

— Si vous insistez, accepta le policier en hochant la tête et relevant les yeux. Voulez-vous que je vous parle d'un de mes prédécesseurs qui a été assassiné dans des conditions mystérieuses, dans le cloître de Saint-Sauveur ? Tué à coups de sacs de plomb. On appelle ça le *saquettar* à Aix. L'assassin, un notable que tout le monde connaissait, n'a jamais été inquiété. Ou bien préférez-vous que j'aborde les crimes et les assassinats commis dans les hôtelleries de la ville, parfois par les plus hautes autorités de la province ?

Alais blêmit à l'allusion. C'était de son parent que l'on parlait.

— Tout ceci peut attendre demain, coupa Gaufridi diplomate et qui ne tenait pas à donner une trop mauvaise image de sa ville. Ce soir vous êtes nos invités, mangez, buvez, dansez et amusez-vous…

Il fit un signe et un jeune homme se rapprocha.

— Pierre de Beaumont est le fils d'un de mes amis, il saura vous guider ici auprès de chacun, et peut-être ferez-vous connaissance de l'âme sœur de votre vie, ou de votre nuit ! Amusez-vous mes amis. Amusez-vous ! C'est jour de fête !

Il s'éloigna en entraînant le comte d'Alais et le prévôt. Gueidon les suivit en conservant le sourire sardonique qu'il avait arboré lors du discours du prévôt.

— Monsieur Fronsac, s'enquit Beaumont, M. Gaufridi m'a dit que vous deviez rester quelques jours à Aix ?

— C'est exact, monsieur.

— Si je puis vous aider en quoi que ce soit, n'hésitez pas. Ma maison est à votre disposition. Mais, suivez-moi plutôt, proposa-t-il, je souhaite vous présenter à quelques amies.

Il les entraîna vers un groupe de jeunes femmes qui parlaient avec un homme de l'âge de Louis. Sans être vêtues à la dernière mode parisienne, toutes étaient richement habillées, soit de jupes droites avec busc et collets de dentelles, que l'on appelait les *modestes* – ce qu'elles n'étaient pas car elles étaient ici passementées de fils d'or et d'argent –, soit de grandes robes de soie, de satin ou de taffetas. Toutes les couleurs étaient mêlées en abondance : écarlate, bleue et même blanche ; les boutons d'or et les tresses étaient répandus à profusion. Certaines femmes avaient crêpé leurs cheveux avec cette fine frisure ovale autour de la tête que l'on nommait la coiffure à bouffons, d'autres y avaient ajouté une légère frange : la garcette, mais la plupart avaient seulement les cheveux longs et bouclés sur les épaules.

Toutes étaient lourdement maquillées, le visage couvert de crème et de céruse, les yeux allongés d'un épais trait noir, les lèvres vermillonnées. Elles ignoraient donc la mode qu'avait lancée la régente. Toutes, sauf une, étaient brunes.

Beaumont se rapprocha de la seule blonde, une jeune femme en robe de taffetas bleu et blanc froufroutante avec des boutons d'or et dont la gorge était mise en valeur par un collet en dentelle finement brodé. Ses cheveux étaient simplement bouclés.

— Laissez-moi vous présenter Lucrèce de Venel, la sœur du conseiller Gaspard, que vous apercevez là-bas, dit Beaumont. Mlle de Venel est courtisée par le seigneur d'Hevinquem, qui doit réaliser l'agrandissement de notre ville. Mais je crois qu'elle hésite, car son prétendant est de la religion reformée.

Louis et Gaston saluèrent Lucrèce. Une jeune femme et une ravissante jeune fille se rapprochèrent aiors, curieuses et brûlantes de connaître les nouveaux venus dont déjà beaucoup parlaient en ville.

— Voici Mme Aymare de Tournefort, la filleule de la mère de M. d'Oppède, et sa sœur Mlle Angélique du Fagoue. Mesdames, Messieurs Fronsac et Tilly arrivent de la Cour.

— Monsieur Fronsac, s'enquit Angélique d'une voix claire (elle ne devait pas avoir plus de seize ans), parlez-nous de Paris, je vous en prie, nous n'y sommes jamais allées. La ville est-elle si grande et si belle qu'on le dit ?

— C'est assurément une belle ville, mais Aix l'est aussi, répondit prudemment Louis qui n'en pensait pas un mot.

— Voici M. Pierre de Raffelis, seigneur de Roquesante, présenta encore Beaumont alors qu'un nouveau venu s'approchait. M. de Raffelis est conseiller au parlement et chargé des affaires criminelles. C'est, paraît-il, l'homme le plus intègre d'Aix et certains disent même de France.

Raffelis les salua avec curiosité. Mais déjà les jeunes femmes reprenaient leur babillage.

— Savez-vous que la ville va s'agrandir ? affirma Angélique du Fagoue. Toutes les vieilles murailles du sud et ces horribles tours, repaires de mendiants et de truands, vont enfin être détruites. Les douves puantes seront comblées avec les décombres. La ville va respirer pour devenir une véritable capitale.

— Qu'allez-vous faire sur l'espace des courtines, interrogea Gaston avec curiosité, des maisons ? des jardins ? des couvents peut-être ?

Ce fut Lucrèce de Venel qui répondit avec impertinence :

— Certains veulent des rues nouvelles, larges et lumineuses. On parle même d'une rue de l'Archevêché à la place des vieux remparts. Mais d'autres s'y opposent. Mon frère a proposé une idée un peu folle et qui ne séduit que les filles et les épouses des parlementaires. Voyez-vous, notre ville est étriquée, serrée, sans air ni lumière et, à part la Grand-Rue-Saint-Esprit et la place des Prêcheurs, il n'existe pas d'endroit pour se promener. Alors pourquoi ne pas faire une vaste allée plantée d'arbres à ombrages, que nous borderions de beaux hôtels ? Un cours où nous, les Aixoises, pourrions nous promener, nous rencontrer et nous montrer. Certains l'appellent déjà le Cours à Carrosses. N'est-ce pas une idée magnifique ? Avez-vous cela à Paris, monsieur Fronsac ? demanda-t-elle avec un air fripon.

— Nous n'avons rien de tel, effectivement. Votre projet me paraît enchanteur. Encore que certainement fort dispendieux, surtout si cela ne sert à rien. Un cours dites-vous ? Nous avons à Paris une promenade qui se trouve à l'extérieur de la ville, après les Tuileries, une grande allée de terre que l'on nomme l'allée de l'Étoile, car elle se termine par un croisement de voies en étoile. L'ensemble des chemins qui y mènent fait partie des Champs-Élysées. Mais pour s'y rendre, il faut passer les portes de Paris alors que votre cours, s'il voit le jour, serait au cœur de votre cité.

L'intervention de Louis avait attiré un nouveau couple. L'homme était quelconque bien qu'imbu de son importance, mais sa compagne possédait un charme et un éclat incroyables. Louis, qui côtoyait à la Cour toutes sortes de jeunes beautés, de Mme de Longueville à Mme de Sévigné, en resta stupide. Gaston, lui aussi, en fut paralysé.

— Voici M. Henri de Rascas, seigneur du Canet, avec son épouse Lucrèce de Forbin-Soliès. Ses admirateurs la nomment *la Belle du Canet*. M. de Rascas est un grand ami de M. de Forbin, expliqua de Raffelis.

— Vous parliez de ce fameux cours, monsieur de Paris ? se renseigna *la Belle du Canet* avec une voix cristalline. Savez-vous que nous avons hâte ici qu'il soit aménagé, affirma-t-elle.

Toutes les jeunes femmes présentes approuvèrent, les yeux brillants[1].

— Quelle est la raison de votre présence à Aix, messieurs ? Des rumeurs circulent sur une enquête de police. Seriez-vous policiers ? Prévôts de la maréchaussée[2], peut-être ? s'enquit Henri de Rascas d'un ton compassé fort insolent.

— Oui et non, répliqua Gaston décidément bien conciliant devant les dames. M. Fronsac, marquis de Vivonne, travaille souvent à résoudre des problèmes délicats pour la Couronne et moi-même suis procureur du roi. Mais nous ne pouvons en dire plus sur notre mission à Aix. Vous nous excuserez certainement puisque nous sommes au service de Sa Majesté.

---

1. On sait que l'idée fit son chemin, mais pas aussi vite que le voulaient les Aixoises. L'entreprise prit plusieurs années compte tenu des troubles que nous allons narrer plus loin. Il fallut cinq années pour démolir les vieilles murailles. Ce n'est qu'en 1656 que le Cours à Carrosses (le Cours Mirabeau) fut enfin terminé !

2. Prévôts itinérants chargés du maintien de l'ordre dans les campagnes.

— Si vous vous êtes occupés d'affaires criminelles, j'aurais plaisir à vous rencontrer à nouveau,
déclara chaleureusement de Raffelis. J'espère pouvoir
vous recevoir quand vous le désirerez. Ma maison fait
le coin entre la Petite-Rue-Saint-Jean et la Grande-
Rue-Saint-Jean. Elle est juste en face du palais[1]. Venez
me voir quand vous le souhaitez.

— J'aurai sûrement le temps de passer vous voir,
lui assura Louis courtoisement, et peut-être même irai-
je vous demander quelques conseils.

— Êtes-vous reçu à la Cour, monsieur le marquis ? demanda Lucrèce de Venel qui venait d'être
rejointe par un autre couple.

— Parfois, madame, bien que je n'aime guère
m'y montrer.

Lucrèce présenta les nouveaux venus.

— M. de Riquetti et son épouse Jeanne. Et derrière elle, voici Mme Anne de Pontevès, une grande
amie.

Jeanne de Riquetti était jeune, brune et vive, avec
des yeux brillants qui exprimaient en permanence une
curiosité insatisfaite[2]. Anne de Pontevès était beaucoup
plus âgée et arborait au contraire un visage distingué et
sérieux.

— Mon ami Fronsac est trop modeste. Il est le
neveu par alliance de la marquise de Rambouillet, un
proche de Mgr Mazarin et un excellent ami de Mgr le
prince de Condé, lâcha Gaston hilare.

---

1. La maison de Pierre de Raffelis a été longtemps une grande
librairie.
2. Allez admirer le portrait de l'aïeule de Mirabeau au musée Joseph
d'Arbaud. Vous ne le regretterez pas.

— Vous connaissez le prince de Condé ? demanda Anne de Pontevès, surprise. J'ai rencontré son père à Aix, il y a quelques années. Je m'en souviens encore bien.

Les regards de l'assistance étaient maintenant extasiés. Malgré sa laideur et son homosexualité notoire, la réputation de séducteur du jeune prince était arrivée jusque-là. Le père avait failli mettre la ville à feu et à sang pour réduire la révolte des *cascaveoux*[1], mais il avait rétabli l'ordre et les Condé restaient pour les Aixois des personnages hors du commun.

— En effet, nous le connaissons, compléta Tilly. Nous étions d'ailleurs tous ensemble à Rocroy avec lui[2].

D'un geste il montra Louis et les deux reîtres, en retrait, immobiles et comme taillés dans du marbre.

Il y eut un silence. Chacun se regardait, et les considérait. Rocroy était un lieu mythique pour tous les Français. C'est là qu'un jeune général de vingt ans, Enghien, devenu depuis prince de Condé, avait arrêté l'invasion espagnole et autrichienne, alors que ses troupes étaient bien moins nombreuses que celles de ses adversaires.

Plusieurs notables, officiers et magistrats s'étaient maintenant approchés. Inquiets, mais aussi flattés que des gens qui connaissaient si bien le prince de Condé soient dans leur ville, même si c'était pour une médiocre enquête de basse police.

Soudainement, les questions fusèrent. Pris au jeu, Louis et Gaston racontèrent la vie à Paris, puis s'éten-

---

1. Voir *L'Exécuteur de la Haute Justice*.
2. Voir *La Conjuration des Importants*.

dirent sur Condé, Mazarin, Rocroy, Cinq-Mars même, qu'ils avaient un peu connu…

Les jeunes femmes étaient d'une curiosité infinie et nos amis n'arrêtaient pas de parler.

Brusquement, Louis fut violemment heurté. Il se retourna.

C'était Barthélemy, l'homme à la blessure à la tête, qui lui jeta alors un regard chargé d'un lourd mépris.

— Monsieur, vous venez de me heurter, affirma le jeune homme avec morgue. Veuillez vous excuser !

— C'est vous qui m'avez cogné, répliqua poliment Fronsac.

L'autre eut un geste de colère.

— Vous me cherchez querelle ? Sortons, monsieur !

Il recula un instant et prit un air dégoûté après avoir examiné Fronsac.

— Vous n'avez pas d'épée ? Quel genre de gentilhomme êtes vous ? Je peux vous en faire prêter une par un laquais.

Le mot laquais claqua comme un soufflet.

Le silence se fit autour d'eux et au-delà. Plusieurs magistrats et quelques femmes se rapprochèrent insidieusement pour assister au spectacle. Comment allait réagir ce monsieur de Paris ?

Louis hésitait, il ne désirait pas se découvrir, mais il sentait qu'il allait y être obligé. Ce fut Gaston qui prit les devants.

— Ignorez-vous, monsieur l'insolent, l'ordonnance royale sur les duels ? Ne savez-vous pas qu'ils sont punis de mort ? le prévint-il.

Barthélemy le regarda avec hauteur en haussant les épaules. Il eut un sourire de dédain.

— Mêlez-vous donc de ce qui vous regarde, cracha-t-il, bravache. À Aix, les ordonnances royales ne nous concernent pas et ne nous font pas peur.

Cette fois encore, le mot *peur* fut lâché comme un crachat. Gaston fit un pas pour se placer alors devant Louis.

— Ceci me regarde.

La voix du procureur était grave, glaciale et fit frémir l'assistance.

Pour le procureur du roi, pour le commissaire de police, cela faisait trop longtemps qu'il entendait dire que les Aixois ne respectaient pas les lois. Il n'était guère patient de nature et il fallait que cela cesse. D'un signe, il ordonna au prévôt de se rapprocher, ensuite, fouillant dans son pourpoint, il en sortit un petit porte-feuille de cuir. Dans un silence écrasant, où la curiosité, l'inquiétude et même la peur étaient palpables, il l'ouvrit et, sortant un feuillet avec un sceau rouge et noir, il le tendit au prévôt en lâchant ces mots :

— Arrêtez cet homme, monsieur le prévôt, et jetez-le au fond d'un cachot.

Il y eut un bruissement de désapprobation et l'orchestre cessa brusquement de jouer. Louis vit Saint-Marc et d'Oppède mettre la main sur la poignée de leur épée de parade. Daret, le secrétaire, faisait des signes à quelques laquais, qui s'approchèrent armés de bâtons. La rébellion était possible, la sédition probable.

Pendant ce temps, les sourcils froncés, le prévôt lisait en silence la lettre nommant Gaston maître des requêtes exceptionnel. Livide, il fit passer le pli au comte d'Alais.

— Pourquoi ne vous êtes-vous pas fait connaître ? s'enquit sévèrement le gouverneur à Gaston dès qu'il en eut terminé la lecture.

— C'était sur mon ordre, révéla Fronsac, qui s'était tu jusqu'à présent.

— Mais qui êtes-vous donc, monsieur ? cria Henri de Forbin-Maynier, baron d'Oppède, en s'approchant. Où vous croyez-vous donc ? De quel droit agissez-vous ainsi chez nous ?

La fureur rendait son visage poupin écarlate, de grosses veines rouges palpitaient sur son front. Louis n'avait plus le choix. Lui aussi sortit la lettre que lui avait donnée Mazarin pour la tendre au comte d'Alais. Le gouverneur la saisit, intrigué autant qu'inquiet, et la lut dans un complet silence. Un soupçon de mécontentement traversa son visage, puis il leva les yeux, regardant longuement Louis avec un visage impassible. Ensuite, il hocha la tête lentement pour demander :

— Puis-je faire connaître le contenu de ce pli publiquement, monsieur ?

— Faites, monseigneur, répondit Louis.

Alais se tourna vers l'assistance et, d'une voix solennelle et sans chaleur, il s'exprima ainsi :

— Mesdames et messieurs, permettez-moi donc de vous lire cette lettre qui est signée Louis, roi de France.

Il y eut un murmure général de stupéfaction qu'il ignora.

Louis, par la grâce de Dieu, Roy de France,
Nous nommons par la présente le marquis de Vivonne Louis Fronsac, lieutenant du roi. M. Fronsac

*aura les pouvoirs exceptionnels et extraordinaires d'un
intendant de justice avec un commandement absolu sur
toutes les autorités civiles, militaires et judiciaires. Ce
qu'il fera en Provence sera suivant mon plaisir et mon
cousin Valois se chargera d'exécuter ses décisions.*

À Paris, au mois d'avril, l'an de grâce 1647,
Louis

Cette fois, le silence fut écrasant. À présent, les
quelque deux à trois cents personnes dans la grande
salle s'étaient regroupées et entouraient les protago-
nistes. Tous étaient figés et certains même ne respiraient
plus. Ainsi cet homme vêtu si modestement était intendant de justice et avait le pas sur le gouverneur ! Mais
pourquoi ? Que venait-il faire ici ? Chacun avait des
peccadilles à se reprocher et il n'y avait personne dans
l'assistance qui ne fût au moins alarmé, sinon terrorisé.
Progressivement, ceux situés à l'arrière-plan essayèrent
de se dissimuler derrière ceux qui étaient devant eux,
alors que ces derniers reculaient de quelques pas. On
assistait à un curieux ballet où le vide se faisait peu à
peu autour de nos amis.

— Monsieur le prévôt, allez-vous faire arrêter cet
homme ?

C'était Gaston qui intervenait de nouveau, devant
un Barthélemy, livide, qui venait de comprendre qu'il
était perdu.

Le prévôt fit un signe et des archers s'approchèrent, bousculant la foule.

— Les Aixois ne laisseront pas accomplir une
telle infamie, cria Puget de Saint-Marc se portant en
avant avec un rictus de mépris, la main sur son épée.
Monsieur le gouverneur ! Restez en dehors de cette

affaire ! ordonna-t-il encore. Mes amis, saisissons-nous de ces deux hommes ! S'il le faut, nous instruirons leur procès !

Un murmure parcourut la foule et Louis vit distinctement un mouvement se préciser. Un groupe de rebelles se rapprochait de Puget et d'Oppède – qui ne disait rien –, un autre groupe, plus faible hélas, se rassemblait autour du comte d'Alais.

— Allez-vous vous rebeller ? questionna Gaston incrédule.

— Bosieur ne va bas ze rebeller !

Tous les regards se tournèrent vers celui qui avait parlé avec cet affreux accent Bavarois. C'était Bauer qui, après avoir soulevé un pan du manteau qui le couvrait, s'était placé derrière Puget et le menaçait de deux pistolets à double canon. L'un à rouet et l'autre à silex. Une arme à trois canons tournants était visible sous sa ceinture.

Daret, livide, sortit sa dague.

— Restez où vous êtes, lâcha Gaufredi d'un ton glacial.

Lui aussi, dans l'angle opposé, avait soulevé son manteau écarlate et brandissait à son tour deux menaçants pistolets à rouets. Deux autres étaient en outre fixés à sa ceinture. Plus personne ne bougea. Ainsi armés, et si les platines fonctionnaient correctement, lui et Bauer pouvaient abattre plus de quinze personnes. Et personne ne doutait de leur détermination.

— Monsieur le prévôt, saisissez-vous de lui, ajouta Louis d'un ton las, montrant Barthélemy.

L'assemblée était vaincue et l'homme, dompté, se laissa faire. Les archers commencèrent à le garrotter dans un silence de mort.

— Attendez ! intervint Louis. Enlevez-lui d'abord ce bandage.

Devant l'assistance ébahie, Barthélemy arracha lui-même le pansement avec ses mains liées. Une large plaie lui barrait le crâne.

— C'est vous, monsieur, qui avez essayé de me trucider cet après-midi. Demain, vous serez interrogé par le tourmenteur-juré et je saurai pourquoi.

Il fit un signe aux gardes qui l'emmenèrent, titubant et hagard.

Louis s'avança alors vers le comte d'Alais pour le saluer.

— Monsieur le gouverneur, nous vous remercions de votre invitation, mais nous allons nous retirer. Je vous verrai demain pour faire transférer votre prisonnier à Pierre Enscise, à Lyon, où il sera jugé et sans doute exécuté.

Il se retourna vers Henri de Forbin, dont le visage ressemblait à un bloc de marbre. Il le considéra sévèrement un bref instant et lui déclara :

— Bien que je ne l'approuve pas, je comprends le mouvement d'humeur de vos amis, monsieur de Forbin. Mais retenez-les maintenant. Vous avez été fidèle au roi lors de la dernière rébellion de la ville, souvenez-vous de ce qui est arrivé aux séditieux. N'ajoutez pas un crime de lèse-majesté à celui de votre secrétaire. La vengeance royale sur vous, vos amis, votre famille serait trop terrible et je ne la désire pas. Vous savez ce que cela signifierait : la saisie-confiscation de vos biens, les galères et, pour les plus coupables, être rompus vifs sur la roue, la misère pour vos femmes et vos filles. Croyez-moi, votre rébellion serait une attitude stupide et inutile.

Il s'arrêta un instant, puis reprit dans un silence de mort.

— J'ose cependant espérer que votre secrétaire n'a pas agi sur votre ordre.

Et sur cette flèche du Parthe, il fit signe à Bauer et à Gaufredi de baisser leurs armes désormais inutiles. Leurs adversaires étaient maîtrisés, soumis, écrasés.

Fronsac se retourna sans crainte et ils sortirent ensemble. Jacques Gaufridi et le comte d'Alais souriaient. Personne ne bougea, mais la soirée était gâchée pour beaucoup.

Une fois dehors, et ayant repris leurs chevaux, ils se dirigèrent vers la porte Saint-Jean.

— Nous nous sommes découverts trop tôt, soupira Louis. Il nous faut maintenant rapidement trouver ces documents.

— Oui, mais avions-nous le choix ? En tout cas merci pour nous, Bauer, et à toi aussi Gaufredi. Nous vous devons à tous deux une fière chandelle.

— Demain, tu iras interroger ce Barthélemy, dit Fronsac à Gaston. Utilise tous les moyens, sauf la question préliminaire dans l'immédiat, mais il faut qu'il nous dise pourquoi – ou pour qui – il a voulu me tuer.

— Pas de problème, mais s'il ne parle pas, que devrai-je faire ? Pourquoi ne viens-tu pas avec moi ?

— Une autre idée m'est venue en l'observant, mais elle est tellement invraisemblable et affolante que je préfère la vérifier seul dans l'immédiat. Je crains que tu ne te moques de moi si je t'en parle maintenant.

Gaston jeta un regard en coin à Louis. Il avait l'habitude des étranges raisonnements de son ami et il savait qu'il avait souvent raison. Qu'est-ce qu'il lui cachait ?

À l'auberge, ils échangèrent encore quelques opinions sur les personnes qu'ils avaient rencontrées. Pour Gaston, le seul qui avait trouvé grâce à ses yeux était le seigneur de Roquesante, dont il avait entendu effectivement parler à Paris. Un homme dont la réputation d'intégrité et de probité avait atteint la capitale.

10

Le lundi 13 mai 1647

Aussitôt préparé, et sans rien avoir avalé – ce qui n'était pas dans ses habitudes – Gaston se précipita à la prison située dans le Palais Comtal pour interroger Barthélemy. Louis et lui étaient convenus, la veille, qu'il s'y rendrait avec Bauer; Fronsac aurait besoin de Gaufredi pour ce qu'il désirait vérifier. Avant le départ de son ami, Louis lui fit une dernière recommandation :

— Je ne suis pas certain que mes spéculations aboutissent, mais je préférerais que nous soyons circonspects : que l'on n'use pas de la torture avec Dominique Barthélemy. Préviens le prévôt en ce sens, car Alais a pu demander au procureur du roi ou au lieutenant criminel de se saisir de l'affaire. Si l'un d'entre eux envisage la question préliminaire, tu dois t'y opposer. Tout au moins pour aujourd'hui. Et ne le fais pas encore transférer à Lyon; je vais peut-être avoir besoin de lui.

— Me diras-tu enfin ce que tu as dans la tête? le harcela Gaston pour la dixième fois, d'un ton agacé.

— Pas encore, je te l'ai dit, c'est trop inconcevable et tu te moquerais encore, mais puisque j'y pense, tu as les mêmes informations que moi, le nargua-t-il. Fais donc marcher ta cervelle, pour une fois.

Il hésita un instant avant de suggérer sur un ton de confidence :

— Je vais pourtant te donner une indication, une petite lumière dans ces ténèbres qui nous entourent. Ce nom de Dominique Barthélemy ne te rappelle rien ?

Gaston prit un air stupide en secouant la tête. Rageur, il eut une grimace d'exaspération et sortit avec Bauer, qui avait écouté le dialogue sans paraître du tout intéressé.

Ce n'était pas le cas de Gaufredi, qui était resté attentif. Louis le remarqua et se demanda si son vieux compagnon avait décelé la vérité.

— À moi, me direz-vous ce que vous avez en tête ? lança alors le vieux reître en plissant les yeux.

— Non plus. Et tu vas même me faire encore plus de reproches, mon ami, car je vais avoir besoin de toi comme guide, alors qu'aux entretiens que je tiendrai tu ne pourras assister.

Sur ces paroles mystérieuses, ils sortirent. Arrivé dans la cour de l'hôtellerie, Louis chercha Romani des yeux. L'aubergiste faisait justement décharger des tonneaux de vin et s'avança vers le chevalier, le visage aimable et serviable comme à son habitude.

— Vous me cherchiez, monseigneur ?

— Oui. Pourriez-vous m'indiquer un notaire ? Le plus proche d'ici fera l'affaire.

— Euh… oui… il y a maître Lagier, son étude est Grande-Rue-Saint-Jean. C'est une des premières maisons, à droite juste après la porte Saint-Jean.

— Merci, répliqua Louis. Pouvez-vous faire aussi préparer nos chevaux pendant que nous prenons une collation matinale ?

Laissant Romani essayer de comprendre pourquoi il avait besoin d'un notaire, Fronsac se dirigea vers la grande salle, suivi par Gaufredi.

Alors que le reître gardait les chevaux dehors, maître Lagier, petit homme sec, ridé et noueux, reçut Louis dans un cabinet aussi sombre que ses vêtements et submergé de dossiers empilés qui atteignaient presque le plafond. Une odeur de moisi et de renfermé envahissait toute son étude. Le notaire dégagea un fauteuil crasseux couvert de documents jaunis, le secoua sommairement et proposa au marquis de Vivonne de s'asseoir, tout ceci dans un âcre nuage de poussière.

— Vous avez demandé à me rencontrer en signalant à mon valet que vous étiez marquis et notaire à Paris ? interrogea-t-il avec un sourire joyeux. Est-ce vrai ? Un marquis notaire ! Il y a trois cents ans, les notaires étaient souvent nobles et parfois chevaliers dans notre ville, mais cette époque est révolue !

— Vrai et faux. Je suis resté dix ans notaire et mon père l'est toujours. Je me nomme Pierre Fronsac et notre étude se situe rue des Quatre-Fils. C'est une des premières de Paris. Mais je suis à présent chevalier de Saint-Michel et marquis de Vivonne. Mgr Mazarin m'a envoyé en mission dans votre ville pour une enquête qu'il poursuit. Je viens vous voir car j'ai besoin d'un éclaircissement.

— Vous l'aurez, si je connais la réponse à votre question, affirma chaleureux le petit homme plissé, tout heureux de satisfaire le cardinal maître de la France.

— Quel est le nom du notaire d'Henri de Forbin-Maynier, le baron d'Oppède ?

— C'est Boniface Borrilli, qui habite rue des Bremond, ou des Bremondi. On l'appelle aussi rue Sibert. C'est une ruelle à gauche en montant la rue Notre-Dame, un peu avant la cathédrale. Juste entre l'hôtel de M. de Saint-Jean et celui de M. de Rascas du Canet[1]. Les Borrilli sont notaires à Aix depuis près de trois cents ans. Boniface, qui est un ami cher, est aussi un amateur éclairé d'antiquités. Sa maison est la dernière et fait l'angle avec la rue des Écoles. Si vous allez chez lui, demandez à voir ses peintures ! Il en possède plus de cent : des Michel-Ange, des Titien, des Caravage, des Léonard de Vinci, des Van Dyck. Il possède aussi des statues grecques et romaines de toute beauté, dont un buste de Sénèque, des vases, des bijoux. C'est prodigieux ! Même le père de notre roi, Louis le Juste, lorsqu'il est venu à Aix, en 1622, a demandé à le visiter…

Pour éviter de passer la matinée avec l'intarissable notaire, Louis dut l'interrompre.

— Je n'y manquerai sûrement pas, affirma-t-il. Et quelle que soit l'issue de ma visite, je vous remercie de votre aide.

Il croisa les jambes et prit un ton plus confidentiel.

— Maître, nous autres notaires avons souvent besoin de renseignements. Avez-vous auprès de vous

---

1. L'hôtel de Rascas sera démoli et remplacé quelques années plus tard par l'hôtel de Châteaurenard.

quelqu'un que vous pourriez charger d'une enquête discrète auprès de vos confrères aixois ? Quelqu'un d'efficace et de confiance.

— Habituellement, mon neveu, qui est très dégourdi, assure cette tâche. Mais que désirez-vous savoir exactement ? répliqua-t-il avec le même ton de conspirateur.

— Rien de bien compliqué. Un ami à moi envisage de s'installer à Aix et désire acheter une maison qui lui plaît. Je me suis proposé de lui faire connaître le propriétaire. Serait-ce possible ?

— C'est un travail facile, assura le notaire avec suffisance. Surtout si cette maison a été vendue par l'intermédiaire d'une étude aixoise.

Il fit passer à Louis une feuille et une plume.

— Notez-moi sur ce papier l'emplacement de la maison.

Louis s'exécuta et rendit la feuille. Le notaire la lut et fronça imperceptiblement les sourcils. Que l'on souhaite acheter cette maison était invraisemblable ! Pourtant il ne fit pas de commentaire, comprenant que son interlocuteur ne souhaitait pas lui dire la vérité.

— Je suis à l'auberge de *la Mule Noire*. Dès que vous aurez cette information, faites-la-moi porter. Mais attention ! Expliquez à votre neveu que la réponse doit m'être remise personnellement. Est-ce bien compris ? Il ne doit la remettre à personne d'autre !

— Ne vous inquiétez pas, ce sera fait, protesta maître Lagier. On peut faire confiance à mon neveu. Je m'y engage solennellement.

Louis se leva. Il allait partir quand brusquement il ajouta :

— Encore une question, maître, quelle est la situation de fortune des Forbin-Maynier ?

L'autre le regarda, interloqué.

— Mais… exceptionnelle ! Leur famille est l'une des plus riches de Provence, assura-t-il, presque offusqué que l'on puisse poser une telle question.

— Ils n'auraient donc aucun besoin d'argent ?

— Sûrement pas ! En tout cas, pas à ma connaissance, fit-il en levant une main comme pour chasser une si invraisemblable suggestion.

— Et la situation de M. Gaufridi ?

La main retomba et le notaire eut une petite mimique en serrant les lèvres.

— Là, c'est différent. La famille Gaufridi ne dispose pas de la même fortune ! Ainsi je sais que Jacques Gaufridi désire faire construire un hôtel plus vaste et plus confortable que le sien, entre autres sur ce fameux Cours à Carrosses dont tout le monde parle, mais je crois aussi savoir qu'il n'a pas suffisamment d'argent pour une telle opération.

Louis hocha la tête en notant précieusement ces informations. Le notaire le raccompagna en trottinant, tout souriant et heureux d'avoir aidé un notaire de Paris.

Le marquis retrouva Gaufredi, assis sur une borne. Ensemble, ils remontèrent alors la Grande-Rue-Saint-Jean.

— Et maintenant ? Où allons-nous ? interrogea le vieux soldat.

— Connais-tu la rue Bremond, ou Bremondi ?

— Sûr ! Près de Saint-Sauveur ?

— C'est là que nous nous rendons.

La rue Bremond était une ruelle propre et fraîche donnant dans la rue Notre-Dame, que les Aixois appelaient aussi rue de la Grande-Horloge ou rue Droite. Une hôtellerie, l'auberge de *la Croix Jaune*, se dressait dans une rue transversale et Gaufredi s'y installa après avoir mis les chevaux à l'écurie pendant que Fronsac se rendait à pied chez le notaire.

La maison des Borrilli était la dernière, juste à l'angle de la rue des Écoles. Enfin, pas vraiment la dernière, car le bâtiment terminal était une écurie contenant deux chevaux, sans doute appartenant au notaire.

Alors que la façade de l'étude était sans aucun ornement, le fronton et l'encadrement de la porte, l'un voûté et l'autre richement sculpté, présentaient un ensemble d'une rare élégance. Louis frappa à la belle porte en chêne clouté et, après quelques minutes, celle-ci s'ouvrit.

Un laquais, le visage assez fier et insolent, reçut Louis dans un vestibule sombre mais frais qui donnait sur un petit jardin intérieur planté de lauriers-roses et au milieu duquel chantait une fontaine.

— Je vais demander à maître Borrilli s'il a le temps de vous recevoir, proposa le domestique plein de suffisance.

— Dites-lui qu'il le trouve ! insista Louis doucement. Je suis le marquis de Vivonne, intendant de justice de Sa Majesté auprès du gouvernement de Provence et je n'ai pas le temps d'attendre.

Le laquais blêmit légèrement en regrettant son insolence, il salua en baissant la tête et disparut.

Louis n'attendit pas longtemps. Un vieil homme distingué, le visage avenant et interrogatif entra dans la pièce. Il avait la tête haute et, si ses cheveux blancs se faisaient rares, il gardait une attitude noble et fière. Il était vêtu d'un strict vêtement de velours noir avec des parements de soie.

— Je suis Boniface Borrilli, déclara-t-il sans crainte ni artifice. J'étais hier à la réception du palais et je regrette ce qui s'est passé. Je dois vous avouer que je suis surpris de votre visite. A-t-elle un rapport avec ce déplorable incident qui a marqué le bal ?

— Oui et non, le rassura Louis. Pouvons-nous parler seul à seul ?

— Certainement, excusez-moi de ne pas vous l'avoir proposé. Suivez-moi dans ma galerie. Personne n'y entre sans mon autorisation.

Par un dédale de couloirs et d'escaliers, ils se rendirent dans une longue pièce voûtée en ogive, crépusculairement éclairée par de hautes fenêtres munies de solides grilles de fer. Les murs étaient recouverts de tableaux innombrables : il y avait là effectivement des Caravage, des Rembrandt, des Tintoret et des Michel-Ange. Presque tous les grands maîtres de la peinture semblaient y être représentés. Sur de petits meubles poussiéreux, disséminés apparemment au hasard, étaient posés des objets divers : des vases, des bijoux, des armes. Tout un fatras, un bric-à-brac, d'objets rares, précieux ou étonnants.

Mais Louis, pourtant amateur de belles choses, n'y fit guère attention, préoccupé qu'il était par les raisons de sa visite. Ils se mirent à marcher le long de la galerie.

— Je viens à vous en tant qu'ancien notaire, expliqua Louis. L'étude Fronsac est une des plus vieilles de Paris, comme la vôtre l'est d'Aix.

— J'ignorais que vous aviez été notaire, fit Borrilli poliment.

— Les notaires sont au courant de beaucoup de
secrets de familles, poursuivit Louis doucement. Vous
êtes celui des Oppède depuis longtemps, m'a-t-on dit.
Vous pouvez sans doute me renseigner…

— Je crains que vous ne me demandiez des informations confidentielles, répliqua le notaire, soupçonneux, et je ne sais pas si…

— Rassurez-vous. Je n'en ferai pas état publiquement, se défendit Louis. Et ce que je vais vous demander est dans l'intérêt de vos clients.

— Dans ce cas…

Ils firent trois ou quatre pas en silence.

— Qui est Dominique Barthélemy ? Le jeune
secrétaire de Forbin-Maynier, demanda abruptement
Louis.

Le notaire resta silencieux, l'air renfrogné, comme
s'il s'attendait à cette question.

— Vous le savez, n'est-ce pas ? insista Louis.

— Oui, affirma le vieil homme en redressant la
tête avec hardiesse.

— Mais vous ne voulez pas parler ?

Le vieillard soupira, s'arrêta de marcher pour
dévisager Louis.

— C'est un si lourd secret. Nul ne le connaît à
part moi et M. Henri de Forbin. Ainsi qu'une autre personne, mais celle-là est comme morte. Peut-on remuer
ce triste passé ?

— Je ne peux vous forcer à parler, l'avertit Louis
glacial, mais si vous ne le faites pas, savez-vous ce qui
va se passer ?

Borrilli le regarda avec un visage ravagé et interrogatif. Pourtant, il savait et Louis martela, imperturbable :

— Dominique Barthélemy sera torturé, il subira la question préliminaire, préalable, puis extraordinaire pour s'être attaqué à un intendant de justice. S'il a de la chance, il aura les reins et les bras rompus sur la roue, sinon il aura les poings coupés pour avoir porté la main sur un envoyé du roi. Ensuite il sera écartelé. Cela se passera à Aix et publiquement. Ces poings coupés seront cloués aux portes de la ville, ainsi que sa tête. D'Oppède sera sans doute dénoncé, poursuivi, et certainement déshonoré. Sa famille sera ruinée, peut-être bannie…

— Non ! Vous n'avez pas le droit !

Borrilli venait de l'interrompre d'une voix stridente, surexcité, en se tordant les mains.

— Il aura droit à un procès juste et équitable, fit froidement Louis.

Le notaire lâcha dans un souffle :

— Cela la tuerait…

— Qui donc ? De quelle femme parlez-vous ? le pressa Louis.

Il prit le notaire par les épaules en le secouant avec violence.

— Qui mourrait en apprenant la mort de Dominique ? Quelle femme ? cria-t-il.

Il le lâcha. Le notaire baissa les yeux, vaincu et murmura :

— Je n'ai pas le droit de parler, j'ai juré. Mais quelqu'un peut le faire à ma place. Allez au couvent des Dominicaines et demandez à voir la mère supérieure.

Racontez-lui tout. Elle jugera de ce qu'elle peut vous communiquer. Pour ma part, j'en ai déjà trop dit.

— Cela me suffit, répliqua froidement Louis.

Il hocha la tête et révéla énigmatiquement :

— De toute façon, maintenant, je sais…

En sortant, Louis se sentit pris par une frénétique exaltation. Tout s'emboîtait ! Quelle étonnante histoire ! Pourtant, s'il avait deviné qui était Dominique Barthélemy et quelles étaient ses relations avec M. de Forbin-Maynier, il ne percevait pas encore les liens entre eux et le chantage dont Mazarin faisait l'objet. Cela restait encore à découvrir.

Il retrouva Gaufredi à l'auberge où il l'attendait. Midi sonnait à la Grande-Horloge.

— Mangeons ici, lui proposa-t-il. Ensuite, nous nous rendrons au couvent de Saint-Barthélemy.

— Saint-Barthélemy ? Les Dominicaines ? Mais qu'avons-nous donc à y faire ?

— Pour le moment, je ne peux te le dire. Mais tu sauras tout bientôt. Il ne pourrait d'ailleurs en être autrement, répondit Louis, sibyllin.

Le monastère des dominicaines faisait l'angle entre la rue Bellegarde et la rue Saint-Sulpice[1]. Il occupait tout l'espace jusqu'à la place des Trois Ormeaux. On trouvait à l'intérieur de cet immense enclos, outre

---

1. Au fond d'un magasin, au 7 de la rue Mignet, on peut apercevoir des éléments du cloître du couvent.

des jardins et des cloîtres, les bâtiments conventuels ainsi que plusieurs chapelles.

Un petit jardin, au milieu duquel trônait une élégante fontaine d'où coulait joyeusement une eau fraîche et limpide, précédait le parloir. Nos amis entrèrent tous deux dans la petite pièce qui communiquait avec la conciergerie. Là, Louis demanda à rencontrer la mère supérieure.

La réponse fut immédiate et négative. Aucune visite n'était autorisée.

Il resta un instant stupide, n'ayant pas envisagé un tel refus. Et ici, il était inutile de faire état de sa position ou d'utiliser la force. Il réfléchit un instant, puis demanda à nouveau à la sœur portière :

— Pouvez-vous au moins faire parvenir un message à votre mère supérieure ?

— Uniquement un message court et verbal, monsieur, accepta-t-elle de mauvaise grâce.

— Cela suffira. Dites-lui que si elle refuse de me rencontrer – je suis le marquis de Vivonne, en mission pour Sa Majesté à Aix – Dominique Barthélemy – vous retiendrez ce nom ? – sera exécuté ignominieusement en place publique, devant votre couvent, par le maître des hautes œuvres. Elle sera alors responsable de sa mort.

La sœur l'écouta avec un visage de cendre. Elle quitta le parloir aussitôt.

Louis attendit longtemps. Gaufredi restait silencieux à côté de lui. Avait-il deviné ? s'interrogeait toujours Louis.

Finalement, il y eut des bruits de pas et la sœur revint.

— Suivez-moi, monsieur. La mère supérieure va vous recevoir, lui jeta-t-elle d'un ton sec.

Ils traversèrent le parloir. Un cloître se trouvait de l'autre côté. Au centre, assise sur un banc de pierre, se tenait une vieille femme. Elle portait le costume traditionnel des sœurs dominicaines : une robe blanche avec un tablier, un grand chapeau – plutôt une coiffe – relevé en avant avec une voilette noire et un foulard clair noué autour du cou. Louis s'approcha.

— Je suis sœur Angélique, déclara-t-elle d'un ton hautain. Vous avez forcé la porte de ce couvent pour me parler de Dominique Barthélemy. Que se passe-t-il ? Que signifie une telle intrusion dans la maison de Dieu ?

Il la contempla un instant. Elle avait dû être belle dans sa jeunesse. Sa peau, nullement ridée par le temps, était aussi blanche et nette que sa robe. Sa voix était faible et pourtant ferme et douce. Il s'assit à côté d'elle avec déférence.

— Je m'en excuse, madame. Mais la recherche de la vérité doit être plus forte que vos règles. Je suis intendant de justice nommé par le roi et je viens ici pour enquêter sur une affaire criminelle pour laquelle plusieurs personnes sont déjà mortes. Hier, Dominique Barthélemy, secrétaire de M. de Forbin-Maynier, a tenté de m'assassiner. Il est actuellement en prison et refuse de s'expliquer. Je ne sais pas encore pourquoi il a agi ainsi, mais je crois savoir qui il est réellement. J'ai cependant besoin d'en être certain. Maître Borrilli m'a confié que vous seule avez le droit de me dire la vérité.

— La vérité ? murmura-t-elle visiblement déconcertée par la tournure de la discussion.

Elle soupira profondément.

— Il y a si longtemps… et je n'ai jamais vu Dominique Barthélemy, affirma-t-elle pourtant. Je n'ai connu que son père.

Une larme coula sur sa joue et elle se tut. Louis brisa le silence.

— Vous êtes Claire-Angélique de Forbin-Maynier, la sœur du père de Henri de Forbin-Maynier, n'est-ce pas ? lui dit-il doucement.

Elle le regarda longuement en pleurant, son regard était chargé autant de stupeur que de consternation. Il précisa :

— Et Dominique Barthélemy est votre petit-fils.

Ses yeux s'emplirent de terreur.

— Comment le savez-vous ? Qui vous l'a dit ?

— Je l'ai déduit. Simplement.

Il y eut un très long silence, que finalement Louis rompit.

— Vous pouvez tout me raconter maintenant. Ceci restera entre nous.

Si elle lut la franchise dans ses yeux, elle ne répondit pourtant pas.

Louis était désemparé devant son silence. Il fallait qu'il la force à parler. Il jeta un coup d'œil autour du cloître, vers le parloir, un épais massif de lauriers-roses communiquait avec le jardin attenant. Il se leva.

— Excusez-moi, madame, fit-il. Pouvez-vous m'accompagner jusqu'au massif de lauriers, là-bas ?

Étonnée, elle se leva aussi et le précéda, lentement. Les yeux très rouges et pleins de larmes. Elle les essuyait avec un mouchoir de lin blanc en étouffant ses sanglots.

— Écartez discrètement les branches et regardez dans le jardin, ordonna Louis. Vous y verrez quelqu'un. C'est mon compagnon et, si vous le reconnaissez, vous comprendrez que vous pouvez me faire confiance.

Intriguée, elle fit ce qu'il lui avait demandé.

Elle aperçut Gaufredi. Elle resta alors un instant stupéfaite, comme paralysée. Puis elle fondit complètement en larmes.

Louis la reconduisit difficilement au banc de pierre tant elle frissonnait et chancelait. Il l'aida à s'asseoir. Lorsque les sanglots furent presque taris, elle le regarda de nouveau. Mais son expression avait changé.

— Vous savez donc tout ? interrogea-t-elle. Mais qui êtes-vous ?

— Presque tout, affirma Louis gravement.

Alors elle s'épancha.

— J'avais seize ans quand j'ai rencontré Antoine Gaufredi, le fils bâtard d'Alexis, le grand-père de l'actuel président de la Chambre des requêtes. C'était en 1604 et il avait vingt ans. Il était bon, cultivé, courageux. Je devins sa maîtresse. Nous avions même des projets d'avenir quand, un jour, il disparut. Jamais plus je n'entendis parler de lui.

» Peu de temps après sa disparition, je me rendis compte que j'étais grosse de lui. J'ai accouché de son fils à la fin de l'année 1604. J'étais entrée au couvent des Dominicaines quelques mois auparavant. Mon frère, Vincent-Anne, a élevé l'enfant, qui est entré à son service sans que personne, sauf lui et moi, ne sache la vérité. On l'avait baptisé sous le nom de Barthélemy. C'était la tradition pour les enfants abandonnés devant le couvent. Mais il se prénommait Antoine, comme son père. Il lui ressemblait et je l'adorais. Il venait souvent me voir.

Elle s'arrêta, les yeux dans le vague, plongée dans ses souvenirs. Au bout d'un instant, elle poursuivit :

— Il est mort de la peste en 1630 après avoir épousé la fille du secrétaire de Vincent-Anne, qui est morte aussi lors de la terrible épidémie.

Elle précisa dans un sanglot :

— Ils étaient si beaux tous les deux. En 1625, ils avaient eu un fils qui a aujourd'hui vingt-deux ans, mais je n'ai jamais voulu le voir. Il m'aurait trop rappelé le passé. Ils l'appelèrent Dominique Barthélemy en l'honneur des Dominicaines.

Après un dernier temps d'arrêt, elle dévisagea Louis avec un regard de reproche.

— Et c'est lui que vous voulez tuer ?

— Non, madame, dit tristement Louis. Ce sera inutile. Je suis certain maintenant qu'il va s'expliquer. Laissez-moi cependant vous raconter toute l'histoire et comment j'ai connu Antoine Gaufredi.

Ils restèrent trois heures ensemble. Louis narra toutes les aventures qu'il avait vécues avec Gaufredi, la conspiration de Cinq-Mars[1] auquel il avait été mêlé malgré lui, la bataille de Rocroy, comment il l'avait sauvé quand l'ancien bourreau d'Aix avait attenté à sa vie et bien d'autres événements. Pour finir, il expliqua les raisons qui les avaient amenés à Aix.

— Maintenant, il me faut vous quitter. Gaufredi doit à son tour connaître la vérité. Je pense qu'il viendra vous voir, certainement avec son petit-fils.

Il se leva. Elle ne bougea pas.

---

1. Voir *Le Mystère de la Chambre Bleue*, même éditeur.

— Il y a autre chose que vous devez savoir, ainsi qu'Antoine, déclara-t-elle d'une voix dure.

Son visage s'était fermé.

Louis se rassit, intrigué.

— J'ignorais ce qu'était devenu Antoine mais, un jour, mon frère m'apprit la vérité sur son départ. Il avait cherché à savoir ce qui s'était passé, et il y était arrivé. C'est Daret, le secrétaire de M. de Saint-Marc, qui l'avait battu avec une bande de truands et qui l'avait chassé de la ville. Daret, qui, à l'époque, voulait m'épouser.

Alors, Louis se souvint du regard du secrétaire lors du bal. L'homme avait certainement reconnu son ancien rival Gaufredi. Mais quel rapport tout cela pouvait-il avoir avec les lettres qu'ils recherchaient ?

— Je vais réfléchir à ce que vous m'avez appris, lui dit-il. Ne craignez plus rien pour Dominique. Je vais confier la vérité à Gaufredi. Je vous le promets, ils viendront vous voir.

Il la quitta radieuse et retrouva son serviteur et ami endormi sur un banc.

— Vous avez été bien long, lui reprocha le vieux soldat en ouvrant les yeux.

— Certainement, mon ami. Mais c'était aussi une bien longue histoire. Rentrons, tu vas la connaître à ton tour.

À l'auberge, Gaston les attendait, l'expression maussade et le regard sombre.

— J'ai interrogé le prisonnier toute la journée, ragea-t-il, il n'a rien dit et, si tu veux mon avis, même sous la torture, il ne parlera jamais. C'est une tête de mule ! Tiens ! Il me fait penser à Gaufredi, comme caractère ! lança-t-il avec une grimace de dépit.

Louis le considéra avec un certain ébahissement et Gaston, surprenant ce regard, parut étonné.

— Qu'ai-je donc dit de choquant ?

Louis ne répondit pas à sa question mais déclara vaguement :

— Il est trop tard pour rendre visite à Dominique, ce soir. Fais-le amener ici demain.

Il ajouta avec insouciance :

— Crois-moi, avec ce que je lui dirai, il parlera.

11

Matin du mardi 14 mai 1647

Gaston fit conduire Dominique Barthélemy à l'hôtellerie de *la Mule* dès six heures du matin. L'homme était enchaîné et les deux nuits passées au fond d'un sinistre et humide cachot, dans les sous-sols du Palais Comtal, avaient encore accentué son air farouche. Pourtant, sous ce masque hostile, Louis crut distinguer un certain désarroi et une crainte d'autant plus intense que le crime qu'avait commis – ou tenté de commettre – le jeune homme n'était à l'évidence pas dans sa nature profonde. Deux archers, impassibles, l'accompagnèrent dans la chambre et restèrent à le surveiller.

Louis voulut l'interroger sans témoin autre que ses camarades et ordonna aux exempts de sortir. Ce qu'ils firent. Il demanda alors au prisonnier de s'asseoir devant lui. Il était lui-même installé devant une table de chêne, comme un magistrat. Gaston, qui s'était composé un visage impénétrable et sévère, se tenait debout à sa gauche. Bauer et Gaufredi placés près de la porte et armés jusqu'aux dents attendaient impavides. Le tableau vivant qu'ils composaient était aussi solennel et menaçant qu'un tribunal criminel.

Il y eut un silence d'autant plus long que personne n'avait l'intention de le rompre. Barthélemy ne voulait en aucun cas parler le premier et il conservait ses bras enchaînés croisés sur la poitrine, dans l'attitude de l'esclave vaincu mais non soumis. Tout d'abord, il regarda insolemment les deux officiers. Cependant, constatant qu'ils ne réagissaient pas, il baissa les yeux.

Louis l'étudia longuement, caressant distraitement sa moustache, donnant l'impression d'hésiter sur la méthode à employer. Mais ce n'était qu'une mise en condition, car il savait parfaitement ce qu'il avait à dire.

— Monsieur Barthélemy, déclara-t-il finalement, vous avez participé à une action criminelle contre deux officiers de la Couronne. Le châtiment prévu, pour un tel crime, est généralement d'être rompu vif en place publique après avoir eu les mains coupées.

Louis fit une pause, observant Dominique Barthélemy qui blêmissait. Alors il poursuivit :

— Mon ami Gaston de Tilly possède tous pouvoirs de justice criminelle. Nous pouvons vous juger ici, ou dans une Chambre Ardente, sans avocat ni témoin, sans procureur ou lieutenant criminel. Nous pouvons ensuite faire exécuter la sentence sur-le-champ si nous le souhaitons. Ceci est un interrogatoire préliminaire avant que nous prenions une décision. Parlez ! Qu'avez-vous à dire pour votre défense ?

Barthélemy hésita une seconde, puis d'une voix sourde, un rien penaude peut-être, il révéla :

— J'ignorais qui vous étiez.

— Qui vous a chargé de ce travail de truand ? Et si cette tentative criminelle était à votre initiative, quelle en était la raison ?

Cette fois, c'était Gaston qui interrogeait.

Barthélemy releva la tête et un fugace éclair d'insolence traversa son visage.

— Je ne le trahirai pas.

— Il y a donc un complice, conclut Louis calmement.

Il marqua un temps d'arrêt avant de déclarer bizarrement :

— Monsieur Barthélemy, je vais vous raconter une histoire…

— Elle ne m'intéresse pas !

Barthélemy semblait ainsi avoir choisi l'affrontement avec ses juges. Mais Louis ne se démonta pas et c'est d'un ton tranquille, en secouant la tête de haut en bas, qu'il affirma :

— Je suis certain que si. Mon histoire commence en 1584 lorsque Alexis Gaufridi, membre du parlement d'Aix et deux fois consul de cette ville, engrossa une de ses servantes. Il eut ainsi un fils, Antoine, qu'il n'eut pas le temps de reconnaître car le pauvre Alexis devait mourir quelques heures après l'accouchement de sa maîtresse.

Louis fit une nouvelle pause en rajustant distraitement ses rubans aux poignets. Gaufredi s'était rapproché de lui et écoutait, le regard interrogateur – ou inquiet. Gaston aussi avait froncé les sourcils, car il ne s'attendait pas à ce discours et même Barthélemy semblait intéressé. Louis, voyant qu'il captivait l'assistance, abandonna ses rubans et reprit avec nonchalance :

— Son fils, par un extraordinaire concours de circonstances, rencontra un jour de la Fête-Dieu la sœur de Vincent-Anne de Forbin-Maynier, le père de l'actuel baron d'Oppède. Elle devint sa maîtresse.

» Mais la belle Claire-Angélique de Forbin-Maynier avait d'autres soupirants, comme le secrétaire du père de Puget de Saint-Marc, Antoine Daret. Celui-ci se saisit alors d'Antoine Gaufridi et, avec quelques valets, le roua de coups et le laissa pour mort dans la campagne.

De nouveau, il y eut un bref silence, Louis regardait l'assistance. Gaufredi paraissait de marbre, mais ses poings étaient serrés et son visage tendu à l'extrême. Dominique Barthélemy, lui, avait les lèvres qui frémissaient légèrement et les yeux égarés. À côté de Louis, Gaston était de plus en plus étonné par ces précisions sur une histoire qu'il croyait connaître. Quant à Bauer, il ne se sentait pas concerné. Louis reprit :

— Humilié, vaincu, désespéré, Antoine quitta Aix où il ne revint plus. Il devint soldat de fortune et, il y a quelques années, alors que je me rendais à Narbonne rejoindre et servir le cardinal Mazarin, il entra à mon service. Mais ce qu'il ignorait (et Louis regarda fixement Gaufredi), c'est que Claire-Angélique était grosse de lui lorsqu'il avait quitté la ville. Déshonorée, elle s'enferma au couvent des Dominicaines, où elle accoucha secrètement d'un fils, Antoine. Cependant, elle avait auparavant avoué sa faute à son frère, qui devait accepter d'élever l'enfant. Il en fit son secrétaire sans que celui-ci ne connaisse jamais son origine, encore qu'il s'en doutât probablement. Hélas ! Le pauvre Antoine devait mourir en 1630 de la peste, ainsi que son épouse. Ils laissaient un petit orphelin…

Louis s'arrêta une nouvelle fois un court instant. Ensuite, il ajouta d'une façon quelque peu solennelle, sinon théâtrale, et en s'adressant uniquement à Barthélemy.

— Vous connaissez la suite, n'est-ce pas ?

— Je suis effectivement le fils unique d'Antoine, le secrétaire de Vincent-Anne, murmura Barthélemy, effondré.

— Et vous êtes aussi le petit-fils de Gaufredi, ici présent, et à mon service depuis cinq ans, conclut Louis jovialement.

Barthélemy se retourna et vit le reître au visage couvert de cicatrices qui pleurait silencieusement. Le vieux soldat n'avait plus pleuré depuis quarante ans !

Louis n'avait plus rien à dire pour l'instant. Gaufredi s'était avancé, le visage hagard et incrédule, il murmura dans un sanglot :

— Qui vous a appris cela ? Claire-Angélique est-elle encore vivante ?

— Ma grand-mère n'est pas morte ? lui fit un écho tout aussi stupéfait.

— Elle est bien vivante puisque je l'ai vue hier : c'est la mère supérieure des Dominicaines. Et elle espère vous voir tous deux rapidement et ensemble.

En larmes, les deux hommes se jetèrent dans les bras l'un de l'autre.

Gaston regarda Louis, complètement interloqué par ce qu'il venait d'apprendre. Il se grattait stupidement la tête.

— Comment diable as-tu découvert tout cela ? C'est de la sorcellerie…

— C'était facile, expliqua Louis, d'abord, il suffisait d'observer et de réfléchir, et tu aurais dû y arriver.

Il y avait la ressemblance entre les deux hommes. Toi-même tu l'as reconnue. Et puis le nom : Dominique Barthélemy, alors que Gaufredi m'avait signalé que les Dominicaines occupaient le couvent de Saint-Barthélemy. Il est habituel que l'on donne aux enfants trouvés le nom du couvent ou de l'église où ils ont été recueillis. Quand j'ai appris que le père de Dominique s'appelait Antoine Barthélemy et qu'il était un enfant trouvé né en 1604, mon imagination s'est mise à fonctionner. Le reste, c'est le notaire des Oppède qui me l'a appris, ou plutôt qui m'y a conduit.

— Effarant ! Tu sais que tu es diabolique ? Décidément, je ne me ferai jamais à tes déductions. Mais maintenant, que faisons-nous ? Nous ne sommes pas réellement plus avancés, même si tu as réuni ces deux-là.

Il montra d'un signe de tête les deux hommes qui s'étreignaient.

— Oh si ! Nous sommes proches du dénouement. Désormais, Barthélemy va nous dire toute la vérité, crois-moi !

Le jeune homme lâcha son grand-père pour s'approcher de Louis. Il contourna la table, mit un genou à terre et lui prit les mains pour lui signifier sa fidélité.

— Vous avez en effet le droit de tout savoir. Un ami est venu me voir samedi pour m'expliquer qu'il avait appris que deux hommes venaient de Paris pour enquêter sur le baron d'Oppède. En particulier il m'a affirmé que l'un d'entre eux, Louis Fronsac, serait porteur de fausses pièces qu'il déposerait discrètement chez le baron pour le faire arrêter et juger. C'était une idée de Mazarin, qui voulait ainsi confisquer la fabuleuse fortune des Oppède et avoir ensuite un parlement à ses ordres. Mon ami m'a expliqué que s'il vous arrivait quelque chose, l'affaire s'arrêterait là et il m'a proposé de me prêter quelques compagnons qui pourraient donner une leçon à ce Fronsac. Une fois un peu amoché, m'a-t-il assuré, il sera tellement effrayé qu'il rentrera à Paris. Je l'ai cru et j'ai organisé le guet-apens. Pour ce faire, j'ai emprunté des déguisements au baron d'Oppède et, avec quelques hommes de main, nous vous avons suivi. Plus tard, lors de la soirée au palais, comme mon traquenard avait échoué, j'ai jugé que je devais vous tuer en duel. Ou mourir.

Louis hocha la tête. C'est bien ce qu'il avait pensé.

— Qui était cet ami ? demanda Gaston.

Dominique les regarda à tour de rôle.

— Maintenant, je sais que ce n'était pas un ami. Il se nomme Antoine Daret, c'est le secrétaire de M. de Saint-Marc. Celui-là même qui a chassé mon grand-père il y a quarante ans !

Ainsi tout se confirmait, et même au-delà ! Mais quels liens y avait-il donc entre Daret et le chantage exercé contre le frère du ministre ?

— Sachez avant tout, expliqua Louis, que nous ne sommes pas là pour M. de Forbin-Maynier, mais au sujet d'une enquête criminelle qui ne le concerne peut-être pas. Je dis peut-être, car en fait, je ne suis certain de rien. Je puis pourtant vous dire qu'il s'agit d'une extorsion d'argent et de menaces exercées sur le frère du Premier ministre, votre archevêque, par un courtier en fesses qui a été assassiné il y a quelques jours. Un nommé Frégier, qui avait son bordeau *Bouèno-Carrièro*. Qui l'a tué ? Nous l'ignorons. Mais certainement, Daret pourrait nous conduire à cet assassin inconnu. À moins que ce ne soit lui l'unique responsable…

Barthélemy réfléchit un instant puis secoua la tête.

— Daret? Capable d'une entreprise criminelle d'envergure? Je n'y aurais jamais pensé et je n'y crois guère. Pourtant, il est vrai qu'il fréquentait beaucoup la *Bouèno-Carrièro*. Il se vantait souvent de ses exploits là-bas.

— Voilà qui est intéressant. À cette heure, savez-vous où nous pouvons le trouver?

— Il est peut-être encore rue Esquicho-Mousqué, où il habite. La deuxième porte en venant de la rue Droite devant l'hôtel de ville. On le connaît là-bas et vous n'aurez aucun mal à le trouver. Mais je ferais mieux de vous y conduire.

— Non. Avec Bauer et Gaston, nous allons essayer de le saisir chez lui effectivement. Mais vous, restez ici avec votre grand-père. Pour l'instant, personne ne doit connaître ce que vous nous avez dit. Et surtout, ne quittez pas cette pièce. Il peut encore y avoir du danger.

— Je veux aller avec vous, décida Gaufredi, l'expression farouche. Mon petit-fils est assez grand pour rester seul et j'ai un compte terrible à régler avec cet homme.

— Assez grand? Sûrement! sourit Louis. Mais je devine que l'histoire n'est pas terminée. Quelqu'un rôde autour de nous. Et mon impression est que votre petit-fils pourrait bien être sa prochaine victime. Vous devez rester à le protéger. Et gardez aussi les deux exempts avec vous. À présent, je ne veux plus prendre aucun risque. Notre assassin est déterminé et sans pitié. Ce serait dommage qu'il tue Dominique pendant notre absence.

Gaufredi opina sans répondre. Il se mit ensuite à rassembler et à vérifier ses armes. Gaston s'approcha de lui.

— Voici la clef de ce coffre, expliqua-t-il. (Il montra le meuble.) Il y a à l'intérieur d'autres armes ainsi que le canon à feu de Bauer. Vérifiez que tout est en bon état. Nous-mêmes n'emporterons que quelques pistolets.

Gaufredi hocha encore la tête.

Pendant ce temps, Bauer attachait son double baudrier et y plaçait son espadon. Gaston et Louis enfilèrent l'un sa cuirasse, l'autre sa brigandine, puis se coiffèrent de leurs chapeaux ferrés. Ayant chacun pris un pistolet et l'ayant chargé, vérifié et glissé sous leur pourpoint, ils sortirent.

Juste avant, Louis avait aussi vérifié que ses rubans noirs étaient bien noués sur ses poignets. Ce qui pour lui était aussi important que le reste.

Ils descendirent le grand escalier de la façade. En bas, Romani les attendait, les mains sur les hanches et la face bienveillante.

— Reviendrez-vous pour le repas ? leur demandat-il onctueusement. Il y a des lapereaux farcis.

Il fit claquer sa langue dans sa bouche avec un bruit de succion répugnant.

— Nous ne savons pas, maître Romani, lâcha Gaston sans aménité avec un geste agacé. Nous ne savons pas…

Romani ne parut pas contrarié par la rebuffade. Il les poursuivit en se dandinant.

— Voulez-vous que je prépare vos chevaux ?

Louis hocha négativement la tête sans se retourner.

Ils quittèrent l'auberge à pied.

Dès qu'ils furent devant la porte Saint-Jean, Gaston maugréa :

— Décidément ce Romani m'énerve. As-tu remarqué qu'il est toujours dans nos jambes ?

— C'est bien vrai. Mais peut-être désire-t-il simplement nous rendre service. Pour lui, nous sommes des gens importants.

Gaston grommela quelque chose d'une voix sourde que ni Louis ni Bauer ne comprirent.

Ils prirent le passage des Carmes. Bauer marchait devant et Louis vérifiait qu'on ne les suivait pas. Puis ce fut la rue des Gantiers. Ils laissèrent l'église de la Madeleine à leur gauche et suivirent la rue des Anciens-Bagniers, où se trouvaient d'antiques bains romains ainsi qu'une fontaine d'eau chaude. Ensuite, ils tirèrent à gauche, dans la rue de la Triperie, une sombre ruelle puante occupée par des bouchers et des marchands d'abats. Le sol y était tapissé d'un mélange de sang séché et d'excréments. L'odeur, à la fois fétide et âcre, était insupportable. Ils se pressèrent.

Enfin, ce fut la rue Droite, qui prolongeait la rue de l'Official. La voie était ici pavée et ils passèrent un long moment, appuyés contre une borne, à décrotter leurs bottes couvertes d'immondices récoltées dans la rue de la Triperie. Une fois sommairement nettoyés, ils repartirent.

En haut de la rue Droite, juste avant l'hôtel de ville branlant, qui ne s'était pas écroulé dans la nuit, ils tournèrent à gauche dans la minuscule rue Esquicho-Mousqué[1].

---

1. Agrandie, cette rue forme maintenant le haut de la rue des Cordeliers.

— Compte tenu de la largeur de cette voie, je crois que nous avons trouvé, plaisanta Gaston. Ah ! Voici la deuxième maison.

C'était une construction étroite à deux étages, avec un porche ouvert qui donnait sur une minuscule cour intérieure pavée de gros galets de rivière. En levant les yeux, une fois à l'intérieur, on apercevait un petit carré de ciel. À gauche, le mur était plein et devant eux débouchait un sombre escalier en viret. Sur leur droite, s'ouvrait une petite remise sordide. À l'odeur, ils devinèrent qu'il s'agissait d'une modeste écurie.

Louis y pénétra. Un soupirail donnant sur la ténébreuse rue Esquicho-Mousqué apportait une lumière insignifiante. Il put cependant distinguer un valet en train de seller un cheval marron.

Louis ne s'avança pas plus avant, car l'écurie n'avait pas été nettoyée depuis longtemps et le sol était couvert de crottin sur un demi-pied. Le valet ne devait pas souvent travailler.

Constatant qu'il avait de la visite, le garçon d'écurie leur demanda sans aménité :

— Que voulez-vous ?

— Voir M. Daret.

— Il va partir, il n'aura pas le temps de vous rencontrer, affirma-t-il, agacé d'être interrompu. Revenez un autre jour !

— Bauer, peux-tu venir ? appela doucement Louis.

Le Bavarois s'avança.

En passant la porte, l'écurie s'assombrit encore plus tant la taille du géant empêchait toute lumière d'y pénétrer. Louis continua en s'adressant au reître :

— Je vais chez Daret, ferme cette porte et reste derrière. Si cet homme essaie de sortir ou d'appeler, coupe-le en deux.

Bauer défit lentement l'espadon qu'il prit à la main. Malgré l'obscurité, Louis vit distinctement le valet trembler. Il sortit satisfait tandis que Bauer refermait la porte.

— Allons-y ! lança un Gaston hilare qui attendait dans l'escalier.

Ils grimpèrent rapidement les marches. Au premier étage, l'escalier se rétrécissait et conduisait à une porte. Ils l'ouvrirent et entrèrent sans frapper. Il y avait là une seule pièce, plutôt lumineuse car deux fenêtres au sud donnaient sur un jardin. Un homme était en train de se faire la barbe devant un miroir. Il se retourna et ils reconnurent Daret avec son visage grêlé de taches et ses petits yeux calculateurs.

— Qui êtes-vous ? s'enquit-il d'un ton rude.

Brusquement, le secrétaire les reconnut. Il se jeta vers son épée posée sur le lit à rideaux encore ouvert.

— N'essayez pas, conseilla Louis en brandissant son pistolet de Marin le Bourgeois. Je peux vous briser les deux genoux avant que vous touchiez cette épée. Asseyez-vous et ne faites aucun autre geste.

L'autre obéit. Livide. De rage ou de peur ?

— Nous savons tout, monsieur Daret, poursuivit Gaston qui avait conservé son arme à son baudrier. Vous avez fait un joli conte à Barthélemy. Voici venue l'heure des explications. Pourquoi vouliez-vous nous meurtrir ?

— Il a donc parlé ? lâcha Daret d'une voix grinçante mais peu assurée. Je n'aurais pas cru ça de lui !

Le ton était devenu méprisant. Il eut même un rictus déplaisant avec sa bouche mince comme une lame.

— Maintenant, c'est vous qui allez parler, affirma Louis.

Un sourire indéfinissable passa sur les lèvres du vieillard.

— Je ne dirai rien. J'ai des protecteurs haut placés. Si j'ai un conseil à vous donner, c'est de quitter la ville tout de suite. Vous n'allez pas y faire de vieux os.

— Des menaces ? Voilà qui est amusant. Vous savez, si j'étais vous, je parlerais ici, sans témoins. Je suis d'ailleurs certain que vous allez être raisonnable, renchérit candidement Gaston. Vous avez une expression sceptique ? Comme vous voulez ! Alors nous allons vous garrotter. Un homme nous attend en bas. Dans dix minutes au plus, vous serez dans la prison du palais, où le tourmenteur-juré commencera par vous administrer les brodequins. J'y ai déjà assisté et ce n'est pas beau à voir. Quand les os des jambes éclatent et sortent à travers la peau, on ne s'arrête pas de parler. Mais c'est trop tard. On n'a plus jamais de jambe. Et personne ne lèvera le petit doigt pour vous, personne ne saura que vous êtes dans les mains du bourreau. Après votre mort, ce sera la fosse commune. À moins que je ne vous transfère à Lyon, où il y aura d'autres interrogatoires. Certainement tout aussi douloureux. J'ai tout pouvoir pour vous faire disparaître. Ou pour vous faire condamner. Je peux aussi décider de vous faire fouetter à mort, rouer ou écarteler pour crime de lèse-majesté. Que préférez-vous ?

L'autre avala difficilement. Son visage était devenu de marbre et il avait pris un air apeuré. Louis savait qu'il allait tout dire et plus encore. Le fourbe se mit à trembler et ses lèvres remuèrent un instant, sans qu'il en sorte un son.

— C'est… c'est Gueidon. Il… il est avocat du roi à Marseille. C'est… c'est une longue histoire…

Il s'arrêta, son regard affolé allant de l'un à l'autre. La terreur qui émanait de lui était palpable. Louis tira un tabouret et s'assit, examinant ses rubans noirs avec intérêt. Gaston s'installa à son tour à une petite table sur laquelle se trouvaient des feuilles de papier et une écritoire. Il choisit une plume d'oie, prit un canivet et la tailla, puis il la trempa dans l'encrier avant de saisir un feuillet.

— Nous avons le temps. Tout le temps. Allons-y. Racontez-nous.

— Voilà… (le ton était haché), je connais Gueidon depuis longtemps. À quelque temps de ça, il m'a expliqué… qu'il possédait des documents… Il s'agissait de lettres de provision pour des charges de conseiller au parlement, des lettres signées… du Premier ministre. Il m'a expliqué qu'il n'était qu'un intermédiaire… et qu'il cherchait à les vendre… auprès des familles de robe à Aix. Lui-même était bien placé chez certaines… mais il n'avait aucune entrée du côté de Saint-Marc et de Forbin. Il m'a demandé de lui trouver des acheteurs…

Gaston notait tout. À cet instant, il s'interrompit pour demander sévèrement :

— Mais pourquoi vous ? Pourquoi vous a-t-il raconté ça et comment était-il si sûr que vous obéiriez ? Et surtout que vous ne le dénonceriez pas ?

Les yeux de Daret exprimaient le plus vif effroi. Il donnait l'impression d'être aux abois. Trop même, pensa Louis. Une comédie ?

— Il… il me tenait…

Gaston et Louis ne bronchèrent pas, ils attendaient la suite.

— Je… il y a quelques années, je cherchais à séduire une jeune fille, révéla-t-il. Un fils de négociant marseillais la courtisait aussi. Un jour où il était à Aix, avec quelques frappes, je l'ai un peu maltraité. Et Gueidon le savait.

— Ça ne me paraît pas un motif suffisant.

Daret baissa la tête. Il poursuivit à mi-voix.

— Nous avions cogné trop fort… Le gamin fut ramené en charrette chez lui… Gueidon était un ami de leur famille… Il mourut en arrivant. Hélas, juste avant, il lui avait parlé et… depuis, Gueidon me menaçait de révéler l'affaire… Je n'avais pas vraiment le choix, sinon il m'aurait dénoncé au lieutenant criminel de Marseille.

Louis demanda alors, empreint de curiosité :

— Avez-vous trouvé à qui vendre ces lettres ?

— Non… Je n'ai même pas essayé… C'était trop dangereux…

Louis regarda Gaston et lâcha :

— Continuez…

— … Il y a cinq ou six jours, Gueidon est revenu me voir. Je lui ai dit que je n'avais pas encore trouvé de client, mais la raison de sa visite était tout autre. Il m'a expliqué qu'il désirait infliger une correction à quelqu'un. Vous en l'occurrence. Je devais recommencer ce que j'avais si bien réalisé déjà. J'ai rassemblé quelques truands, mais je savais plus ou moins qui vous étiez, car Forbin avait parlé de vous à M. de Saint-Marc, qui me l'avait rapporté. C'était très risqué de s'attaquer à vous. Alors, j'ai raconté une histoire à Dominique Barthélemy. Je sais qu'il vénère M. Henri de Forbin-Maynier comme un père et j'étais certain qu'il goberait tout. C'est lui qui vous a agressé.

Il s'affaissa complètement sur sa chaise. Fixant ses pieds. De honte pour ses agissements ? Ou de rage de les avoir ratés ?

Personne ne parlait plus. Gaston fit un signe interrogatif à Louis, qui hocha la tête en signe d'approbation. Alors seulement, il reprit la parole.

— Vous allez signer cette déposition, monsieur Daret. (Il lui tendit la feuille sur laquelle il avait tout noté.) Dans l'immédiat, il n'y aura pas de poursuite. Vous resterez libre, mais ne quittez pas la ville. Nous aurons sûrement à vous revoir. Vous ne parlerez de cette affaire à personne et si vous apprenez quoi que ce soit, vous viendrez nous le raconter à l'auberge de *la Mule*. Quand tout sera terminé, et en fonction de votre attitude, un mémoire sera remis au lieutenant criminel, qui fera ce qu'il pense devoir faire. Si je suis satisfait de vous, je vous avertirai. Vous aurez alors le temps de quitter cette ville si vous voulez éviter une peine infamante. Nous ne sommes pas ici pour résoudre ou punir d'anciens forfaits. Maintenant, encore un dernier point : où se trouve Gueidon ?

— Je l'ignore, dit Daret dans un souffle. Je ne l'ai plus revu depuis le bal.

Gaston lui fit signer ce qu'il avait écrit. L'autre obéit en frissonnant. Ensuite ils sortirent, le laissant effondré sur son siège.

En bas, Bauer attendait, l'espadon en main. Impassible. Il n'y avait plus aucun bruit dans l'écurie. Ils quittèrent rapidement la rue Esquicho-Mousqué.

— Eh bien ! Je respire enfin, s'exclama Gaston dès qu'il eut revu le soleil. Ce Daret est un des personnages les plus répugnants que j'ai rencontrés.

— Oui. Décidément, Saint-Marc a curieusement choisi son secrétaire, approuva Louis.

Il serra les poings en regardant son ami.

— Les ténèbres se dissipent, Gaston, et nous allons bientôt connaître celui qui a tout manigancé. C'est toi qui avais raison pour Gueidon et je regrette de m'être moqué de tes intuitions de policier. Cet avocat est bien au cœur de l'affaire. Probablement a-t-il écouté le début de notre conversation avec le comte d'Alais, chez Gaufridi, après quoi il est parti aussitôt tuer Frégier. Pourtant, il reste encore bien des questions : comment a-t-il pu commettre ce crime en si peu de temps ? Et qui a tué Balthazar ? Ce ne peut pas être Gueidon puisqu'il a un solide alibi : il nous a dit qu'il était à Marseille et il a un témoin. Enfin, Gueidon a-t-il toujours en sa possession les lettres de provision que nous cherchons ?

— Il nous faut donc identifier le tueur de Balthazar. Sans doute est-il celui que Blanche de Naples a prévenu. Mais quels sont ses liens avec Gueidon ? Ce serait lui le mystérieux organisateur de toute cette opération ? fit Gaston.

— J'ai peur que nous ne devions partir bientôt pour Aubagne rechercher Blanche comme nous l'avions prévu, dit pensivement Louis. Oui, nous le ferons demain. C'est décidé.

Ils marchèrent en silence encore un moment, puis Louis reprit la parole.

— Tu sais, j'ai songé à une autre hypothèse. Imaginons que Daret ait menti…

— Que veux-tu dire ?

Gaston s'arrêta de marcher et interrogea Louis du regard.

Le marquis de Vivonne eut un geste vague de la main.

— Daret aurait pu travailler pour quelqu'un d'autre… Il lui était alors facile d'accuser Gueidon uniquement pour éloigner les soupçons.

— Mais la confession qu'il a faite, et signée ? s'étonna Gaston.

Louis haussa les épaules.

— Si elle est fausse, que vaudrait-elle devant des juges ? Surtout si parmi les magistrats se trouve notre mystérieux inconnu ?

Le procureur resta pensif et troublé. L'hypothèse de son ami était bien tortueuse, mais il ne la rejetait pas.

— Dans ce cas, il nous faut encore plus vite retrouver cet avocat. Lui seul peut confirmer ou infirmer ton idée, fit-il après réflexion.

— Sauf que si cette conjecture se révèle être la vérité, Gueidon ne reparaîtra plus. Plus jamais. Notre adversaire a dû prendre toutes ses précautions.

— Poursuivons ton idée. Qui serait alors le coupable ?

— Probablement l'un des trois hommes qui nous ont vus avant la mort de Frégier. Forbin, Gaufridi ou Alais. Si le but final de toute la manœuvre est de faire éclater le scandale sur ces lettres de provision, ce qui entraînerait la chute du ministre, notre inconnu ne peut être un simple parlementaire ou un avocat. C'est quelqu'un de puissant, qui travaille peut-être même pour un Grand à la Cour.

Gaston médita un instant, puis proposa :

— Si je te comprends bien, les faits se seraient déroulés ainsi : Frégier faisait chanter Mazarin, il a organisé la vente du clos d'Orbitelle, fait signer les lettres, puis recherché des acheteurs. À cette occasion, il a rencontré quelques notables aixois : Gaufridi certainement, peut-être aussi Forbin, Alais, ou d'autres encore. L'un d'entre eux a accepté de se compromettre dans cette fraude. C'est cet inconnu – ou un homme de main à lui – qui a tué Frégier, puis assassiné Balthazar Rastoin, complice du courtier en fesses. Sans doute Balthazar aurait-il pu le dénoncer et il a préféré le faire taire, définitivement. Ensuite, notre homme aurait cherché à te tuer par l'intermédiaire de Daret. Il aurait aussi demandé à ce dernier d'accuser Gueidon – au cas où Daret serait inquiété. Par précaution, il aurait fait disparaître Gueidon. Ainsi, il n'y aurait plus de témoins et seulement un coupable idéal qui se serait volatilisé…

Gaston s'arrêta un instant, séduit par la savante conjecture qu'il venait de bâtir, puis il reprit, en levant un doigt :

— Mais le motif ? Nous ne savons toujours pas ce que notre inconnu veut faire de ces lettres !

Louis eut de nouveau un geste vague. Il n'avait pas d'explication bien solide à fournir.

— Les motifs dépendent de celui qui a agi ainsi. Forbin ? Pour déconsidérer et ruiner Mazarin qu'il déteste, il lui suffisait en effet de rendre la fraude publique pour faire limoger le ministre. Le président Gaufridi ? Pour l'argent, en espérant réellement revendre ces documents dont il nous a assurés qu'ils ne pourraient être rejetés par le parlement. N'as-tu pas été surpris du ton qu'il avait pour nous dire que ces lettres de provision avaient une vraie valeur ? Or je sais qu'il a de gros besoins d'argent. Alais ? Parce qu'il est un Valois et que cette affaire risque d'entraîner de graves troubles dans le pays ; c'est peut-être ce qu'il désire.

Gaston opina et ils restèrent silencieux un moment, poursuivant leur chemin.

Il était midi passé. Ils s'arrêtèrent à une hôtellerie pour se sustenter. Durant le repas, Gaston reprit la discussion.

— Acceptons l'idée que le coupable soit M. de Forbin-Maynier, pourquoi aurait-il mêlé son neveu, qu'il considère comme un fils, à cette abominable histoire ?

— Il a pu faire agir Daret sans savoir que ce dernier utiliserait Barthélemy.

— Hum ! Possible… Mais supposons que notre ennemi soit Gaufridi ou Alais, comment, eux, auraient-ils pu convaincre Daret ?

Louis eut une grimace d'insatisfaction.

— Il doit y avoir quelque élément de véridique dans l'histoire du chantage que nous a confiée Daret. Seulement, ce serait Gaufridi ou Alais qui aurait eu la possibilité de faire chanter Daret, et non Gueidon.

— Mais tout cela peut aussi être vrai en remplaçant nos suspects par le prieur de Saint-Jean.

— Sauf que lui ignorait notre venue à Aix.

— Exact. Et Romani alors, quel est son rôle ?

— Il n'y a guère que toi qui le suspectes. Que peut-on reprocher en réalité à ce brave aubergiste ?

— Je ne sais pas. Comment t'expliquer ? En tant que policier, j'ai une certaine intuition…

— Il y a l'intuition et il y a les faits. Et les faits sont têtus.

Gaston eut un geste de dénégation, ou de désaccord. Il insista :

— Et qui donc Blanche de Naples a-t-elle prévenu ? Un autre inconnu ?

— C'est le point faible de ce raisonnement, tu es
dans le vrai. Mais peut-être était-ce ce fameux notable :
Forbin-Maynier, Alais ou Gaufridi ? Elle ignorait simplement qu'il venait de tuer, ou de faire tuer, Frégier.

Gaston fit la moue, il n'était pas convaincu. Le
repas était terminé, il jeta quelques sols au cabaretier
et se leva.

— Nous allons chez Gaufridi maintenant ? Autant
savoir s'il sait où se trouve Gueidon. Et essayer de lui
tirer les vers du nez.

— D'accord, approuva Louis. Ensuite, nous irons
chez Forbin. J'ai une idée pour qu'il ne se méfie plus de
nous et qu'il croie que nous ne le suspectons pas.

Et il tâta sa poche pour vérifier que le paquet qu'il
avait pris le matin à l'auberge s'y trouvait encore. Un
petit paquet qu'il devait remettre à Forbin-Maynier.

12

Après-midi du mardi 14 mai 1647

Dès deux heures, Gaston et Louis se trouvèrent
chez Gaufridi, qui les reçut sur-le-champ. Le magistrat leur proposa un siège, qu'ils refusèrent. Leur visite
devait être brève. Bauer était resté à l'extérieur, dans le
porche, à les attendre. Gaston posa les questions qu'il
avait à cœur.

Non, affirma le président de la Chambre des
requêtes, il n'avait pas vu Gueidon depuis quelques
jours. Oui, l'avocat était bien à Marseille samedi dernier avec son secrétaire. Il appela ce dernier pour une
confirmation.

Le petit homme chauve en forme de barrique et à
la barbe blanche qui lui couvrait le haut de la poitrine
arriva en trottinant. Un vif et franc sourire éclaira son
visage lorsqu'il reconnut les visiteurs.

— André, ces messieurs désirent savoir depuis
quand vous n'avez pas revu M. Gueidon.

La question parut naturelle au secrétaire. Il écarta
largement les mains pour déclarer :

— Gueidon ? C'est simple, c'était la semaine dernière. Il est venu vous voir vendredi matin, puis nous avons travaillé tard le soir. Malheureusement, nous ne pouvions terminer et j'ai dû me rendre avec lui à Marseille pour chercher des pièces concernant deux procès en cours. Nous sommes partis samedi matin vers six heures, et nous sommes arrivés à Marseille à deux heures avec notre voiture. Nous nous sommes aussitôt rendus chez deux notaires. Il m'a logé chez lui et, le lendemain dimanche, nous avons vu un autre avocat avant qu'il parte à la messe. Je l'ai quitté vers midi et je suis rentré à Aix pour arriver en soirée. Depuis, je n'ai plus de nouvelles de lui bien que je sache qu'il était au bal dimanche soir. Pourtant, il aurait dû être présent aujourd'hui ; nous devions nous voir sans faute pour préparer une requête.

Il y eut un silence. Le secrétaire attendait d'autres questions et Gaufridi paraissait quelque peu interloqué et embarrassé par le comportement des deux Parisiens. Louis, lui, réfléchissait et s'interrogeait : Où diable pouvait donc être cet avocat ?

Finalement, ce fut Gaston qui rompit la pause en remerciant le vieil homme.

— Votre témoignage est important pour nous. Faites-nous savoir si Gueidon passe vous voir et avertissez-nous aussitôt, monsieur le président. Nous sommes à l'auberge de *la Mule Noire*.

Gaufridi approuva et fit signe à son homme de confiance qu'il pouvait sortir. Après son départ, Louis reprit la parole :

— Nous devons interroger cet avocat. De gré ou de force. S'il se présente chez vous, retenez-le et faites appeler le prévôt pour qu'il soit saisi. Il devra répondre à plusieurs questions sérieuses.

— Bien, j'obéirai. Mais est-ce si grave ? interrogea Gaufridi, quelque peu effaré. M. Gueidon est un bon collègue de travail, presque un ami.

— Vous n'êtes pas responsable de ses actes, je suppose ? s'enquit froidement Gaston.

— Non, bien sûr, se rétracta immédiatement le magistrat.

Il savait par expérience où pouvait mener une amitié mal placée. Parfois aux galères !

— Quelles sont vos relations avec M. Daret, le secrétaire de M. de Saint-Marc ? demanda alors, à brûle-pourpoint, le procureur.

Gaufridi eut un rictus de rage, vite effacé.

— Cette fripouille ? Aucune, Dieu merci ! C'est un individu méprisable qui ne fréquente que la racaille et qui est plus ou moins compromis dans des histoires louches avec des truands. Tout le monde se demande pourquoi Saint-Marc le garde, mais il est vrai que le maître ne vaut guère mieux que le valet.

— Cette lettre de provision que Frégier vous a proposée, savez-vous s'il a fait la même offre à d'autres magistrats ?

— Je l'ignore. Sincèrement.

— Vous avez dû apprendre qu'il a été tué peu après notre visite chez vous. Ne trouvez-vous pas cela étrange ?

— Heu ! Oui, effectivement… À vrai dire, je n'avais pas fait le rapprochement.

Il resta pensif un instant et reprit :

— Il est exact que Gueidon attendait dans ma galerie le jour où vous êtes venus. (Il hocha la tête de haut en bas, comme s'il venait de tout comprendre.) C'est donc pour cela que vous voulez le voir ? Vous pensez qu'il aurait pu tuer Frégier ?

— Quelqu'un a tué Frégier pour qu'il ne nous parle pas. Et peu de gens étaient au courant de notre venue, insinua Louis.

Il y eut un nouveau silence, cette fois franchement hostile. Gaufridi méditait la réponse. Ayant enfin accepté l'accusation implicite contre l'avocat marseillais, il fixa froidement Louis.

— Me suspectez-vous aussi, monsieur ? demanda-t-il sèchement.

Fronsac ne répondit pas.

— Suspectez-vous Mgr le comte d'Alais ?

Toujours pas de réponse.

— C'est inepte ! protesta-t-il en marquant sa contrariété par un haussement des épaules. Vous paraissez oublier que c'est nous qui avons prévenu Mgr Mazarin. Ensuite, nous aurions pu tuer Frégier bien avant votre venue. Et comment aurions-nous pu savoir qu'il était chez lui le jour de votre visite ?

— Vous avez raison, admit Louis en soupirant, il est cependant vrai que nous vous avons soupçonné. Pourtant je dois reconnaître que c'est vous et le comte d'Alais qui cadrez le moins avec le portrait de notre criminel.

— Me direz-vous quels sont les autres suspects ? s'enquit Gaufridi, un peu radouci.

— Nous avions aussi vu M. de Forbin-Maynier, la veille.

Le président de la Chambre des requêtes ne répliqua pas, pourtant Louis crut entrevoir un fugitif éclair de satisfaction dans ses yeux.

Ils avaient tout dit. Gaufridi semblait avoir été sincère et ils se préparaient à prendre congé, quand le président de la Chambre des requêtes fit quelques pas dans la pièce en se dirigeant vers une fenêtre, visiblement embarrassé. Finalement, il se décida à parler, et faisant face à Louis, il le regarda dans les yeux.

— Maintenant, c'est à moi de vous interroger. M. le comte d'Alais m'a rapporté une étrange réponse de votre part. Il vous a questionné sur l'homme qui était avec vous lors de votre première visite et vous auriez répondu, en vous gaussant, que c'était mon oncle. Pourquoi avez-vous agi ainsi ? Je n'ai pas d'oncle.

Gaston fit un signe interrogateur à Louis, qui finalement se décida.

— Je ne me suis pas gaussé, monsieur. Vous avez le droit d'être mis au courant. Mais sachez que c'est sans rapport avec notre enquête. Nous envisagions de vous en informer uniquement avant de quitter votre ville.

Alors il raconta l'histoire de Gaufredi jusqu'à son départ de la ville après avoir été rossé par les hommes de Daret.

Gaufridi ne cachait pas son incrédulité durant ce récit. À la fin de l'histoire, il s'effondra sur un fauteuil. Il paraissait terriblement troublé.

— Êtes-vous sûr de vous, monsieur ? Ainsi, j'aurais un oncle et je l'ignorais ? Votre ami serait le fils de mon grand-père Alexis ?

— J'en suis sûr. Mais rassurez-vous, il ne demande aucun droit, ni sur les titres ni sur le nom des Gaufridi.

— Non, non… (Il secoua la tête avec un geste de dénégation.) Ce n'est pas cela qui m'a bouleversé, je suis désolé. C'est… tellement nouveau. Bien évidemment, il est le bienvenu ici. S'il désire rester…

— Ce n'est pas tout, ajouta Louis. Et je crains que ce que je vais vous dire ne vous place quelque peu dans l'embarras.

Et Louis raconta le reste de l'histoire.

— Dieu du ciel ! murmura Gaufridi. Notre famille est donc indirectement alliée à ces… Forbin-Maynier que j'exècre ? Je… je… suis un peu désemparé. Excusez-moi. Pourriez-vous dire à votre ami et à Dominique de venir me voir ? Nous pourrions parler… ensemble… ainsi qu'avec mon fils Jean-François.

La voix était maintenant suppliante.

— Nous le ferons. N'oubliez pas pour M. Gueidon. Quant à l'histoire méconnue des Gaufridi, il vaudrait mieux pour tous qu'elle le reste. Vous connaissez la vérité. Forbin la connaîtra aussi. Mais il est inutile que d'autres l'apprennent.

Sur ces paroles, ils se dirigèrent vers la sortie, Gaufridi les accompagnait. Devant la porte, Gaston se retourna.

— J'y pense. Gueidon était au bal du comte d'Alais dimanche. Savez-vous où il est allé dormir ?

— Oui, il m'en a parlé. Il arrivait juste de Marseille et il avait déposé son bagage à son auberge habituelle lors de ses déplacements à Aix. À l'hôtellerie de *la Mule Noire*. Là où vous logez désormais.

Fronsac se retint de marquer sa surprise. Encore une coïncidence ? Ou un mensonge ?

Ils sortirent.

— Cette disparition de Gueidon semble aller dans le sens de ton hypothèse, soupira Gaston. Finalement, après cette visite, nous ne sommes pas plus avancés.

Henri de Forbin-Maynier, baron d'Oppède et vice-président du parlement d'Aix, songeait, assis à sa table de travail, en caressant son chat, Richelieu, couché sur ses genoux. La situation lui échappait depuis dimanche. D'abord, il y avait son secrétaire et neveu – mais lui seul savait qu'il était son neveu – qui était rentré meurtri et ensanglanté dimanche dans l'après-midi. Il était tombé, avait-il expliqué. Mais lui, Henri, savait encore reconnaître la marque d'une lame. Un chirurgien était même venu recoudre la peau de son crâne déchiré. Heureusement, la plaie était superficielle.

Ensuite il y avait eu cet incident incompréhensible, le soir du bal. Puis l'arrestation de son neveu. Quant à ce Fronsac ! Cet homme s'était présenté à lui comme un simple émissaire de Mazarin alors qu'en vérité il était intendant de justice et lieutenant du roi. Maintenant, lui, Forbin-Maynier, connaissait les raisons de la visite de ce policier à Aix : il cherchait les fausses lettres ! Et il les voulait pour Mazarin !

Mais le ministre ne pouvait-il pas avoir d'autres objectifs, moins avouables ? Cet Italien savait que lui, Forbin-Maynier, était opposé à la création de nouvelles charges de conseiller à Aix. Le Sicilien pouvait-il tenter d'éliminer l'homme le plus puissant – et le plus riche – de Provence sous le prétexte de la recherche de ces documents ? Et quel crime avait commis Dominique ? Si son neveu était torturé, que ne pourrait-il pas raconter ? Dans ces cas-là, le baron d'Oppède savait qu'on pouvait avouer n'importe quoi pour éviter la douleur.

Ce Fronsac trouverait bien une accusation contre lui aussi. Était-ce la fin des Forbin ? Sa race allait-elle finir avec lui ?

Où était Dominique à présent ? On lui avait rapporté qu'il était toujours à Aix, en prison, qu'il n'avait pas été interrogé par le lieutenant criminel et qu'il n'avait pas encore subi la question préliminaire. Qu'est-ce que tout cela signifiait ?

Un laquais frappa à la porte et entra dès qu'il en reçut l'ordre.

— M. Fronsac, marquis de Vivonne et lieutenant du roi, demande à vous voir. Il est accompagné de M. de Tilly, procureur du roi.

— À me voir ? Sont-ils seuls ?

Les yeux du baron d'Oppède exprimaient sa surprise.

— Oui, monsieur.

— Faites-les entrer.

Forbin ouvrit un tiroir de sa table et vérifia rapidement que le pistolet à rouet qui s'y trouvait était chargé. Louis entra, suivi de Gaston. Tous deux avaient leurs chapeaux en main en signe de déférence.

— Je ne m'attendais pas à votre visite, messieurs, dit Forbin froidement en se levant et chassant son chat.

— J'avais pourtant à vous voir, monsieur le baron.

— Venez-vous m'arrêter ?

La voix cingla. Glaciale.

— Vous arrêter ? (Louis mit ses sourcils en pointe d'un air faussement décontenancé.) Quelle idée ! Je n'ai rien à vous reprocher, monsieur. Pour l'instant…

— Qu'avez-vous fait de Dominique ? s'inquiéta alors Forbin.

— Votre neveu est désormais libre, répliqua Louis comme si le sujet lui était indifférent.

— Mon neveu ? Mais… comment savez-vous ?

Henri de Forbin se rassit, effondré. Tirant et massant inconsciemment les doigts boudinés d'une de ses mains avec ceux de l'autre main.

Louis lui lança un regard acéré et le réprimanda :

— Vous m'avez laissé tâtonner, monsieur le baron, j'étais dans le noir, mais je commence à savoir beaucoup de choses que l'on voulait me dissimuler. Pourtant, je ne sais pas encore tout. Dans l'immédiat, je venais vous rendre visite pour deux raisons. En premier lieu, vous allez reprendre votre neveu, mais il devra rester chez vous sans sortir jusqu'à ce que j'en aie terminé. J'ai peur pour sa vie et, quel que soit le rôle que vous jouez dans mon affaire, je ne pense pas que vous cherchiez à le tuer. Mais d'autres le souhaitent.

Forbin tressaillit et releva la tête.

— Me soupçonnez-vous ? Et si oui, de quoi donc ? demanda-t-il, arrogant.

Louis tira une chaise et s'assit, imité par Gaston. Une fois bien installé, il martela :

— Je suspecte tous ceux qui auraient eu un intérêt à nuire à mon ministre. C'est votre cas, mais vous pas plus qu'un autre.

Forbin reçut froidement l'accusation. Il s'enquit avec dédain :

— Vous avez parlé de deux raisons ?

— En effet. Voici la deuxième.

Le marquis de Vivonne jeta sur la table un sac de cuir qu'il tira de sa poche. Le magistrat aixois prit l'objet et l'ouvrit. Plusieurs colliers de perles, des bagues, des boucles d'oreilles et des pendentifs glissèrent sur le meuble avec un petit crissement.

— D'où tenez-vous cela ? Il y a là une fortune !

— Vous êtes vice-président du parlement, et c'est à ce titre que nous venons vous parler…

Louis raconta alors l'attaque des brigands sur le grand chemin, et ce qu'il en était advenu.

— Vous les avez pendus ? Comme ça ? s'étonna Forbin.

Il claqua du doigt.

— Oui, monsieur le baron, répliqua Gaston avec une expression hilare. Comme ça !

— Ils auraient dû être menés à Aix, jugés, questionnés, puis avoir les membres et les reins brisés sur la roue, publiquement, après avoir dénoncé leurs complices, leur reprocha vivement le vice-président du parlement. Il fallait faire un exemple ! Comment voulez-vous que la loi soit respectée dans de telles conditions !

Gaston haussa les épaules. Forbin, dépité, poursuivit cependant d'un ton plus conciliant en jetant un œil aux bijoux.

— Que voulez-vous exactement de moi ?

— Vous demanderez aux prévôts de la maréchaussée de Provence une enquête que vous dirigerez, ordonna Louis d'un ton sans réplique. Tâchez de retrouver à qui appartiennent ces bijoux et faites-les restituer à leurs légitimes propriétaires.

— Et si je ne les retrouve pas ?

— Vous les vendrez et vous donnerez les bénéfices au couvent Saint-Barthélemy.

À ces mots, Forbin regarda les deux hommes avec plus de curiosité que de défiance, et même un soupçon d'admiration.

— Pourquoi me faites-vous confiance ainsi ? Surtout si vous me suspectez ?

— Vous êtes riche, et si c'est vous qui êtes derrière les crimes sur lesquels nous enquêtons, vous ne le faites pas pour de l'argent. Sur ce point-là, au moins, nous sommes sûrs de vous.

— Je ne suis coupable de rien, démentit mollement Forbin. Et je ferai ce que vous me demandez. Mais rien de plus, ajouta-t-il avec défi.

Louis hocha la tête, apparemment satisfait. Alors, Gaston prit la parole à son tour.

— Connaissez-vous M. Gueidon ? Un avocat marseillais.

— Oui, bien sûr, une fripouille qui travaille avec Gaufridi pour la Chambre des requêtes. C'est un homme véreux et vénal. Je ne le fréquente pas.

Le ton était sec et sans réplique.

— Et Daret ? Le secrétaire de votre ami Saint-Marc.

M. de Forbin-Maynier ne répondit pas sur-le-champ. La question l'avait visiblement dérangé et il cacha mal une grimace embarrassée. Gaston insista :

— Alors ?

— Je le connais. Saint-Marc est mon ami, il est presque de ma famille. Seulement, il est parfois, comment dirais-je ? un peu trop passionné, exalté, et il lui est arrivé de se mettre dans des situations difficiles. Je pense que son secrétaire en a eu connaissance, et qu'il en profite.

— Vous voulez nous dire qu'il le menace ? s'étonna Louis.

— Non, non ! protesta Forbin. Je n'irai pas jusque-là, disons qu'il se sert de ce qu'il sait et que Puget ne peut pas si facilement s'en débarrasser.

— Et Frégier ? l'homme qui a été tué, il y a
quelques jours, *Bouèno-Carrièro*.

— Je ne le fréquentais pas. Je ne sais rien sur
lui. Et je ne suis pas un habitué de *Bouèno-Carrièro*,
ajouta-t-il avec mépris.

— Par contre, vous connaissez Pellegrin, le prieur
de Saint-Jean. Savez-vous qu'il nous a menti au sujet
de la mort d'un de ses moines, Balthazar Rastoin ?

— J'ignore tout de cela. (Forbin secoua la tête,
faisant comiquement ballotter son double menton.) Il
est pourtant vrai que je connais Pellegrin. Mais j'af-
firme tout haut que c'est un homme droit et honnête.
S'il vous a menti, il l'a fait sûrement pour son Ordre.
Par devoir.

— Tout comme vous, il était opposé à l'agrandissement de la ville dans le clos d'Orbitelle…

— Nous avions la même position, reconnut
sèchement Forbin-Maynier. Nous sommes favorables
à cette extension, mais pas dans les conditions louches
dans lesquelles elle s'est faite.

Gaston n'avait pas d'autres questions. Pour Louis,
Forbin, tout comme Gaufridi, avait été franc. Alors que
faire ? Ils devraient cependant vérifier les réponses du
magistrat. Il regarda Gaston qui hocha la tête.

— Ce sera tout, monsieur de Forbin-Maynier.
Dans l'immédiat. Au revoir, monsieur.

Forbin resta assis, méditatif. Louis et Gaston
s'étaient déjà levés et recoiffés de leurs chapeaux
quand le baron d'Oppède reprit la parole d'une voix
doucereuse.

— Je vais vous donner un conseil, messieurs, et
j'aurais aimé que vous le transmettiez à Mgr Mazarin.

Ils le regardèrent, brusquement attentifs.

— Je vais être sincère, je sais depuis hier ce que vous venez faire à Aix. Vous essayez de retrouver des lettres de provision à des charges de magistrat qu'a signées Mazarin, alors même qu'il n'y a pas encore eu d'arrêt d'augmentation du nombre de conseillers pour notre parlement.

— Ce n'est pas tout à fait exact, répliqua Louis. Ces lettres sont des faux.

— Qu'importe, renchérit Forbin, rejetant la remarque d'un geste de la main. Qu'importe ! Je dois vous avouer que moi aussi, je recherche désormais ces documents. Mais si votre ministre veut dormir tranquille, cela lui est facile…

— Comment donc ?

— Qu'il n'y ait aucun élargissement du parlement : pas de nouvelles chambres, pas de nouvelles charges. Dès lors, ces lettres resteront sans valeur.

C'était évident ! Sans élargissement du parlement, personne ne pouvait utiliser les faux ! Mais Gaston ne s'arrêta pas à cette réalité. C'est tout autre chose qui l'avait frappé. Il explosa :

— Qui vous a appris ce que nous venions faire à Aix ?

Forbin le prit de haut.

— C'est confidentiel. Je ne peux divulguer mes sources.

— Vous allez me le dire ! hurla Gaston saisissant son épée. Sinon, je vous jure que dans une heure, je reviens avec un régiment de gardes et j'envoie tout le contenu de cet hôtel aux galères !

Forbin eut un frémissement nerveux, puis il se maîtrisa et ses épaules s'affaissèrent. Il acquiesça, finalement, amer.

— Soit! Après tout, je n'ai rien à cacher. J'ai chargé plusieurs personnes de se renseigner sur vous. L'une d'entre elles a obtenu cette information d'un archer du prévôt. Ce dernier a dû trop parler autour de lui.

— Son nom?

— Boniface Romani.

L'homme qui les observait à l'auberge! L'homme du prévôt!

— Vous le connaissez donc? s'étonna Gaston.

— En effet, il travaille parfois pour moi. C'est un homme précieux. Il est observateur, discret. Il découvre beaucoup de choses et il aime l'argent.

Louis resta de marbre mais le coup avait porté. Il mit une main sur l'épaule de son ami, encore tremblant, et lui dit.

— C'est bon, Gaston. Nous pouvons partir maintenant.

Il se retourna vers Forbin-Maynier à l'instant où Richelieu, le chat du magistrat, bondissait sur les genoux de son maître. Louis surprit la scène et ajouta chaleureusement :

— N'oubliez pas ce que je vous ai dit, monsieur d'Oppède. Ne vous opposez pas à votre ministre. Vous n'avez rien à y gagner. D'autant que vous avez au moins un point commun avec Mgr Mazarin.

— Lequel? s'enquit Forbin-Maynier avec une morgue dubitative.

— Vous aimez tous deux les chats.

— Alors, à ton avis? demanda Louis à Gaston, une fois dans la rue. Qui est coupable? Gaufridi ou Forbin?

Gaston ne répondit pas tout de suite, balançant la tête.

— Crois-tu réellement que ce soit l'un des deux ?

— Ils disposaient des moyens de le faire et ils en avaient les motifs. Daret, pour des raisons que l'on ignore, aurait pu fort bien être leur homme de main. Ils le considèrent tous deux comme une fripouille. Et avec ce que nous a avoué Forbin, pour l'un comme pour l'autre, retrouver ces lettres de provision leur profiterait : Gaufridi désire un agrandissement du parlement et une telle opération l'enrichirait, alors que Forbin veut se servir de ces documents pour faire obstacle au ministre et non pour lui nuire comme je le pensais !

— Mais auraient-ils confié leur sort à une canaille comme Daret ?

Louis eut une moue d'insatisfaction.

— Tu as raison, c'est peu probable.

— Le coupable peut être une tierce personne que nous ignorons, simplement quelqu'un à qui ils auraient parlé de notre venue…, proposa Gaston.

— C'est aussi possible. Mais que vient faire Boniface dans l'histoire ? Comment savait-il pour les fausses lettres ?

— C'est le prévôt qui a parlé ! fulmina Gaston. Je l'aurais jugé plus discret !

Louis le regarda pensivement. En même temps, il secouait négativement la tête.

— Seulement, je n'ai jamais dit au prévôt ce que nous venions faire à Aix. Je ne lui ai jamais parlé des lettres de provision ! Boniface l'a donc appris par un tiers. Comment ? Et surtout, de qui ? Il n'y avait guère que Gaufridi et Alais qui étaient informés. Alors sont-ce eux qui l'ont chargé de nous surveiller ? Sinon, il ne reste que Forbin ! Il nous faut trouver ce Boniface Romani rapidement et l'interroger.

En entrant dans la cour de *la Mule*, ils aperçurent un groupe de pénitents encapuchonnés et de noir vêtus qui parlaient très bas avec Romani. Dès qu'il les aperçut, l'aubergiste s'avança vers nos amis, le visage rubicond, pour s'expliquer dans un grand sourire :

— Ce sont des pénitents qui se rendent à Rome. Pour cette nuit, ils seront vos voisins. Mais, rassurez-vous, ils ne parlent quasiment jamais. Pour ça, ils ne seront pas bruyants !

Louis et Gaston se rendirent, indifférents, dans la grande salle. Le cousin de l'aubergiste n'était pas là. Ils y laissèrent Bauer qui devait les avertir dès qu'il apparaîtrait.

Dans leur chambre, Gaufredi était toujours avec son petit-fils et les deux archers. Ils jouaient aux cartes.

— Nous avons vu M. de Forbin-Maynier, leur expliqua Louis. Il vous attend, Dominique. Mais je lui ai demandé de veiller à ce que vous ne sortiez pas de chez lui. Je pense que vous pouvez vous y rendre maintenant, à condition que votre grand-père vous accompagne.

Il s'adressa alors aux deux gardes :

— Escortez-les, et ensuite vous pourrez rentrer au palais. Toi, Gaufredi, nous t'attendons. Nous aurons beaucoup de choses à te raconter quand tu reviendras.

Les quatre hommes partirent.

Louis et Gaston échafaudèrent ensemble quelques nouvelles hypothèses. Mais toutes butaient sur ce nouveau fait : qui avait renseigné Boniface ? Ébranlés et préoccupés par la révélation de Forbin-Maynier, ils ne prêtèrent aucune attention à leurs nouveaux voisins. Peut-être auraient-ils dû être plus observateurs.

Ils devaient le regretter.

13

Nuit du mardi 14 mai 1647

— Non ! Le seau est encore plein !

C'était Bauer qui venait de maugréer ainsi. Avant de se coucher, il avait constaté avec dégoût que le seau d'aisance n'avait pas été vidé par les servantes de l'auberge. Et il ne pouvait pas utiliser un seau plein !

— Il ne te reste plus qu'à aller le déverser dehors, lui conseilla placidement Gaufredi. Moi, je n'ai pas envie de ressortir. Ou alors jette-le par la fenêtre dans la cour ou dans la lice, ce sera plus simple. Fais juste attention que personne ne passe.

Malgré ses apparences de rustre, Bauer respectait certaines règles d'hygiène.

— Il n'en est pas question ! Je vais monter sur les remparts en face et le jeter dans le ruisseau hors des lices, grommela-t-il.

Il sortit en chemise avec son récipient – qui clapotait – à la main.

En suivant le couloir le long duquel ouvraient les chambres, il fut attiré par des bruits métalliques.

Il haussa les sourcils, s'arrêta un instant. C'était un cliquetis qu'il connaissait. Il resta figé, entièrement aux aguets et l'oreille tendue. Plus rien. Haussant les épaules, il poursuivit son chemin et descendit dans la cour.

Arrivé dans la lice, il prit le premier escalier grimpant sur les fortifications ruinées et, une fois en haut, vida le seau. Il faisait déjà nuit et la campagne bruissait de ces mille rumeurs nocturnes que l'on entend le soir sans pouvoir toujours les identifier clairement : bourdonnements et grincements des insectes, jappements lointains des chiens, hululements des oiseaux de nuit, croassements des crapauds, brouhaha et tumultes assourdis des tavernes encore ouvertes.

Il s'appuya un instant sur le mur, savourant ce curieux mélange de murmures diffus et de silence enrobé par la fraîcheur nocturne car, malgré sa rudesse, la brute était un peu poète !

Il y avait bon nombre de maisons construites hors des remparts et il pouvait distinguer l'animation qui régnait encore : un cheval entrant dans une écurie, des hommes de peine s'activant avec des lanternes pour s'éclairer. Et plus loin encore, des cabarets. Enfin, au-delà, l'ombre de la commanderie Saint-Jean et de son église qui faisait une tache plus sombre.

Son regard embrassa les champs et les jardins alentour. On distinguait facilement les campements de ceux qui n'avaient pas trouvé où se loger en ville grâce aux feux qu'ils avaient allumés et autour desquels ils s'étaient regroupés. Beaucoup de marchands et de colporteurs dormaient ainsi dehors, dans des charrettes, des voitures ou sous des tentes de fortune, surveillant d'un œil tous leurs biens et calculant sans cesse combien leur coûterait et leur rapporterait leur séjour dans la capitale de la Provence.

Bauer se retourna, portant ses regards vers la ville. Beaucoup de fenêtres étaient éclairées par des bougies ou des chandelles, mais on ne pouvait évidemment discerner l'intérieur. La ville était calme et y vivre paraissait doux. Il jeta un dernier regard circulaire, puis ses yeux revinrent vers l'auberge. La chambre à côté de la leur était faiblement éclairée par des chandelles. Les pénitents noirs n'étaient pas couchés. Sacrés moines, pensa-t-il, ils devaient encore prier ! Justement, il en vit passer un devant la fenêtre : l'homme tenait un mousquet.

Bauer se figea. Durant un long moment, il ne quitta plus la fenêtre des yeux, mais ne revit rien d'anormal. Finalement, il décida de rentrer, préoccupé.

Pourquoi ces gens-là avaient-ils besoin d'un mousquet ? Pouvait-il s'être trompé ? Non, il savait que s'il était encore vivant, après tant d'années sur les champs de bataille, c'est parce qu'il avait toujours su reconnaître un mousquet à temps ! Donc ces moines n'étaient pas de vrais pénitents. Que comptaient-ils faire cette nuit avec leur mousquet ?

Arrivé dans le couloir, avec son seau à la main. Il s'arrêta un moment à la porte des religieux et plaça son oreille contre l'huis. Les frocards parlaient tout bas et il ne put rien entendre. Tout de même, certains bruits étaient parfaitement reconnaissables : celui du tassement de la poudre dans les canons, celui du glissement de la dague dans un étui, celui du grincement du mécanisme à rouet que l'on tend. Brusquement, il y eut un autre bruit métallique, cette fois sans ambiguïté. Une dague ou une épée venait de tomber sur le carrelage.

Silencieusement, il se rendit dans sa chambre. La faible chandelle éclairait toujours la pièce. Il plaça un doigt devant sa bouche alors que Gaufredi allait parler. Par signes, il lui demanda de se rendre avec lui à l'autre bout de la salle, puis il lui expliqua à voix basse :

— À côté, les moines semblent être armés jusqu'aux dents. Et ils se préparent à quelque meurtrerie.

Gaufredi comprit aussitôt. Ils saisirent leurs armes sans faire le moindre bruit et sortirent. Après avoir traversé le couloir, ils entrèrent sans taper chez Louis et Gaston. Ceux-ci parlaient et n'avaient pas mis le verrou à la porte.

— Que… ? déclara Gaston surpris.

La mimique de Gaufredi, un doigt sur la bouche, le fit taire.

En quelques mots et à voix basse, Bauer raconta ce qu'il avait vu, ce qu'il avait compris, et ce qui allait certainement se produire.

— Rien ne dit que c'est à nous qu'ils en veulent, remarqua Louis dubitatif et raisonneur comme à son habitude. Prévenons plutôt le prévôt.

— Es-tu prêt à prendre le risque ? objecta Gaston, déjà debout.

— Non, non…, tu as raison. Que devons-nous faire ?

Pour les combats, il savait que c'était à lui de suivre les ordres de ses camarades.

— Ils sont huit, dit froidement Bauer. Nous avons apporté nos armes : quatre pistolets, chacun à deux coups, une épée et mon espadon. Dans votre coffre se trouvent votre équipement et mon canon à feu. Ils n'ont aucune chance. Au moment où ils ouvriront la porte, nous tirerons tous. Avec le canon chargé à mitraille, il ne restera rien de ces frocards !

Il eut un sourire méchant.

— Bien, acquiesça Louis en hochant la tête. Gaston, peux-tu sortir les armes ?

Son ami se dirigea vers le coffre avec la clef qui ne le quittait pas. Il l'ouvrit et jura aussitôt :

— Mordieu !

— Que se passe-t-il ?

— Regardez !

Ils s'approchèrent, Bauer tenant la chandelle de suif : le coffre était vide !

— Un guet-apens bien préparé, murmura Gaufredi.

— Qui a fait ça ? marmonna Gaston. La clef ne m'a pas quitté.

— Ce coup de Jarnac est arrangé depuis longtemps, affirma Gaufredi, glacial. Avec les armes qui nous restent, s'ils nous attaquent maintenant, nous ne tiendrons pas longtemps. Comment nous cacher ici ?

Il montra la pièce sans recoin. Il était vrai qu'un assaut en force, avec déchaînement d'un feu meurtrier dans la chambre, ne pouvait qu'être redoutable. Avec la bougie qu'il tenait à la main, Gaston examina successivement la porte, les lits, l'ameublement.

— Qui peut douter que nous allons être assaillis maintenant que nous sommes démunis ? déclara Louis, cette fois convaincu.

— Essayons de faire deux barricades en angle en renversant les lits, proposa le procureur. Derrière, nous mettrons le coffre et devant les tabourets. Nous nous placerons au-delà de ces obstacles. Si rien ne se produit, nous pourrons dormir à tour de rôle sur le plancher. Un seul d'entre nous montera la garde.

Ils agirent ainsi en essayant d'être silencieux. Les lourds lits à rideaux, une fois couchés, formaient une enceinte formidable à franchir et un barrage efficace pour tout assaillant. Ils préparèrent ensuite les armes. En tout, quatre pistolets, une dague, l'épée de Gaufredi et l'espadon de Bauer.

— S'ils nous attaquent, ce sera à quel moment de la nuit, à ton avis ? demanda Louis à Gaufredi, couché par terre et déjà prêt à s'endormir.

Louis devait prendre le premier quart.

— Si ce sont de vrais spadassins, peu avant l'aube. C'est le meilleur moment. Celui où tout le monde sommeille. C'est pour cette raison que je veux prendre ce dernier quart.

Il ferma les yeux.

Peu à peu, le silence envahit l'auberge et Louis resta seul éveillé. Ses trois compagnons, vieux habitués des camps, s'étaient endormis facilement. Louis les envia. Peut-être auraient-ils dû prévenir le prévôt ? Mais si ces gens n'en voulaient pas à eux, ils auraient eu l'air ridicule. Et si ces faux moines avaient organisé ce piège, sans doute n'auraient-ils pu aller bien loin dans la ville. À l'extérieur, nulle défense n'était possible, ici au moins ils pouvaient se protéger.

De temps en temps, quelques frémissements nocturnes se faisaient entendre. Il restait alors l'oreille aux aguets, tendu et angoissé. À quel moment devrait-il réveiller ses compagnons ? Et s'il les réveillait pour rien ? Onze heures sonnèrent à l'église de la Madeleine, proche des Grands-Carmes. Engourdi et sentant le sommeil le gagner, Louis se leva silencieusement, enjamba ses compagnons pour s'approcher de la fenêtre ouverte.

Nous l'avons dit, celle-ci donnait sur un jardin. Il y plongea ses yeux. C'était en vérité une sorte de potager mal entretenu et plein d'herbes folles. Une porte donnait sur la grande salle de l'auberge. Un quart de lune éclairait faiblement le ciel et les murs environnants mais un nuage, devant le croissant, masquait toute lumière. Encore une demi-heure et il laisserait la place à Gaston, pensa Louis.

Brusquement, il eut l'impression diffuse d'avoir perçu un mouvement en bas. Il se plaça dans un angle et fixa la porte du jardin. Effectivement, il décela une faible lumière dans la grande salle. Une chandelle ? Une lanterne ? Puis il y eut un bruissement, un glissement plutôt. Des pas ? D'en bas ou du couloir ? Il écouta, troublé et tremblant. C'étaient des allées et venues incessantes. Le nuage passa et la lune éclaira les lieux : une ombre se déplaçait dans le jardin.

Louis alla vers Gaston.

— Réveille-toi ! chuchota-il dans son oreille avec une voix sourde et angoissée.

— Quoi ? grogna l'autre en sursautant.

— Silence !

Gaston émergea rapidement de son sommeil. Il se leva sans bruit et toucha Gaufredi, qui ouvrit aussitôt les yeux ainsi que Bauer.

La lune éclairait désormais vaguement la pièce. Louis désigna du doigt la fenêtre alors que Gaufredi se positionnait contre la barricade avec un pistolet à la main. Bauer s'approcha de l'huis, tout en veillant à rester dans l'ombre. Il examina le jardin.

Ils étaient deux en bas, avec une échelle. L'Allemand revint vers sa couche et prit son espadon en veillant à ne rien heurter. Malgré sa masse, il se déplaçait comme un chat. Il fit signe à Gaston de se poster en face de lui. Louis, qui était bon tireur, rejoignit Gaufredi à la barricade et prit deux pistolets. Tous deux s'étaient installés pour ne pas être atteints par un tireur venant de la fenêtre. Gaston avait gardé une troisième arme à feu.

L'agresseur montait maintenant le long de l'échelle en soufflant légèrement. Dans le silence nocturne, il faisait, en vérité, un bruit formidable. Son compagnon le suivait. Arrivé sous la corniche de la fenêtre, le truand attendit un instant puis, s'agrippant au rebord, il prit appui à l'intérieur en criant sottement pour se donner du courage, à moins que ce ne fût un signal :

— Allons-y ! Tue ! Tue !

Bauer fit voler la lourde lame horizontalement, qui atteignit le tueur à la poitrine. Elle le coupa en deux. Son compagnon, interdit, reçut la partie inférieure du corps de son compagnon – celle avec les jambes – et vit tournoyer le reste, c'est-à-dire les bras, à côté de lui. Il fut en même temps couvert de sang et aveuglé.

Au même instant, la porte était enfoncée et deux hommes pénétrèrent. Gaufredi et Louis tirèrent en même temps. Chacun le sien. Ils s'effondrèrent tous deux.

Une fusillade eut lieu simultanément dans le couloir. Du secours ? espéra Louis. Il n'en était rien. Un autre groupe donnait l'assaut à la chambre vide de Gaufredi et de Bauer. Ils avaient tiré au hasard mais, constatant qu'elle était déserte, les assaillants se regroupèrent dans le couloir, où ils découvrirent leurs compagnons effondrés et mourants.

Les survivants se rapprochèrent plus prudemment de la porte et firent feu sans viser ni même regarder.

Personne ne fut atteint chez les assiégés, et aucun ne riposta.

Gaston avait abattu le deuxième attaquant du jardin d'une seule balle dans le crâne alors que celui-ci essayait de se maintenir sur l'échelle après avoir été déséquilibré par le choc du corps coupé en deux. Tilly avait rejoint Louis. Ils avaient encore cinq coups à tirer et il restait quatre attaquants. Mais ceux-ci étaient bien armés et pouvaient peut-être disposer de renforts.

— Va chercher le canon à feu ! cria l'un des faux moines.

Louis blêmit. Si c'étaient eux qui possédaient le terrible engin, ils étaient perdus. L'arme chargée à mitraille fracasserait tout dans la pièce, broierait meubles et hommes dans un même hachis sanglant. Bauer aussi avait entendu. Froidement, il désigna la fenêtre à ses camarades.

— Par ici ! fit-il à mi-voix.

Ayant raccroché son espadon au dos, il passa par l'ouverture avec une souplesse étonnante compte tenu de sa corpulence. L'échelle était toujours en place. À mi-hauteur, le Bavarois sauta, sa chute étant amortie par les cadavres. Les autres arrivaient déjà. Ils filèrent tous vers la grande salle. Le dernier referma la porte derrière eux et plaça une barre de bois pour la bloquer. Ainsi, ils ne pourraient être pris à revers.

Une minuscule chandelle de suif se consumait dans un coin et les éclairait suffisamment pour se situer. Ils se dirigèrent les uns derrière les autres vers l'entrée. Maintenant, ils n'entendaient plus rien. Arrivés devant la porte ouverte, ils regardèrent dans la cour déserte en attendant quelques instants.

Soudainement, ce fut l'explosion. Quatre explosions, en fait, qui se succédèrent en quelques secondes. Les assaillants venaient de tirer avec le canon à feu dans leur chambre.

Bauer savait que son arme n'avait que quatre coups et surtout que la recharger prendrait cinq bonnes minutes. Il leur fit signe et s'engagea silencieusement, mais rapidement, dans l'escalier ajouré. En haut, nous l'avons dit, un palier précédait le couloir.

Au fond du couloir, une fenêtre laissait passer un rayon de lune et éclairait quatre hommes, costumés en moines, placés devant la porte de la chambre et guettant les râles des agonisants. Sûrs d'eux, ils n'avaient même pas commencé à recharger l'arme. Bauer fit signe à ses compagnons.

Louis tira simultanément avec Gaufredi et Gaston. Trois hommes tombèrent, le quatrième lâcha son épée, stupéfait. En voyant arriver les quatre ombres sur lui, il cria, presque en pleurant :

— Pitié, je me rends.

Ils se saisirent de lui et le jetèrent par terre. Bauer, d'un coup de pied lui brisa une jambe, puis il l'écrasa de sa botte ferrée. Le truand ne bougea plus, il gémissait sourdement. Louis alla au palier, vers la cour, et cria :

— Maître Romani ! Entendez-vous ? C'est le marquis de Vivonne. Le combat est fini. Nous sommes maîtres des lieux.

Il y eut plusieurs bruits dans les chambres, des chandelles s'allumèrent et, au bout d'un instant, plusieurs valets de l'auberge apparurent précautionneusement. Ensuite, ce fut maître Romani, armé d'un mousquet et coiffé d'un casque espagnol, qui se présenta. Il tenait une mèche allumée en main.

Au même instant, les autres portes des chambres s'ouvrirent. Plusieurs têtes couvertes de bonnets – sans doute des marchands – se montrèrent craintivement.

— Il n'y a plus de risque, leur annonça Gaufredi, affable, mais ne lâchant pas son arme pour autant.

Pendant ce temps, Gaston avait pénétré dans leur chambre. Tout avait été réduit en charpie si ce n'est un minuscule coffre de voyage en fer dans lequel ils serraient ce à quoi ils tenaient. À part les habits qu'ils portaient, tout était déchiqueté. Rien ne pouvait être récupéré. Il fut pris d'une rage folle.

Gaufredi, lui, fouillait les morts. Ils ne portaient rien sous leur robe. Il rassembla leurs armes et s'en alla ensuite tranquillement visiter leur chambre pour s'approprier le butin.

Maintenant, beaucoup de monde était présent dans le couloir. Trois marchands discutaient doctement en se racontant leurs dernières attaques. L'un était accompagné de son épouse portant une chemise de dentelle qui laissait apercevoir de plantureux appas que les deux autres considéraient avec concupiscence. Chacun y allait de ses commentaires quand Romani les rejoignit, accompagné de Louis. Deux serviteurs suivaient, portant plusieurs lanternes.

L'aubergiste embrassa les cadavres du regard, puis considéra l'homme maîtrisé par Bauer. Le prisonnier respirait difficilement avec le poids du géant sur la poitrine. Romani s'approcha de lui et, avant que quiconque ait pris conscience de ce qu'il allait faire, posa le canon de son mousquet sur la tête du truand et mit le feu à la poudre avec la mèche. Le crâne explosa, projetant de la cervelle sur les murs ainsi que sur la poitrine et la coiffure de l'épouse du marchand, dont le visage devint blanc de matière cérébrale. Elle se mit à hurler.

— Qu'avez-vous fait ? cria Gaston en lui arrachant son arme. Maintenant, personne ne pourra nous dire qui les a envoyés !

Il se retint difficilement de le rouer de coups.

— C'est mon auberge qu'ils ont saccagée, hurla Romani à son tour rouge de colère. Vous croyez que j'allais rester là à ne rien dire ou faire !

Il se mit à trembler puis à sangloter d'émotion.

Bauer, interloqué par ce qui venait de se passer, relâcha le corps inerte avec un air de mépris envers Romani. Il rejoignit Gaufredi en haussant les épaules.

— Allez chercher le prévôt, ordonna froidement Louis à Romani. Il nous faut tirer cette agression au clair. Et demandez aussi à vos garçons d'auberge de nettoyer tout ça. Quant à vous – il s'adressait aux marchands –, allez vous recoucher. Le spectacle est terminé.

L'aubergiste, livide à la lueur des chandelles, ressortit.

— Quel esprit sot et stupide ! cracha Gaston avec mépris.

— Sot ? Peut-être. Mais peut-être pas…, murmura Louis énigmatiquement.

Il fut interrompu par Gaufredi.

— Toutes nos armes sont chez eux, et j'ai aussi trouvé ça…

Il montra un petit sac et poursuivit :

— Quatre-vingts livres en écus. Un louis d'or et vingt écus d'argent. Sans doute le prix du crime.

Déjà trois garçons s'activaient, soulevant les corps et ramassant les sanglants débris.

— Il y en a aussi dans le potager, signala Bauer avec prévenance. Je les ai découpés en quartiers pour que ce soit plus facile à transporter…

Il éclata d'un rire sinistre et terrible qui fit reculer d'épouvante les trois valets. Les marchands, eux, avaient disparu dans leurs chambres pour se nettoyer et se recoucher.

— Allons dans l'autre pièce, proposa Louis. Laissons-les travailler. Gaufredi, va reprendre nos affaires chez les pénitents.

Bauer récupéra son cher canon à feu, qu'il entreprit de recharger et Gaston ramassa les armes. Quand tout fut terminé et qu'ils furent réunis dans la deuxième chambre, Gaston ferma la porte puis poussa le coffre devant.

— Restons prudents, fit-il. La nuit n'est peut-être pas terminée. Louis, fais le guet à la fenêtre. Moi je resterai devant la porte. Vous deux, rechargez et préparez toutes les armes.

Ils s'occupèrent ainsi durant un bon moment. Une heure du matin sonna à l'église. Louis aperçut alors une patrouille du guet qui arrivait par la Grande-Rue-Saint-Jean. C'était le prévôt conduit par Romani. La troupe était éclairée par plusieurs torchères et deux lanternes.

Quelques minutes plus tard, ils faisaient leur entrée. Le prévôt était livide de rage.

— Que s'est-il passé? Romani m'a raconté une histoire incompréhensible. Avec des pénitents noirs?

Il prononça ces derniers mots d'une voix rauque, curieusement angoissée. Et c'était bien une question.

Gaston narra l'attaque en n'oubliant pas comment, alors que tout était terminé, Romani avait tué le dernier agresseur.

— Mais qu'est-ce qui vous a pris ? s'insurgea le policier en secouant et bousculant l'aubergiste. Comment connaître la vérité maintenant ? Comment savoir qui les a payés ?

Il s'adressa à un sergent qui était entré avec lui.

— Luc ! Allez examiner les corps, et revenez me dire si vous les connaissez. Quant à vous, Romani, sortez maintenant !

Tous deux s'exécutèrent.

— Attendez une seconde, maître Romani, intervint Louis.

L'hôtelier se retourna, le visage humble et défait. Louis poursuivit :

— Connaissez-vous M. Gueidon ? C'est un avocat marseillais.

Une ombre passa sur le visage de l'hôtelier. C'est du moins l'impression diffuse qu'eut Gaston.

— Oui, il descend ici quand il vient à Aix.

— Il était là dimanche soir, n'est-ce pas ?

L'aubergiste secoua la tête horizontalement en fronçant les sourcils, comme s'il essayait de se remémorer le fait.

— Non, je ne crois pas, monseigneur. En vérité, cela fait plus d'un mois que je ne l'ai pas vu.

Louis se frotta un moment la moustache en signe de perplexité.

— Merci, vous pouvez retourner à vos fourneaux.

Le prévôt, lui, n'avait guère suivi cette dernière conversation. Il reprit à son tour :

— Ça ne peut plus durer ! Aix était une ville calme depuis quelques années. Tout a changé depuis votre arrivée. En quatre jours, nous en sommes à onze personnes mortes de mort violente et…

— Onze ? Vous voulez dire dix, le coupa Gaston qui était très fort en calcul.

Il énuméra sur ses doigts :

— Frégier, Rastoin et ces huit tueurs. Ça fait dix !

— Non onze, confirma le prévôt. On m'a apporté ce soir le cadavre d'une jeune femme trouvée sur la route d'Aubagne, près de l'Arc. Mais, pour celui-là, vous n'y êtes sans doute pour rien.

— Sur la route d'Aubagne ? s'enquit Louis brusquement bouleversé en levant les sourcils. Pourrait-on voir le corps ?

— Oui, si ça vous plaît. La fille est jolie, pour une morte. Passez donc ce matin. Elle est à la morgue du palais, répliqua le prévôt accablé. Revenons à eux. (Il montra le couloir.) Pourquoi ont-ils fait ça ?

— Il y a dans cette ville une ou plusieurs personnes qui nous veulent du mal, monsieur le prévôt. Et elles sont prêtes à tout pour arrêter notre enquête, expliqua tristement Gaston.

— Les connaissez-vous ? demanda le prévôt avec inquiétude.

— Peut-être. Mais nous craignons qu'elles soient très haut placées. Pourriez-vous les arrêter dans ce cas ?

Le prévôt hésita. Il déglutit difficilement.

— Ce n'est pas certain, avoua-t-il. Cela dépend… placé haut jusqu'où ?

Gaston poursuivit en souriant avec gourmandise :

— Un vice-président du parlement, un président de chambre, plus haut encore, pourquoi pas, un gou-

verneur ? Mais, rassurez-vous, ce ne sont que des hypothèses…

Le prévôt s'assit. Le visage fermé et blafard. Il y
eut un long et pénible silence. Pourtant, ce fut lui qui le
rompit. D'un ton amer, il déclara :

— Votre enquête finie, vous partirez, messieurs.
Moi je resterai. Je suis choisi par les consuls et je
dépends entièrement de ces gens. C'est le lieutenant
criminel qui devrait s'occuper de tous ces crimes, pas
moi. Que croyez-vous que vaut ma vie ici ? Je vous ai
raconté ce qui est arrivé à un de mes prédécesseurs. Un
de nos anciens gouverneurs, parent du comte d'Alais, a
tué facilement quelques individus qui le dérangeaient.
Personne ne l'a arrêté. Personne ne l'a condamné. Les
magistrats de cette ville interprètent la loi à leur façon.

Louis hocha la tête.

— Je vous entends.

— Mais moi, je comprends que nous ne pourrons
compter que sur nous, cracha Gaston avec violence.

— Non ! protesta le policier en se levant. Je vous
aiderai. Mais si votre adversaire est trop puissant, alors
il vous faudra d'autres appuis…

Cependant, tout dans son expression montrait
qu'il était sans illusion.

— Soit, répliqua Louis après un instant de silence.
Nous allons nous reposer un peu, maintenant. Pouvez-
vous laisser quelques archers pour garder notre porte ?
À cette heure, nous sommes trop fatigués pour veiller.

Le prévôt hésitait à partir, se balançant d'une
jambe sur l'autre. Ils le regardèrent tous les quatre un
peu surpris par cette indécision.

— Il y a autre chose, dit-il finalement.

Il alla à la porte, l'ouvrit et, vérifiant que le couloir était maintenant désert, rentra dans la pièce.

— Sur ce que je vais vous révéler, je n'ai aucune preuve. Mais je suis policier et je le sais de source certaine. Pourtant, ceci devra rester confidentiel.

» En 1639 vint à Aix un fermier des droits, chargé de récolter de nouvelles taxes que Richelieu avait imposées sur les hommes de robe de la ville. Il s'appelait Claude Luguet et il était aux ordres de la duchesse d'Aiguillon, la nièce du cardinal. Il était descendu au *Logis de Paris*, une auberge non loin d'ici, rue du Collège[1]. Ce jour-là, il y avait une procession dans les rues de la ville pour faire venir la pluie qui n'était plus tombée depuis des mois. Six hommes, habillés en pénitents noirs, pénétrèrent dans l'auberge presque vide, montèrent dans la chambre de Luguet et l'éventrèrent à coups de couteau.

» L'enquête qui suivit fut longue, lente et indulgente. Il fut impossible de retrouver les assassins. La duchesse d'Aiguillon intervint, mais sans plus de succès. Était-ce la chaleur ? Je ne sais, mais personne ne prit intérêt à cette affaire.

— Et alors ? demanda Gaston, piqué de curiosité.

— Alors, c'est tout ! On n'a jamais retrouvé, et encore moins châtié, les assassins.

Il s'arrêta un moment, puis acheva :

— Mais moi, je les connais. La bande de spadassins était menée par M. de Puget, le baron de Saint-Marc et le meilleur ami de M. de Forbin-Maynier[2].

---

1. Dans la rue Manuel. Le Collège étant l'ancien Collège de Bourbon, devenu le Sacré-Cœur.

2. Tous ces faits sont authentiques.

Le silence se fit après cette terrible révélation. Le prévôt était visiblement content de son effet. Il les salua puis conclut :

— Si ce sont les mêmes, je ne pourrai rien faire pour vous.

Il sortit.

Louis et Gaston méditèrent un long moment. Leurs pires craintes pouvaient-elles s'avérer ? Si Forbin était derrière ces crimes, pourraient-ils l'arrêter sans mettre la Provence à feu et à sang ?

Gaufredi et Bauer, eux, n'avaient pas ces soucis. Ils dormaient déjà.

14

Le mercredi 15 mai 1647

Lorsqu'ils se réveillèrent, le soleil était déjà haut et la journée s'annonçait chaude et lumineuse comme c'est souvent le cas à Aix. Toute trace de bourrasque avait disparu. Ils descendirent dans la grande salle. En passant dans le couloir, ils remarquèrent que rien ne révélait ce qui s'était produit dans la nuit. Romani avait bien travaillé. En bas, justement, il se précipita vers eux.

— Je vous fais préparer une autre chambre atte-nante à celle que vous aviez. (Il ajouta, penaud :) Je m'excuse encore pour hier. Je ne sais pas ce qui m'a pris, je...

— C'est déjà oublié, maître Romani, lâcha Louis, bon prince. Pouvez-vous nous porter des viandes froides et de la soupe pour déjeuner ? Ainsi que des confitures ?

Ils s'installèrent.

— Cette histoire de trépassée sur la route d'Au-bagne me chagrine, fit Louis. Je propose que nous nous rendions au palais dès le déjeuner terminé pour vérifier que ce cadavre n'est pas celui de Blanche de Naples. Ce serait sot d'aller jusqu'à Aubagne pour rien.

— Pensez-vous avoir besoin de moi, monsieur ? demanda Gaufredi.

Louis se rendit compte que désormais, il ne pourrait plus trop compter sur lui. Après quarante ans d'absence, le vieil homme avait trop à apprendre et à redécouvrir.

— Pas spécialement. As-tu quelque chose d'important à faire ?

— Je songeais à me rendre chez les Dominicaines.

— C'est d'accord. Nous garderons Bauer avec nous. Simplement, sois prudent ! La fête n'est sûrement pas finie.

Il ne précisa pas de quelle fête il s'agissait.

La morgue se trouvait dans un caveau voûté sous l'une des trois tours romaines. La tour de l'horloge. Ce choix s'expliquait simplement, la tour était un ancien mausolée et le caveau un antique tombeau. On y trouvait plusieurs sarcophages, vidés depuis longtemps, mais couverts de plaques de marbre. C'était pratique pour conserver les corps des cadavres découverts dans la juridiction du prévôt. En outre, la tour se trouvait à côté de la chapelle Saint-Mitre et à proximité des prisons.

Le policier leur fit descendre quelques marches dans la salle souterraine, lugubre et mal éclairée par deux torchères fumantes. Une odeur de moisissure mêlée aux douceâtres effluves de la mort régnait dans le caveau. Gaston et Louis s'approchèrent du seul corps exposé et le reconnurent sans peine : c'était Blanche de Naples, endormie dans un sommeil éternel.

Tous deux restèrent silencieux un long moment, éprouvant un double sentiment de frustration : devant la mort et devant ce mystérieux adversaire qui faisait le vide autour d'eux. Dans les deux cas, ils se sentaient doublement impuissants.

— Vous la connaissiez ? demanda finalement le prévôt, interrompant leur méditation.

Louis le regarda, le visage douloureux.

— Oui. C'est elle… la seconde fille de chez Frégier. Celle que vous n'avez pas trouvée. La dernière fois que nous l'avons vue, elle retournait chez elle. À Aubagne. Maintenant, elle ne nous dira plus qui elle est allée prévenir de la mort de son souteneur. C'est notre faute : si nous avions insisté, elle aurait peut-être parlé et elle serait encore vivante.

— Aussi, quelle idée a-t-elle eue de partir un soir sur cette route. Un malandrin l'aura attaquée pour la voler, ou pire, s'insurgea le prévôt en haussant les épaules.

La vie était fragile et, pour lui, la mort des pauvres gens restait de peu d'importance. Il en voyait tant et tant qu'il s'était endurci.

— Un malandrin ? lâcha Gaston dubitatif en examinant et en tâtant le corps glacial sans répugnance aucune – il faut dire qu'il avait l'habitude. Dites-moi, monsieur le prévôt, comment un brigand tue-t-il sur vos chemins aixois ?

En même temps, il retournait délicatement le corps, cherchant quelque chose.

— Euh… avec un bâton ou plus généralement un couteau…

Gaston eut une grimace :

— Regardez donc ici !

Il écarta la robe et dévoila la poitrine de la morte. Un trou rond et rouge apparut au-dessus du sein gauche.

— C'est une balle qui l'a tuée, poursuivit-il en soulevant le dos de la morte. Elle est entrée ici, sous l'épaule pour ressortir sur le sein après avoir percé le cœur. Probablement une balle de mousquet tirée à une vingtaine de toises. Un tir particulièrement adroit. Est-ce une habitude de malandrin ?

Le prévôt hésita. À la fois confus de ne pas avoir examiné la morte et intrigué par cette blessure qu'il n'avait pas découverte.

— Non, vous avez raison. Mais alors, qui l'a assassinée ?

— Elle a été tuée pour les mêmes raisons que Frégier et Balthazar. Les morts ne parlent pas, annonça sentencieusement Louis.

— Mais qui ? explosa le prévôt, le visage empourpré. Qui ? Cela va-t-il durer encore longtemps ?

Louis et Gaston ne répondirent pas. À quoi bon ? De nouveau un de leurs témoins disparaissait. Il ne restait que Gueidon et le cousin Romani, mais Louis avait le funeste pressentiment qu'il ne les reverrait que morts, eux aussi. Ruminant tous deux sur cette insaisissable situation, ils se firent raccompagner à la chapelle Saint-Mitre. Bauer les attendait dehors.

— Monsieur le prévôt, demanda finalement Louis. Savez-vous où nous pourrions trouver Boniface, le cousin de notre aubergiste ? Il est archer chez vous, n'est-ce pas ?

Le prévôt haussa ses sourcils et eut une expression renfrognée, butée même.

— Pourquoi ?

— Nous avons des questions à lui poser.

— Sur la mort de Balthazar Rastoin? persifla-t-il.

Gaston et Louis se regardèrent, interdits.

— Non. Y serait-il mêlé? s'enquit Fronsac d'un ton neutre.

Le prévôt plissa les yeux, essayant de savoir s'ils se moquaient de lui, puis finalement il lâcha :

— C'est Boniface qui est allé chercher Rastoin chez les Hospitaliers de Saint-Jean, le soir de sa mort. Des témoins m'ont assuré les avoir vus ensemble dans une taverne. Et Balthazar a été retrouvé éventré vers cinq heures du matin. Mais officiellement, il est mort de maladie et il ne doit pas y avoir d'enquête. Pellegrin est intervenu en ce sens auprès du procureur du roi. Pour ma part, cela ne me convient pas, j'ai besoin de savoir si un de mes archers est un assassin. Tous mes gens ici sont à sa recherche. Hélas, sans succès jusqu'à présent.

— Pourquoi ne pas nous avoir raconté tout ça? demanda Gaston sévèrement.

— Je l'aurais fait, après l'avoir interrogé, crâna le prévôt.

Gaston et Louis le dévisagèrent avec méfiance, l'autre prit finalement un air gêné de son impertinence et poursuivit :

— Si je vous avais parlé, il se serait sûrement transformé en victime à son tour et on n'aurait retrouvé que son cadavre, expliqua-t-il, d'un ton qu'il voulait ironique.

Louis n'avait pas envie de rire.

— Retrouvez-le! Et avertissez-nous dès que c'est fait. Il nous faut aussi Philippe Gueidon, avocat du roi à Marseille. Il nous le faut vivant!

Le prévôt hocha la tête et précisa, un peu soulagé :

— Je vais m'occuper des deux. Je les trouverai. Je vous le promets.

Avant de le quitter, Gaston lui remit discrètement un écu d'or et lui dit quelques mots sur Blanche :

— Faites-la enterrer décemment, et demandez que soient célébrées des messes pour son salut éternel. Nous, nous nous chargerons de la venger sur cette terre.

Jusqu'à la traverse des Carmes, ils restèrent silencieux. Leur venue à Aix avait entraîné onze morts violentes. S'ils étaient restés à Paris, ces gens seraient encore vivants, s'accusait Louis. Tous ces décès étaient de leur faute. Le prévôt n'avait pas tort.

Il fut interrompu dans ses pensées morbides par son ami.

— As-tu une idée pour retrouver Gueidon ? Peut-être devrions-nous aller à Marseille ? Et on ne sait toujours pas où il est allé dormir après le bal !

— Je crains fort qu'on ne le retrouve pas. Et même si on le retrouvait, son arrestation et sa mise en accusation ne seraient pas faciles. Il n'y a ni preuve ni témoin de son crime – si c'est lui qui a tué Frégier – et quant à la tentative d'assassinat contre moi, l'accusation repose seulement sur Daret, qui est considéré par tout le monde comme une fripouille. Ceci ne tiendra pas dans un procès criminel, sauf s'il avoue après avoir subi la question préalable. Enfin, les lettres de provision ne sont toujours pas retrouvées, ni l'argent de la vente du clos Mazarin d'ailleurs. Cette affaire reste à moitié résolue, c'est-à-dire pas résolue du tout. Nous connaissons tout du pourquoi et du comment, mais nous ignorons qui en est le principal interprète.

— La mort de ce moine Balthazar me chagrine. Gueidon aurait fait un bon coupable, mais il semble hors de cause puisque le frocard a été vu avec Boniface. Seulement si Boniface est l'assassin de Balthazar, qu'est-ce qui le lie à Gueidon ? Ils ne semblent pourtant pas agir de concert…

— J'ai côtoyé ce Boniface le jour de ma première visite au prévôt, remarqua Louis, maussade. Il m'a fait l'effet d'un sombre crétin. C'est un homme de main qui travaille pour quelqu'un.

— Sans doute pour celui qui a tué Blanche de Naples. Celui qu'elle a prévenu. Celui qui a payé les pénitents. Ce pourrait être Gueidon, mais aussi bien le président Gaufridi. Tous deux doivent être bons tireurs et savoir se servir d'un mousquet. Gueidon est mon principal suspect puisqu'il a déjà demandé à Daret de s'occuper de toi. Il peut aussi avoir payé Boniface pour tuer Balthazar. Mais Blanche de Naples a été tuée samedi soir, or il était à Marseille. Il ne reste donc que Gaufridi.

— Pourquoi pas tout simplement Forbin-Maynier ? Après tout, il connaît bien Boniface Romani. Il l'a reconnu devant nous.

Gaston hocha la tête. Ils méditèrent un moment, suivis de Bauer. Alors qu'ils étaient en vue de la porte Saint-Jean, Tilly suggéra :

— Il faut aussi s'occuper de remplacer nos vêtements déchiquetés par ces faux pénitents. Arrêtons-nous dans la Grande-Rue-Saint-Jean, j'y ai vu plusieurs boutiques où nous pourrons nous équiper.

Louis acquiesça. Dans une petite échoppe, il acheta des chausses, un pourpoint de velours marron à manches fendues et trois chemises de lin. Gaston prit deux chemises et des chausses assorties à un gilet noir. Les vêtements n'étaient pas à leur taille et le tailleur promit de les leur faire porter à l'auberge, rectifiés, dès le lendemain. Ils avaient aussi perdu leurs habits de cour, mais ils jugèrent préférable de les faire refaire à Paris. Tout ceci leur coûta vingt livres. Chez le chapelier voisin, ils rachetèrent aussi des chapeaux de castor et, chez un bottier, ils firent ajuster des bottes de voyage pour remplacer leurs souliers. Elles devaient aussi leur être livrées le lendemain.

Ils n'avaient aucune envie de manger à l'auberge de *la Mule*, de revoir et d'entendre le mielleux Romani. Et puisque le prévôt recherchait leurs témoins, ils n'avaient qu'à attendre. Une taverne proche de la porte Saint-Jean leur servit un repas médiocre à base de saucisses rances, de pain de froment rassis et d'olives desséchées, mais, fatigués et découragés, ils n'y attachèrent aucune importance. Seul Bauer était mécontent. Il se rattrapa donc en buvant plusieurs bouteilles de vin d'Aix.

Enfin, ils rentrèrent à l'hôtellerie et montèrent immédiatement dans leur nouvelle chambre, sans rencontrer Romani. Gaufredi était absent. Gaston et Louis commencèrent la rédaction d'un nouveau mémoire qu'ils avaient décidé de confier à Alais le soir même. Bauer, de son côté, s'occupa à nettoyer et à vérifier ses armes.

On était en milieu d'après-midi quand Gaufredi revint, en sifflotant joyeusement. Louis ne l'avait jamais entendu siffloter. Au moins, se dit-il, amer, quelqu'un aura apprécié cette visite à Aix.

— J'ai vu Claire-Angélique, s'extasia-t-il. Elle n'a pas changé !

Gaufredi était de nouveau amoureux ! Et sa belle avait soixante ans et était mère supérieure dans un couvent. De nouveaux ennuis en perspective ! s'inquiéta Louis qui broyait décidément du noir.

— Dominique m'a raconté qu'il envisage de se marier, poursuivit le reître. Vous vous rendez compte ! Je vais peut-être être arrière-grand-père. Malheureusement…

— Malheureusement ? s'enquit Gaston, toujours intéressé par les amours contrariées.

— C'est la fille du secrétaire de M. de Beaumont, mais celui-ci désire que sa fille épouse quelqu'un ayant une charge au parlement. Dominique pourrait devenir conseiller, mais il est pauvre et…

Au même instant, on frappa à la porte.

— Chevalier ! Vous avez une lettre !

Bauer ouvrit la porte, un pistolet dans chaque main. Devant lui se tenait l'onctueux Romani. À la vue des armes, il eut un léger recul, mais il tendit toutefois le pli en s'inclinant.

— Qui vous l'a portée ? interrogea Gaston sévèrement en s'avançant vers l'hôtelier.

— Je ne sais pas. (Il eut un geste vague de la main.) Un gamin des rues…

Louis attendit que Romani s'éloigne ; ce qu'il fit à contrecœur, puis, Gaston lui ayant donné le pli, il l'ouvrit et le lut :

Chevalier,
Pour retrouver ce que vous cherchez, soyez à minuit ce soir devant le pilori. Seul.

Gaston la parcourut à son tour. Il en fut ébahi.

— Qu'est-ce que c'est que cette histoire ? C'est à l'évidence un piège. Celui qui a écrit ça nous croit-il assez bêtes pour y tomber ? Tu ne vas pas y aller, j'espère ?

— C'est effectivement un guet-apens, admit Louis posément. Mais je m'y attendais.

Il resta songeur un instant et se rapprocha de la fenêtre, regardant le petit jardin abandonné. Puis brusquement, il se retourna vers ses amis.

— Si on pouvait prendre celui qui me le tend, l'affaire serait close. Mais cela implique inévitablement quelques risques…

Bauer et Gaufredi approuvèrent d'un signe de tête. Gaston, en désaccord évident, haussa les épaules mais ne répliqua pas. Un conseil de guerre se tint aussitôt, après qu'on eut vérifié que personne ne pouvait les écouter.

— Si je me rends là-bas, pourriez-vous vous placer de façon à être capables d'intervenir rapidement tout en restant invisibles ? demanda Louis.

— Peut-être, hésita Gaufredi en balançant la tête. Oui, peut-être. Si nous partons plus tôt. Mais l'aubergiste en sera averti. Ou d'autres. On ne sait pas qui nous espionne. On peut nous suivre. Et comment nous cacher sur place si nous y allons en plein jour ?

— Il a raison. Il nous faut partir d'ici tout de suite et nous placer dans les ruelles environnantes, confirma Gaston.

— Et attendre là-bas durant six heures ? maugréa Louis. Non, ton idée est bonne, mais il nous faudrait être à l'intérieur d'une maison.

— Certainement, une maison face à l'échafaud, approuva Gaufredi. Mais nous ne connaissons personne…

— Demandons de l'aide au prévôt, suggéra le procureur. Il trouvera où nous loger.

— J'aimerais autant que personne ne soit informé.

Ils étaient dans une impasse. Tous réfléchissaient. Subitement, Louis leva des yeux brillants vers ses amis.

— Pierre de Raffelis ! Le seigneur de Roquesante, qui nous a invités, habite la maison qui fait l'angle entre la Petite-Rue-Saint-Jean et la Grande-Rue-Saint-Jean. Il y a certainement des fenêtres face à l'échafaud. Ce serait un endroit parfait. Tu m'as dit que c'était un homme de confiance, non ?

La question s'adressait à Gaston.

— Effectivement. C'est une bonne idée. Nous pourrions nous placer dans son porche ainsi qu'à ses fenêtres.

— Pour intervenir rapidement, expliqua Gaufredi, il me faudrait un fusil allemand à longue crosse. Il y a de la lune ce soir et, bien placé, je pourrais abattre n'importe qui à cette distance. Mais nous n'avons pas pensé à prendre une telle arme avec nous. Où en trouver une à Aix ?

Ce fusil était une sorte de mousquet que l'on utilisait en appuyant l'extrémité de la crosse sur la joue pour tirer. Le canon était très long et l'arme plutôt encombrante. Techniquement, elle était démodée depuis des années, mais restait encore en usage à cause de son extraordinaire efficacité pour le tir de précision. La suggestion de Gaufredi était effectivement bonne s'ils pouvaient se procurer un tel fusil.

— Nous en parlerons à Raffelis. Peut-être pourra-t-il nous aider. Je propose que nous allions le voir maintenant. Bauer nous suivra à quelques pas. S'il s'aperçoit que quelqu'un nous suit, il n'aura qu'à l'assommer.

Ils allaient sortir lorsqu'on frappa à nouveau à la porte. Bauer l'ouvrit, toujours une arme en main. Un jeune homme de moins de vingt ans, maigre comme un mousquet, se tenait là. Il ne fut pas impressionné par le géant car il déclara d'un ton insolent dans un français parfait :

— Je viens pour rencontrer M. le chevalier Fronsac !

Louis s'avança.

— C'est moi.

— Qu'est-ce qui me le prouve, monsieur ? rétorqua l'effronté.

— Tu veux que je te coupe en deux pour t'apprendre à douter de la parole du chevalier ? gronda Bauer.

Un éclair d'inquiétude traversa le regard de l'adolescent. Il devint plus conciliant.

— Bon, je vous crois, affirma-t-il.

Il sortit un pli de sa poche et le tendit à Fronsac.

— C'est pour vous, chevalier. C'est personnel, reprit-il de nouveau avec impertinence en considérant les autres tour à tour. De la part de maître Lagier.

Louis se saisit de la lettre et donna une pièce d'un sol au garçon qui partit après un dernier regard impudent. Rapidement, Fronsac détacha le cachet, ouvrit le pli et le lut. Son regard s'assombrit.

— De mauvaises nouvelles ? demanda Gaston à qui l'expression de son ami n'avait pas échappé.

— Non, non, répondit-il, absent. Je te le dirai demain.

Il glissa le pli dans une poche intérieure de son pourpoint.

Gaston fit une grimace, mais il avait trop l'habitude des petits secrets de Fronsac pour insister. Ils sortirent. En bas, dans la cour, Romani semblait occupé avec des tonneaux qu'il déplaçait.

— Dînerez-vous ici ce soir, messeigneurs ? flagorna-t-il sur un ton de plus en plus servile.

— Certainement, lui répondit Gaston avec aménité. Et nous en serons heureux, préparez-nous donc un bon repas !

Quand ils furent éloignés, Louis interrogea son ami avec quelque inquiétude.

— Je ne t'ai jamais vu aussi aimable avec Romani, lui demanda-t-il. Pourquoi lui mentir ? Nous ne mangerons pas chez lui.

— Ainsi, il ne nous suivra pas, ou ne nous fera pas suivre, puisqu'il s'attend à notre retour, lâcha méchamment Gaston.

La maison de Raffelis, seigneur de Roquesante, était la dernière de la Grande-Rue-Saint-Jean ; elle était située juste devant l'angle du Palais Comtal[1]. Nos amis se présentèrent devant cette belle entrée sculptée que l'on peut toujours admirer. Elle donnait dans un petit vestibule qui était ouvert. À l'intérieur, deux laquais étaient en train de ranger une chaise à porteurs. Sans doute étaient-ils aussi les deux porteurs de la maisonnée. Louis leur demanda de prévenir le magistrat de leur venue.

---

1. Longtemps une grande librairie dont on pouvait visiter les magnifiques caves.

Au bout de quelques minutes, Pierre de Raffelis descendit lui-même les chercher, un franc sourire sur son visage.

— Je n'espérais plus votre visite, messieurs, leur dit-il. Resterez-vous souper avec moi ?

— Si vous nous invitez, nous ne refusons pas, lui assura Gaston, affamé depuis le médiocre repas qu'il avait eu le matin. Mais ce n'est pas le but de notre visite. Nous avons besoin de vous.

— Ma maison et moi-même sommes à votre service. Montez donc.

Le grand escalier desservait trois étages constitués de plusieurs salles en enfilade. Au premier, la pièce du fond servait de cabinet de travail au magistrat. Il les invita à s'asseoir et leur fit porter du vin cuit.

— Nous vous devons quelques éclaircissements, lui expliqua Louis. Nous allons vous donner les raisons de notre visite à Aix. Mais il est évident que rien de ce que nous allons vous raconter ne doit sortir de cette pièce.

Il exposa l'inquiétude de Mazarin au sujet de son frère, leur enquête, les crimes autour d'eux et, pour finir, le rendez-vous mystérieux prévu le soir même. L'explication dura près d'une heure. Raffelis ne l'interrompit que pour quelques précisions. Quand Louis eut terminé, le magistrat prit la parole :

— C'est une histoire extraordinaire, je dirais même incroyable, mais il y a eu à Aix tant et tant d'affaires de ce genre dans le passé que je ne devrais pas être vraiment surpris. Si je comprends bien, vous avez des suspects, mais pas vraiment de coupable en vue ?

— C'est cela même. Il nous faut donc impérativement capturer celui qui a envoyé ce message. C'est l'une de nos dernières chances.

— Et accessoirement, renchérit Gaston maussade, Louis ne doit pas se faire tuer.

Raffelis joignit l'extrémité de ses doigts, qu'il avait très fins, dans un signe de profonde perplexité.

— Mais que dois-je faire ?

— Nous héberger, et nous laisser occuper votre maison, votre porche et vos fenêtres. Ainsi, nous pourrons intervenir immédiatement, fit Gaston.

Le magistrat eut un geste vague de la main gauche.

— Vous êtes ici chez vous, je vous l'ai dit. Est-ce tout ?

— Non, intervint Gaufredi. J'ai besoin d'un fusil à longue crosse, un fusil de précision. Où peut-on trouver cela à Aix ?

— D'Oppède ou Saint-Marc en ont un certainement. Ce sont de grands chasseurs, ils se feront un plaisir de vous le prêter.

— Nous préférerions qu'ils restent en dehors de notre affaire, expliqua le procureur.

— Hum ! Alors chez un armurier, peut-être. (Il réfléchit un instant.) Il y en a un, rue des Gantiers. Il est sans doute ouvert à cette heure.

— Bien, j'y vais sur-le-champ, déclara le reître qui se leva.

Louis lui tendit un petit sac.

— Il y a là mille livres. Avertis aussi les laquais de l'arrivée de Bauer. Il nous suivait et il aurait déjà dû nous avoir rejoints.

Gaufredi boucla son ceinturon et y plaça son épée, puis il ramassa son manteau et sortit.

Trouver l'échoppe de l'armurier fut particulièrement difficile. En fait, c'était une simple porte sur laquelle il dut cogner longuement avant qu'un nabot ne vienne lui ouvrir. Gaufredi avait dû demander à quantité de passants pour situer la fameuse porte.

— Que voulez-vous ? interrogea le nain sur un ton désobligeant.

— J'ai besoin de voir l'armurier. Je cherche quelque chose de spécial.

L'autre lui jeta un regard mauvais mais lui fit signe de le suivre. Ils traversèrent une cour qui servait de dépôt d'ordures. Un cochon se vautrait dans une flaque de détritus contre un tas de fumier couvert de grosses mouches. À l'extrémité de la cour, une porte-fenêtre était ouverte et Gaufredi la franchit. Il entra alors dans une caverne aux trésors.

Partout des casques, des cimiers, des arbalètes, des épées, des corselets, des gorgerins, des arquebuses, des pistolets, des éléments disparates d'armures, toutes sortes d'engins de mort en fer, en cuivre, en acier, en bois étaient entassés, accumulés, amoncelés, accrochés, suspendus, exposés. Rien n'était rangé. Il ne savait où porter ses yeux. Pourtant, malgré la pénombre, Gaufredi constata au bout de quelques instants que tout était sale, rouillé et paraissait avoir été déposé là depuis des siècles. Il était peu probable qu'il trouve ce qu'il cherchait dans ce fourbi.

— Vous voulez acheter ou vous voulez vendre, monsieur ?

C'était un chuchotement. Le reître se retourna, nerveux. Dans son dos se tenait un vieillard voûté, presque chauve si ce n'était la bande de cheveux qui partait de dessous ses oreilles et qui lui descendait jusqu'aux épaules. Son visage était fripé comme un vieux fruit. Un maigre sourire sarcastique était posé sur des lèvres fines, dévoilant une bouche sans dents. Il attendait patiemment la réponse.

— Hum ! Acheter. Je cherche un fusil…

— C'est cher ! prévint le vieillard dont le sourire s'accentua.

— Je peux payer, assura Gaufredi.

L'autre le regarda longuement avec des yeux mi-clos, légèrement bridés. Puis il lâcha en secouant la tête :

— Hélas, je n'ai rien qui vous conviendrait.

— J'ai besoin d'un fusil pour du tir de précision. À longue crosse et canon.

Il porta sa main à son pourpoint.

— Voici cinq doubles louis.

Il aligna les pièces sur une table. L'autre le dévisagea plus longuement. Jugeant possible un gain plus avantageux, il proposa :

— J'ai peut-être quelque chose. Mais ce ne sera pas dans vos prix, j'en ai peur.

Il se dirigea dans un recoin de son fouillis et se mit à déplacer la ferraille sans précaution, faisant un bruit infernal. Au bout d'un instant, il tira un long coffret de bois, sale, moisi et troué par les vers.

S'approchant de Gaufredi, la boîte en main, il expliqua :

— C'est une arme qui me vient des Farnèse. Elle n'a jamais servi et donc elle est *trèèèèès* chère !

Il l'ouvrit. Sur un habillage de velours rouge fané était rangé un fusil de précision avec un mécanisme à la miquelet. Un système ancien, mais qui continuait à être utilisé en Italie. La crosse était incrustée de nacre et le canon entièrement et finement ciselé. C'était une merveille !

Gaufredi prit l'arme et vérifia longuement qu'elle n'était pas faussée, ensuite il démonta le couvre-bassinet pour contrôler le système de déclenchement. Le fusil paraissait en excellent état. Il hocha la tête avec satisfaction.

— Ce sera cinq cents livres, proposa le vieillard.

— Trois cents. Rien de plus, murmura le reître en continuant d'examiner l'arme.

L'autre tendit la main. Gaufredi posa le fusil et sortit des écus au soleil.

— Pour ce prix, vous me donnerez aussi de quoi la nettoyer, ainsi que des balles et de la poudre.

La transaction terminée, il partit avec sa boîte sous le bras. Il ne retourna pas chez Raffelis. Il passa devant le palais sans s'arrêter, se dirigeant apparemment vers l'échafaud. Là, il prit à droite, vers la porte Saint-Louis.

Il n'avançait pas très vite car la rue Saint-Louis, sans être autant encombrée que la Grande-Rue-Saint-Jean, était, elle aussi, envahie par une foultitude de marchands itinérants venus pour la Fête-Dieu.

Arrivé à la porte, il la passa pour s'engager sur le chemin de Vauvenargues, une vaste allée de terre bordée d'arbres. Il fit ainsi environ un mille et demi pour déboucher dans un petit vallon où coulait la Torse[1]. L'endroit était désert et un grand pâturage longeait la petite rivière. Il y avait là quelques vaches ainsi que des moutons plus loin sur un coteau. On ne voyait pas de berger.

Gaufredi s'arrêta, sortit l'arme pour la charger. Quand ce fut fait, il repéra une branche basse lointaine et tira. Raté ! Il recommença plusieurs fois jusqu'à ce

---

1. L'emplacement du lycée Cézanne.

qu'il soit bien certain de ne pouvoir manquer son coup. Les moutons, apeurés, s'étaient éloignés.

Il replaça alors le fusil dans sa boîte et rentra rejoindre Louis et Gaston. Il était six heures passées et les vêpres sonnaient.

En arrivant chez le seigneur de Roquesante, Gaufredi constata que Bauer n'était toujours pas rentré. Louis lui expliqua avec un peu d'inquiétude.

— Il s'est présenté, paraît-il, et a demandé au laquais de nous prévenir qu'il ne nous rejoindrait pas. Mais qu'il serait présent ce soir, quoi qu'il arrive.

— C'est tout ?

— C'est tout.

— Alors, n'ayez aucune alarme, monsieur, le rassura le reître. Bauer doit avoir une idée en tête. Il n'en a pas souvent, mais quand il en a une, il ne la lâche pas. Vous pouvez compter sur lui. Quant à moi, voici l'arme. Elle m'a coûté trois cents livres et je l'ai réglée pour tirer de cette maison vers l'échafaud. D'une fenêtre, je ne raterai pas notre inconnu.

Il posa la bourse devant lui et Louis la reprit.

— Attention, avertit Gaston, tâche de ne pas tuer notre maraud. Il faut qu'il parle avant.

Gaufredi resta silencieux un moment. Puis reprit :

— Et si c'est un officier du parlement ? Ou même… le gouverneur ?

— Tans pis pour lui ! fit froidement Gaston.

— Il y a un autre problème, expliqua Louis. Si c'était ton neveu, le président Gaufridi ? Ou l'oncle de Claire-Angélique, et que tu les reconnaisses, tirerais-tu ?

— Dans ce cas, malheur à eux ! répondit Gaufredi sombrement. Croyez-vous que j'hésiterais une seconde entre eux et vous ?

Tout était dit. Raffelis les écoutait mais n'intervint pas. Il ne serait qu'un témoin pour la suite.

À cet instant, l'épouse du magistrat entra. Elle portait sa plus belle robe, en soie bleue passementée d'or, avec des manches froufroutantes et un busc de dentelle. Elle leur annonça que le dîner allait se tenir dans la pièce contiguë.

Le souper fut ainsi servi dans la bibliothèque. Autour de la longue table rectangulaire en noyer, tous les proches de Raffelis qui vivaient dans l'hôtel étaient présents. Il y avait la famille de son épouse et celle du côté de sa mère. Étaient aussi invités son secrétaire et ses deux filles, son intendant et un jeune peintre hollandais qui se rendait à Rome et séjournait chez Raffelis pour quelques semaines. En tout, ils étaient plus de vingt personnes à table.

Après les soupes furent servis plusieurs plats en sauce contenant des paquets de tripes et des pieds de porc grillés, puis bouillis.

— C'est une spécialité aixoise, expliqua l'intendant de M. de Raffelis.

Le plat était succulent, et ce ne fut que lorsqu'ils furent rassasiés que la conversation débuta. Ils parlèrent de la Cour, de la vie à Aix, et surtout du fameux projet qui était au centre de toutes les conversations en ville : le Cours à Carrosses.

— J'ai vu aujourd'hui le plan d'aménagement du nouveau quartier, le *clos Mazarin* comme on l'appelle. Cette esquisse était celle proposée par les consuls, expliqua Raffelis, mais il n'y figure pas de Cours à Carrosses, juste une nouvelle rue : la rue de l'Archevêché.

— Vous devez vous y opposer ! s'insurgea, avec force, son épouse. Le parlement doit avoir son mot à dire et vous savez bien que tous les parlementaires désirent ce Cours.

— Disons toutes les épouses et les filles des parlementaires, rectifia Pierre de Raffelis en raillant.

— Ma tante a raison, plaida l'une des jeunes femmes. (Elle était très brune et ses yeux flambaient de colère. Gaston apprit par la suite que c'était une cousine du magistrat.) Notre ville est étriquée, nos rues trop étroites sont sordides, sans air ni lumière. La plupart ne sont même pas pavées. Nous ne pouvons faire un pas dehors sans être couvertes de crotte. Ce nouveau quartier, avec de larges voies ensoleillées sera encore plus agréable s'il débute par une magnifique avenue. Il faut en profiter pour détruire tout ce qui est insalubre et élargir toutes les rues. La peste, il y a quinze ans, qui a tué tant de pauvres gens n'a donc pas suffi ? Faut-il une autre épidémie ?

Le jeune peintre hollandais approuva ce vibrant plaidoyer. Louis avait admiré, dans l'après-midi, le tableau qu'il peignait et où figurait la jeune femme, sa sœur ainsi qu'une servante avec, au premier plan, les enfants de la maisonnée.

— Vous avez raison, répliqua l'un des parents de Raffelis, mais ce Cours coûtera tellement cher ! Je comprends les consuls, la ville pourra-t-elle faire face ? Avec tous ces impôts dont nous presse déjà Mazarin…

— À ce propos, expliqua Raffelis, au croisement des deux plus grandes rues, en plein centre du nouveau quartier, Mgr l'archevêque Mazarin a demandé que soit placée une fontaine avec la statue de son frère.

— Comment ? protesta avec violence une autre jeune femme, repoussant ses boucles noires en arrière.

Un Italien? Un étranger qui nous ruine? Dresser sa statue à Aix? Jamais!

— Madame, intervint alors Louis, qui jusque-là écoutait, je n'appartiens pas à la maison de Mgr Mazarin. Il me l'a proposé et j'ai refusé. Je crois connaître, mieux que tout autre, sa duplicité, son cynisme et souvent son avidité, cependant, je peux vous assurer que ses qualités priment sur ses travers.

Le silence se fit, réprobateur, peut-être même légèrement hostile. Comprenant que chacun attendait la suite, Louis reprit avec fougue.

— Avant tout, je dois vous dire que Mgr Mazarin est un homme bon. Souvenez-vous des terribles vengeances et des effroyables exécutions capitales du précédent cardinal. Souvenez-vous de M. Dreux d'Aubray à Aix, il y a quinze ans, et des châtiments qu'il a infligés à vos parlementaires révoltés[1]. Peut-on reprocher à Mgr Mazarin quelque chose de similaire depuis quatre ans? Votre ministre est traîné dans la boue par des libelles orduriers. Poursuit-il ceux qui l'injurient? Non, au contraire, il collectionne ces billets infâmes! Après ces années de plomb, il tolère une certaine liberté d'expression dans ce pays.

» Mais plus encore, cet Italien est plus français que nous. Cet homme souhaite uniquement la grandeur de la France. C'est vrai, il est étranger et c'est malheureux de ne pas avoir trouvé chez nous un tel homme d'État. Mais soyez assurés que jamais ce ministre ne conduira une action néfaste contre notre pays, même si les Français ne l'aiment pas.

» Je sais ce qui le guide et ce qui l'anime : laisser à notre jeune roi qui n'a que dix ans le plus grand

---

1. Voir *L'Exécuteur de la Haute Justice*, même éditeur.

et le plus puissant pays d'Europe. Je suis certain que grâce à lui, le règne de Louis le Quatorzième sera un grand règne. Le plus grand peut-être que la France ne connaîtra jamais.

Il s'arrêta, un peu étonné d'avoir tant parlé. Mais l'assistance l'avait écouté. Et certains l'avaient entendu. Ils approuvaient par des hochements de tête et des regards chaleureux.

— Tout de même, reprit un des cousins de Raffelis, une statue de Mazarin ! Nous aurons du mal à la faire accepter. Pourquoi pas plutôt, comme on en voit en Italie d'où je reviens, une statue avec des animaux ? Voilà qui est gracieux pour une fontaine. Et qui ferait l'unanimité.

— Des dauphins ! proposa Mme de Raffelis. Une sculpture avec quatre dauphins, un dans chaque angle de la fontaine.

— Bravo ! applaudirent certains.

— Je pourrais vous faire une esquisse, suggéra le peintre.

— Pourquoi pas après tout ? approuva Raffelis amusé par l'idée. J'attends votre dessin que je proposerai aux consuls, ajouta-t-il en s'adressant au jeune Hollandais.

Le repas tirait à sa fin. C'est alors que l'épouse du magistrat reprit la parole car on apportait le dessert. Son ton était quelque peu solennel alors qu'elle s'adressait à ses invités.

— Messieurs de Paris, j'ai fait faire spécialement pour vous cette pâtisserie. Nous ne la mangeons habituellement qu'à Noël, mais elle est si bonne que je l'ai jugée digne de ce dîner. C'est une galette, assez tendre, faite à l'huile d'olive. On l'appelle un *gibassier* et les meilleures proviennent d'un boulanger de la Grand-Rue-Saint-Esprit.

Plusieurs galettes furent apportées et servies accompagnées de vin cuit. Le gâteau était succulent et Gaston en reprit plusieurs fois à la grande satisfaction de son hôtesse.

— Je mange la part de Bauer, expliqua-t-il à Louis. Il regrettera longtemps de ne pas avoir été avec nous.

— Je me demande bien où il se trouve, s'interrogea Louis, malgré tout soucieux de l'absence du Bavarois.

Le dîner se termina. Chacun rentra dans ses appartements. En fait dans sa chambre, car chaque famille vivait dans une seule pièce de l'hôtel, et Raffelis resta seul avec nos trois amis, autour de la table vide. Les domestiques s'étant aussi retirés sur ordre de leur maître.

— Vous êtes toujours décidés ? questionna-t-il, j'ai un sinistre pressentiment.

— Plus que jamais ! lui assura Louis.

Il était bientôt minuit. Il se leva et M. de Raffelis les conduisit dans son cabinet. Là, Louis prit son chapeau ferré, un pistolet et un poignard. Sa brigandine ne l'avait pas quitté. Gaston s'armait aussi, saisissant deux pistolets et vérifiant leurs mécanismes. Il avait été convenu qu'il se tiendrait en bas, dans le porche de la maison, prêt à accourir.

Gaufredi, lui, examinait une nouvelle fois son fusil. L'arme était chargée et il ouvrit la fenêtre donnant sur l'échafaud. La nuit était claire et la place vide. Il s'installa confortablement. Il ne pouvait en aucune manière rater sa cible.

15

Le mercredi 15 mai 1647,
un peu avant minuit

A l'exception d'un chat qui miaulait rageusement sur un toit pour tenter vainement de convaincre sa belle, la ville était assoupie et silencieuse quand Louis sortit de la maison de Raffelis.

Un faible rayon de lune éclairait le pilori vers lequel il se dirigeait prudemment. Il tenait serré son pistolet de Marin le Bourgeois. Gaston était resté sous le porche d'entrée, dissimulé dans l'ombre, deux pistolets aux mains et prêt à intervenir. Louis se rassurait en sachant que ni lui ni Gaufredi ne le perdaient de vue, mais il se demandait où diable était Bauer.

La place était déserte, sombre et hostile. Maintenant, le sinistre échafaud de pierre se dressait juste devant lui. Louis découvrit qu'une petite porte s'ouvrait dans le soubassement. Sans doute l'endroit où le bourreau rangeait son matériel de travail.

Il fit lentement le tour de l'assise du monument. Rien. Il attendit un moment, immobile. Au bout de quelques minutes, minuit s'égrena à l'église voisine des Prêcheurs, puis à la Madeleine, derrière le Palais Comtal.

Ce billet était-il une plaisanterie ? songea-t-il. Je serais venu pour rien…

Un gémissement fit brusquement accélérer les battements de son cœur. Il tendit l'oreille. Plus rien. Il refit un tour de l'échafaud qui mesurait quatre à cinq toises sur deux. De nouveau, le gémissement se fit entendre, plus sourd, plus douloureux. Cette fois, il avait identifié l'origine de la plainte. Cela venait de l'échafaud. Et plus exactement de la plate-forme où officiait le bourreau.

Un solide escalier de bois grimpait vers le socle de pierre. Louis s'approcha lentement et commença à le gravir. En haut, l'obscurité régnait et certaines parties de la plate-forme restaient complètement invisibles. Progressivement, il distingua pourtant quelques constructions basses sur l'estrade aux supplices. À sa droite, la potence principale, en bois, qu'il avait déjà repérée. Elle était inoccupée. Plus loin, un grand socle en pierre supportait une roue. Enfin, au-delà, un autre socle de pierre, avec un billot, était dressé pour les décapitations. Le gémissement venait de la roue. Il s'avança avec autant d'appréhension que de précaution.

Un corps semblait bien reposer sur l'instrument. Un condamné ? C'était curieux, il croyait que toutes les exécutions avaient été suspendues durant la Fête-Dieu. Et puis, il n'y avait pas d'archers pour garder le condamné. Il s'approcha. L'homme gémit de nouveau et Louis se pencha vers lui. Alors, seulement, il reconnut ce visage mat, déformé par la souffrance, ces cheveux d'un noir de corbeau mouillés par la fièvre et la douleur. C'était Gueidon. L'avocat ouvrit des yeux hallucinés et murmura faiblement :

— À boire, par pitié…

— Que faites-vous là ? lui murmura Louis interloqué.

Cette fois, Gueidon le reconnut.

— Attention… un piège…

Au même instant, Fronsac fut précipité au sol par un violent coup sur sa tête. Son chapeau ferré l'avait cependant protégé et il ne perdit pas conscience. Il roula sur lui-même, essayant de retrouver à tâtons son pistolet qu'il avait lâché. Il distingua alors son agresseur, qui brandissait une sorte de long sac. Le sac le frappa si violemment à la poitrine qu'il en eut le souffle coupé. Il essaya de se relever, de sortir sa dague, mais un autre coup à peine moins violent le frappa au visage. Il retomba étourdi par le choc. Son adversaire s'acharnait maintenant sur ses mains qu'il avait placées sur son visage pour le protéger. Un violent coup de pied dans le ventre le fit se retourner. Roulant sur le dos, il vit avec terreur son agresseur lever une nouvelle fois son sac pour l'écraser sur sa tête.

Au même instant, il aperçut – comme dans un rêve – la tête de son agresseur qui se détachait de son corps et qui volait doucement dans les airs. Je suis mort, pensa-t-il. Malgré cette certitude, il suivit du regard ce visage qui traversait la nuit et il le vit s'écraser, tout près de lui, dans un floc gluant répugnant.

Aspergé de sang et stupéfait, il resta stupidement les yeux plantés sur ceux de la tête coupée. Boniface Romani, l'exempt du prévôt, le dévisageait avec autant de surprise que lui, mais son regard était vide et mort.

— Za va ?

Louis quitta le regard de Romani. Bauer était penché sur lui. Il tenta alors de se relever. Il avait mal partout, mais rien de cassé, lui sembla-t-il. Un peu de sang coulait cependant de ses cheveux, sans doute celui de Boniface.

— Ça va, Bauer. Merci. C'était toi… pour la tête ?

— Oui. Un seul coup d'épée.

Le Bavarois montra son espadon ensanglanté par terre, près du corps de l'exempt qui reposait non loin de sa tête. Il était coupé en deux au niveau des épaules.

Au même instant, Gaston arriva en courant au pied de l'échafaud, essoufflé et agité.

— Louis, es-tu sauf ?

— Je crois. Mais quelle bastonnade… Sans Bauer, j'y restais…

Gaufredi arrivait à son tour, portant son fusil ainsi qu'une épée. Il était suivi de Raffelis, armé lui aussi et muni d'une lanterne.

— Je n'ai pas pu tirer, monsieur. Impossible de distinguer l'agresseur, s'excusa le vieux reître encore affolé. La lune a été masquée par un nuage au mauvais moment.

— Heureusement que Bauer était là !

— C'est vrai, fit Gaston qui venait de monter sur le socle de pierre. Mais où étais-tu, au fait ? interrogea-t-il s'adressant à Bauer. Je suis arrivé en courant dès que j'ai vu Louis attaqué et tu étais déjà là. Comment as-tu fait ?

— Sous l'échafaud ! expliqua le Bavarois avec fierté. C'est là que je suis resté tout le temps, bien serré avec le matériel du bourreau. J'ai entendu quelqu'un monter, il y a une demi-heure. Il s'est sans doute caché derrière la maçonnerie des décapitations. Quand M. le chevalier a commencé à gravir les marches, je suis sorti et je l'ai suivi. Mais j'allais lentement pour ne pas faire de bruit, trop lentement sans doute. J'avais peur que l'autre ne m'entende et ne s'enfuie en sautant. Quand je l'ai vu attaquer, il m'a fallu quelques secondes pour détacher mon espadon de l'épaule et frapper.

Toutes ces explications furent données avec l'affreux accent de Bauer. Nous les avons traduites en français pour les rendre compréhensibles.

— Mais par où venait-il ? demanda Raffelis, intrigué. Nous n'avons vu personne passer dans la rue Saint-Jean ?

— Du chantier, expliqua encore Bauer. Il était caché là.

Il montra du doigt l'hôtel de Simiane, en construction.

— Au fait, qui est-ce ? s'enquit à son tour Gaston, en se penchant vers le corps, puis en se dirigeant vers la tête après avoir constaté qu'elle était manquante.

— Romani, le cousin Boniface, l'exempt du prévôt, ou encore l'informateur de Forbin-Maynier, expliqua Louis. Dans son état, nous allons avoir du mal à l'interroger, persifla-t-il.

Raffelis avait apporté une lanterne. Ils éclairèrent la tête du mort qui souriait, bêtement, ou tout simplement heureux de les narguer une dernière fois.

— C'était donc lui notre inconnu ? murmura Gaston un peu insatisfait.

— Euh ! J'aurais pensé à quelqu'un d'autre…, déclara Louis étrangement. Ouille ! Que j'ai mal ! Mais avec quoi m'a-t-il frappé ?

Ils s'approchèrent du corps sans tête. Raffelis saisit un long sac sur le sol et murmura :

— Un *saquettar* !

— Un quoi ?

— Un *saquettar*, c'est un sac empli d'un mélange de sable et de plomb. Les Aixois s'en servent depuis toujours pour tuer leurs ennemis. Une sorte de meurtre rituel.

— Eh bien ! Pour Romani, ça n'a pas marché. Il aurait dû utiliser un couteau comme tout le monde, murmura Gaufredi philosophe.

— Je pense que je ne vais pas m'en plaindre, soupira Louis en se tâtant tous les os.

De nouveau, le gémissement lugubre reprit. Ils se figèrent, croyant un instant à la résurrection de Boniface Romani.

— Bon Dieu, je l'oubliais. Regardez donc qui est sur la roue !

Ils s'approchèrent. La lanterne éclaira le visage tourmenté de Gueidon. Chacun y alla de son commentaire.

— Il a l'air amoché. On dirait qu'il a été battu, déclara Gaston, sans éprouver visiblement la moindre compassion.

— Détachons-le, il m'a tout de même sauvé la vie, expliqua Louis.

Bauer coupa aussitôt les cordes avec son couteau.

— Et maintenant…, commença Gaston.

Au même instant, un coup de feu retentit et le procureur s'effondra. Tous se couchèrent immédiatement.

— Gaston, ça va ? souffla Louis.

— Non… je suis salement touché à la cuisse… (La douleur déforma sa voix.) Ce n'est peut-être pas grave mais je saigne beaucoup.

Un second coup de feu. Personne ne fut atteint cette fois.

Ils aperçurent une ombre qui s'enfuyait, traversant la place et se dirigeant vers la Grande-Rue-Saint-Jean.

Alors Louis vit Gaufredi, pâle comme un mort, se relever et calmement prendre son fusil qu'il n'avait pas encore utilisé. Il s'approcha de la roue et, froidement, s'appuya sur l'instrument de supplice. Effrayant spectre, il resta longuement figé ; il visait l'ombre qui courait toujours. La crosse faisait un bloc avec sa joue. Là-bas, l'ombre avait presque atteint l'hôtel de Roquesante. Encore quelques toises et l'angle de la rue lui permettrait d'être hors d'atteinte. De toute façon, de nuit et à cette distance, Louis savait que l'atteindre était impossible.

Le coup partit.

L'ombre s'écroula.

— Incroyable ! À cette distance ! s'extasia Raffelis.

En disant cela, il s'était relevé et partait en courant vers sa maison. Il se retourna en criant :

— Serrez la jambe de M. de Tilly pour empêcher le saignement ; mon voisin est médecin, je le ramène.

Il disparut dans la nuit.

Pendant ce temps, Gueidon, dont plus personne ne s'occupait, continuait de gémir. Gaufredi, ayant posé son fusil, détacha sa ceinture et l'enroula autour de la cuisse de Gaston. Le reître eut une grimace en voyant la plaie et il devint un peu plus livide. Il connaissait ce genre de blessure sur l'artère. Gaston était perdu.

Le sang s'arrêta toutefois de couler. Pendant ce temps, Bauer, se sentant inutile, quitta tranquillement l'échafaud.

Il revint au bout de quelques minutes portant un énorme paquet. Louis abandonna Gaston un instant et se tourna vers le Bavarois.

— C'est notre tireur? demanda-t-il d'une voix blanche.

— Oui. Et vous ne devinerez pas qui c'est, monsieur.

— Je n'ai pas besoin de deviner, répondit tristement Louis. Je le sais depuis hier. C'est Romani, notre hôtelier.

S'il n'avait pas fait nuit, Louis aurait pu distinguer les visages stupéfaits de Gaufredi et de Bauer.

— Comment avez-vous deviné? demanda Gaufredi. C'est diabolique!

— Je n'ai pas deviné. Je ne devine jamais rien, protesta Louis. Mais je vous expliquerai plus tard. Est-il mort?

— Tout ce qu'il y a de mort, affirma Bauer.

Il le jeta au sol sans ménagement. Louis approcha la lanterne pendant que Gaufredi baissait les épaules en murmurant:

— La vieillesse est terrible. J'avais visé les jambes. Décidément, je ne suis plus bon à rien.

Au même instant, Raffelis revint suivi d'un homme sec et maigre, en chemise de nuit, les cheveux en bataille et le visage encore bouffi par le sommeil. Il tenait une lanterne dans une main et une petite valise dans l'autre.

— C'est lui, déclara Raffelis montrant Gaston. Vite!

Compte tenu du nombre de corps allongés et ensanglantés, le doute était en effet permis et l'hésitation possible. Le médecin jeta un regard effaré, puis épouvanté au corps sans tête, à la tête sans corps, à maître Romani, et enfin à la roue où Gueidon gémissait toujours.

Une extravagante affaire, pensa-t-il, personne ne me croira. Il n'y a jamais eu autant de morts sur cet échafaud !

Il s'accroupit finalement à côté de Gaston qui venait de s'évanouir.

Il y eut plusieurs minutes angoissantes. Le docteur découpa les vêtements et, au faible éclairage de la lanterne, sonda sommairement la plaie. Après quoi, toujours dans le silence le plus total, il réalisa un solide pansement. Finalement, Louis, qui n'en pouvait plus, l'interrogea :

— Est-ce grave ? demanda-t-il la voix cassée par l'émotion.

— Oui. C'est très grave. Je ne peux pas me prononcer pour l'instant. La balle a effleuré l'artère avant de ressortir. Il a perdu beaucoup de sang. Si l'artère cède, il mourra. Mais il semble solide. Mon pronostic est réservé. Il faudrait le transporter très délicatement.

— Il viendra chez moi, affirma Raffelis.

— Bien, je vais vous accompagner. Il nous faut de l'aide pour le conduire à votre hôtel. Plusieurs porteurs.

Raffelis repartit chercher des valets pour le transport au moment où le guet arrivait.

Dans le Palais Comtal, les coups de feu avaient été entendus et le prévôt avait été prévenu. Il était à la tête de sa petite troupe d'archers.

— Encore vous ! gronda-t-il d'un ton accablé en reconnaissant les effroyables Parisiens. Je m'en doutais !

Il monta sur l'échafaud et son regard embrassa le carnage. Trois, quatre morts ? La ville d'Aix était devenue infernale depuis l'arrivée de ces gens. Les Euménides. Voilà ce qu'ils étaient ! Il fallait qu'il s'en débarrasse, sinon ils allaient faire plus de dégâts que la peste de 1629, ou peut-être même celle de 1348, qui avait tué la moitié de la ville !

— Qui est encore vivant ? demanda-t-il avec une irritation qu'il contrôlait difficilement.

— Gaston est blessé, annonça Fronsac d'une voix tout aussi sèche. C'est Romani et son cousin qui nous ont attaqués. Et voici Gueidon, nous l'avons trouvé là et il va nous raconter beaucoup de choses.

— Bien, je vais l'emmener.

Le ton était plus conciliant.

— Non. Je dois l'interroger sans témoin… Attendez un instant.

Raffelis revenait avec quatre laquais et un brancard de fortune. Louis laissa le prévôt pour s'occuper de son ami.

— Installez-le dessus. Attention ! ne le remuez pas ainsi ! Il est gravement blessé. Oui, soulevez-le ensemble, c'est bien !

— Portez-le dans ma chambre, ordonna de Raffelis quand Gaston fut sur la civière, et marchez très lentement.

Les laquais partirent avec Gaston toujours inconscient, suivis du médecin. Louis s'approcha du magistrat pendant que le prévôt examinait la façon dont les victimes avaient été trucidées.

— J'ai un autre service à vous demander, monsieur de Raffelis.

— Allez-y. Je vous l'ai dit, je suis à votre service et à celui du ministre.

— Pouvez-vous garder cet homme quelques heures ? (Il montra Gueidon.) Je le ferai surveiller par Bauer. Il faudrait que le médecin le soigne, mais je ne reviendrai l'interroger que demain matin. D'ici là, il ne doit parler à personne. Absolument personne.

— Ma maison est à vous, déclara simplement de Raffelis.

— Merci, monsieur. (Louis lui prit les mains avec effusion.) Le roi saura qu'il peut compter sur vous.

Il se retourna vers le prévôt.

— Monsieur le prévôt, vos hommes peuvent-ils transporter cet homme chez M. de Raffelis ?

— Oui. (Le ton était contrarié.) Mais moi aussi j'ai des questions à poser… Le procureur du roi encore plus.

Louis l'ignora et s'adressa à Bauer à haute voix, de façon à ce que tout le monde entende.

— Bauer, accompagne-les. Lorsque le médecin aura fini avec Gaston, demande-lui de s'occuper de M. Gueidon. Mais attention, il ne doit parler à personne. Au besoin, bâillonne-le. Ensuite reste à son chevet. S'il désire partir, assomme-le. Si quelqu'un écoute ce qu'il dit, tue-le. Quel qu'il soit !

Le prévôt fit une grimace de dépit, puis appela deux hommes qui prirent Gueidon sans trop de ménagement, par les bras et les pieds. L'avocat gémit doucement alors que les porteurs l'emmenaient, eux-mêmes étroitement surveillés par Bauer. De Raffelis les précédait.

— Et maintenant, dit le prévôt, qu'allez-vous me donner à faire ?

— Me protéger. Je ne sais pas s'il y a encore, ou non, des complices. Laissons les morts ici et, avec les archers qui vous restent, allons chez Romani. Gaufredi nous accompagnera.

Gaufredi était justement en train de détrousser les cadavres, mais il avait entendu. Il prit son fusil, ramassa ses autres armes et suivit le petit groupe.

Arrivé à l'auberge endormie, Louis pénétra dans la grande salle qui était ouverte et, avec l'aide du prévôt et de Gaufredi, alluma plusieurs lanternes. Ensuite il déclara :

— Monsieur le prévôt, vous allez m'accompagner. Auparavant, faites placer vos hommes à toutes les issues de l'hôtellerie. Personne ne doit entrer ou sortir de cette auberge sans notre autorisation.

Le prévôt donna quelques ordres. Louis poursuivit :

— Il nous reste à trouver la chambre de Romani. Probablement par là.

Il montra une porte à deux battants au fond de la salle. Elle était ouverte et un escalier en viret, assez large, grimpait vers un étage. Ils s'y engagèrent. Le prévôt, toujours maussade, fermait la marche. En haut, un large couloir qui donnait sur la cour desservait des pièces. Louis alla à la première porte et l'ouvrit. La chambre était minuscule et contenait un lit sur lequel dormaient, tout habillées, deux servantes de l'auberge. Il réveilla la plus proche en la secouant.

— Qui êtes-vous ? hurla-t-elle, en le repoussant, croyant à une agression.

Aux clameurs, la seconde se réveilla et se mit aussitôt à vociférer.

— Taisez-vous ! lui cria le prévôt en la giflant. Je suis le prévôt de la ville.

À la lueur de la lanterne, elles le reconnurent et se calmèrent un peu.

— Où se trouve la chambre de M. Romani ? demanda Louis.

Affolées, leurs regards allaient de l'un à l'autre, puis vers Gaufredi, un peu en retrait, véritable personnification du Diable dans son manteau écarlate. Finalement, l'une des deux femmes bredouilla en montrant le plafond.

— À l'étage, au-dessus.

— Bien, rendormez-vous, leur conseilla le prévôt.

Ils sortirent et gravirent de nouveau l'escalier. En haut, une seule porte fermait le passage. Elle était close avec une forte serrure. Louis essaya de la forcer avec sa dague, sans succès. La fermeture était solide.

— Essayez avec ça, monsieur, intervint Gaufredi sobrement.

Il tendit un trousseau de clés à Louis.

— D'où tiens-tu cela ?

— De Romani… Je fouille toujours ceux que je tue, répondit ironiquement le reître. Vous devriez apprendre, c'est parfois bien utile.

La plus grosse clé ouvrit la porte. L'étage était partagé en deux pièces. La première était une chambre, la seconde semblait être un grenier. Louis posa sa lampe et alluma deux bougeoirs. Il jeta un regard circulaire puis s'adressa au policier qui attendait :

— Monsieur le prévôt, pouvez-vous redescendre au premier étage et veiller à ce que l'on ne nous dérange pas ?

Le prévôt bredouilla quelques mots mais, devant le regard glacial de Louis, il prit simplement une expression quelque peu offensée et poussa un soupir. Pourtant, il obéit. Louis referma la porte à clé après sa sortie.

— Il faut tout fouiller, Gaufredi. Il doit y avoir quelque chose ici.

La pièce fut inspectée, retournée, sondée. Ils ne trouvèrent rien.

— Il reste encore le grenier, proposa Gaufredi.

Ils recommencèrent. Et là, finalement, scellée dans un mur et cachée par des malles de cuir, se trouvait une armoire de fer. L'une des clés du trousseau l'ouvrait.

Louis vida fébrilement le contenu de l'armoire sur le sol. Il y avait plusieurs petits sacs de toile remplis d'écus d'argent et de cuivre qu'il ignora. Puis des papiers, un épais portefeuille en cuir, un pistolet et enfin quelques bijoux.

Louis prit le portefeuille pendant que Gaufredi inspectait les sacs de toile. Il l'ouvrit et en sortit le contenu. C'étaient des lettres de provision à des charges de conseiller au parlement de Provence, toutes vierges et signées : *Giulio Mazarini* avec le sceau vert de la chancellerie sur lacs de soie rouge et verte.

Fermant les yeux, il poussa un soupir de soulagement.

Pendant ce temps, Gaufredi, comme il en avait l'habitude, empochait l'argent ; il y en avait pour environ mille livres. Il glissa aussi les bijoux dans ses poches.

— Prise de guerre ! murmurait-il régulièrement.

Louis compta les lettres, toutes sur parchemin. Il en avait vingt-quatre, puis il regarda une dernière fois dans le coffre avec la bougie. Il aperçut alors un très gros sac en cuir noir, calé tout au fond, qui lui avait échappé. Il le tira péniblement à lui, le fit tomber au sol et l'ouvrit nerveusement.

Le lacet qui serrait le sac portait une bague en argent marquée Frégier. Louis la détacha et ouvrit la sacoche. Elle était pleine de louis d'or. Il la soupesa difficilement plusieurs fois tant elle était lourde. Il devait y en avoir pour quarante ou cinquante mille livres, jugea-t-il.

Quand nous traitons d'argent dans ce roman, nous parlons souvent de livres comme d'une monnaie. En fait la livre n'était, à cette époque, que la monnaie de compte. Les espèces sonnantes et trébuchantes étaient des pièces tels le sol, l'écu au soleil de trois grammes et demi, le louis d'or de sept grammes ou encore l'écu d'argent de vingt-sept grammes. Le lien entre la monnaie de compte et le numéraire en circulation était fixé par l'autorité royale. En 1647, le louis valait officiellement dix livres mais s'échangeait en vérité à vingt ; quant à l'écu d'argent, son cours était de trois livres. Le sac de Frégier contenait effectivement quarante-cinq mille livres, soit deux mille deux cent cinquante louis d'or de sept grammes. Il pesait donc plus de quinze kilogrammes.

— Je crois que nous avons tout, fit Gaufredi après avoir examiné à son tour le sac. Votre affaire est résolue. C'est certainement l'argent de la vente du clos Mazarin et vous avez retrouvé les lettres de provision.

Louis secoua la tête. Quelque chose n'allait pas.

— Pourquoi vingt-quatre lettres ? murmura-t-il.
Gaufredi ouvrit des yeux ronds.

— Pourquoi pas ?

On tapa à la porte, c'était le prévôt. Il parla de l'autre côté.

— On vient de m'avertir. Romani n'est pas mort, il a repris connaissance, mais il n'en a plus pour longtemps. Si vous vous dépêchez, vous pourrez encore l'interroger.

— Je savais bien que je ne l'avais pas tué ! claironna Gaufredi en se relevant. Finalement, je ne suis pas si vieux !

16

Matin du jeudi 16 mai 1647

La nuit n'en finissait donc pas. Louis, Gaufredi et le prévôt suivaient l'archer qui les guidait vers Romani. La lanterne que l'homme portait faisait ressortir plus de zones d'ombre que de lumière et l'on n'entendait que le bruit de leurs pas sur les pavés. Ils remontaient lentement la Grande-Rue-Saint-Jean au bout de laquelle ils apercevaient un peu de luminosité, vers l'échafaud.

La place des Prêcheurs était maintenant envahie de monde, malgré l'heure nocturne. Louis compta plus d'une trentaine d'archers, mais aussi des gardes du comte d'Alais et des soldats du régiment du Dauphiné. Quelques officiers du parlement aussi étaient là, venus aux nouvelles, habillés de noir et un affichant un visage grave et tourmenté. Sans doute parmi eux se trouvait le président de la Tournelle, la chambre criminelle, ainsi que le procureur du roi. Ils murmuraient et s'interrogeaient. Que se passait-il dans leur ville ? Tout le monde se tut en les voyant arriver. Romani était allongé à même le sol, à côté de l'échafaud. Il gémissait dou-

cement. Un homme était accroupi près de lui. Louis
s'approcha et reconnut le médecin.

— Comment va Gaston ? lui demanda-t-il, surpris de le voir là et non au chevet de son ami.

— Au mieux. Il a repris connaissance et il dort,
veillé par toutes les femmes de l'hôtel de M. de Raffelis.
À mon avis, il ne risque plus rien s'il ne bouge pas.

Il eut pourtant une grimace en montrant Romani.

— Je n'en dirais pas autant de lui. La balle lui
a brisé la colonne vertébrale. Il vient de reprendre
conscience mais il n'en a plus que pour quelques
minutes. Je ne peux rien faire pour lui. On a envoyé
chercher un confesseur.

Louis hocha la tête en signe d'approbation, il jeta
un coup d'œil circulaire et demanda au prévôt de faire
éloigner l'assistance. Il y eut quelques murmures de
désaccord, vite étouffés à coups de crosse de mousquet.
Ensuite, il s'accroupit près de l'aubergiste, avec, près
de lui, Gaufredi et le prévôt.

Romani ouvrit les yeux et, reconnaissant Fronsac,
eut un faible sourire sarcastique.

— Un prêtre ! balbutia-t-il. J'ai mal…

— Vous l'aurez, promit Louis. Mais avant vous
devez parler.

L'homme hocha faiblement la tête.

— C'est vous que Blanche de Naples avait prévenu de la mort de Frégier ?

Nouveau hochement, plus faible, accompagné
d'une fermeture des paupières.

— Et c'est vous qui l'avez tuée ?

Cette fois, l'affirmation implicite se fit uniquement
par les paupières.

— Et Balthazar Rastoin, le moine ?

— Oui. (Il râla.) Je vous avais suivis… Boniface l'a attiré… Je veux me confesser. Pitié !

Mais Louis n'avait pas pitié. Il voulait tout savoir.

— Et vous nous avez attirés dans votre auberge…

— Oui…

— Et les pénitents, toujours vous ?

— Oui ! murmura le mourant dans un gémissement d'agonie.

— Mais pourquoi tous ces crimes ? Vous aviez menacé Mgr Michel Mazarin avec Frégier, vous aviez obtenu de l'argent. Pourquoi avoir fait faire ces fausses lettres de provision ?

Une faible lueur traversa les yeux de Romani, mais il ne répondit pas. Le prévôt se leva pour s'éloigner un instant. L'aubergiste semblait inconscient. Lorsque le policier revint, il tenait une petite fiole que lui avait remise le médecin. Il la plaça entre les lèvres du mourant. Celui-ci parut reprendre vie.

— C'était… Frégier… il voulait toujours plus d'argent. Plus d'or… Il voulait les vendre. Pas moi. Mais, après sa mort… j'étais obligé… de tuer… ceux qui savaient…

— Combien y avait-il de lettres ?

— Vingt-cinq… Nous voulions les vendre… à dix mille livres… Elles en valaient cinq fois plus.

— Et Gueidon ?

— Il conseillait Frégier… pour la vente, puis il a voulu acheter toutes les lettres… je ne sais pas pourquoi… il n'a pas voulu parler…

Brusquement, il se raidit et expira.

Gaufredi plaça un doigt contre l'artère du cou. Au bout de quelques secondes, il déclara :

— Il est mort, monsieur.

— Justice est faite, conclut Louis sans indulgence ni compassion.

Ils se levèrent.

— Monsieur le prévôt, fit Louis, il me reste à voir Gueidon et à le faire avouer. Restez ici et remettez un peu d'ordre. Je vous raconterai ensuite tout ce que vous souhaitez savoir.

Sans attendre la réponse, il se dirigea vers l'hôtel de Pierre de Raffelis, suivi de Gaufredi.

Dans l'hôtel, tout le monde était éveillé et une animation insolite y régnait. Louis rencontra Raffelis dans sa bibliothèque, où il parlait avec des membres de sa famille venus s'informer.

— Gaston ? s'inquiéta Louis.

— Il va bien, assura le magistrat en se levant. Et notre prisonnier aussi. Voulez-vous le voir ?

Louis hocha la tête. Il se sentait pourtant tellement fatigué. Raffelis lui fit descendre l'escalier jusque dans l'entrée.

— Je l'ai placé dans une cave qui ferme à clé, expliqua-t-il. Sous les cuisines. On lui a donné à boire et votre ami Bauer garde sa porte. Il n'y a pas d'autre issue.

Ils arrivèrent dans les cuisines qui se situaient au rez-de-chaussée de l'hôtel. De là, un second escalier descendait vers les caves. Il y avait une première volée de marches, puis un palier. Sur celui-ci, ils virent Bauer, assis par terre, une lanterne posée près de lui. Il les avait entendus et leur fit un signe amical tout en mangeant de bon appétit une assiette de victuailles qu'on lui avait préparée. Il était placide, comme d'habitude, mais plusieurs épées et pistolets à portée de main rappelaient que ce Bavarois, apparemment bonhomme, restait **un** homme dangereux.

— Je n'ai pas mangé hier, s'excusa-t-il en les voyant arriver. Je risque de tomber malade.

Une porte à droite fermait le cellier qui servait de prison à l'avocat. Bauer se leva et, tout en avalant, il ouvrit la serrure. Louis entra dans le réduit, l'éclairant avec la lanterne. L'avocat était allongé sur le sol, ses yeux fiévreux grands ouverts. Il le regardait.

Louis referma soigneusement la porte après que Gaufredi fut rentré à sa suite.

— Maintenant, monsieur Gueidon, si vous voulez sauver votre tête, et plus encore, il faut avouer, le menaça-t-il. Et n'essayez pas de me mentir. J'en sais déjà trop. Sur le chantage, sur la mort de Frégier et de Rastoin, sur Daret et sur les lettres.

— Je n'ai jamais rien fait de répréhensible, monsieur. (C'était déjà l'avocat qui s'exprimait.) Je peux tout expliquer…

Il s'arrêta un moment pour choisir ses mots.

— … Un jour, il y a deux ans, Frégier est venu me voir. « J'ai besoin d'un témoin qui soit avocat », me dit-il.

» J'avais l'habitude de ses coups tordus et, plusieurs fois, je l'avais tiré d'affaire. En échange, il me laissait profiter de ses filles gratuitement, et parfois me donnait même un peu d'argent. Ce jour-là, je l'ai donc accompagné. Il m'a amené *Bouèno-Carrièro*, dans une petite pièce où il m'a expliqué que je devais être témoin d'un incident. Au bout d'un certain temps d'attente pendant lequel je restai seul, il vint me chercher et me fit signe de monter l'escalier. Nous pénétrâmes dans une chambre. Il y avait là Blanche de Naples, toute nue, et l'archevêque Mazarin, tout habillé. Frégier s'est mis à crier et à menacer, l'archevêque était affolé et, finalement, on lui a fait signer une reconnaissance de dette de cent mille livres. Il ne pouvait refuser tant le scandale aurait été grave.

» Le lendemain, je suis allé trouver le frère du ministre à l'archevêché, à la demande de Frégier. Il m'a déclaré ne pas avoir plus de cinq mille livres disponibles. Il donnait tout aux pauvres de la ville. Je lui ai dit de se débrouiller. Il avait six mois, après quoi le scandale éclaterait et sa reconnaissance de dette serait remise aux tribunaux. Je ne faisais que transmettre les instructions de mon client.

» Trois mois après, on était en février de l'année dernière, j'ai reçu un mot de lui. Il venait de recevoir des lettres patentes pour l'agrandissement de la ville. Il me proposait de les revendre. Mais il ne savait pas à qui ni comment. Alors j'ai cherché et, un jour où je parlais avec Balthazar Rastoin, chez Frégier, le moine nous a expliqué que l'Ordre de Saint-Jean-de-Jérusalem était très mécontent d'un agrandissement qui leur ferait perdre beaucoup d'avantages. Aussi, Frégier lui a demandé si les membres de l'Ordre ne pourraient pas racheter ces droits pour organiser eux-mêmes l'agrandissement. Balthazar a répondu qu'il se renseignerait.

» Une semaine plus tard, il est revenu pour expliquer qu'il avait évoqué le sujet avec le prieur. Mais l'Ordre n'avait pas l'argent. Par contre, le prieur lui avait indiqué, au cours de la conversation, qu'il connaissait un hérétique qui, lui, aurait bien été capable de l'avoir : le frère du banquier Hervart. Frégier m'a demandé d'aller le voir à Arles.

» Je l'ai rencontré plusieurs fois. Il ne voulait pas dépasser quarante-cinq mille livres. Or ces droits en valaient cinq fois plus et Frégier voulait cent mille livres. Je me rendais compte que l'affaire n'allait pas se faire, or Frégier m'avait promis dix pour cent. Sur cent mille livres, cela faisait de quoi m'acheter une charge de conseiller. J'avais besoin de cet argent, aussi j'ai proposé à Frégier de demander à Mgr Michel Mazarin de signer de fausses lettres de provision que nous revendrions discrètement. Finalement, sans autre solution, Frégier a accepté. La vente s'est faite en décembre par l'intermédiaire d'un prête-nom. Et le soir, les vingt-cinq lettres que j'avais rédigées furent signées par l'archevêque. On lui rendit, dès lors, sa reconnaissance de dette.

» Mais il s'avéra vite que la vente des lettres était moins facile que je ne l'avais envisagée. Elles n'auraient pris de la valeur que si un agrandissement du parlement était décidé. Et il y avait tellement d'opposants que ce n'était pas certain. On a donc essayé de les écouler à vil prix. J'ai tenté ma chance auprès de Daret, et Frégier a tenté la sienne avec Gaufridi, mais dans les deux cas sans succès. Alors, j'ai eu une autre idée. Plutôt que de faire passer ces lettres pour des vraies, il fallait faire connaître la fraude ! Et seul un ennemi du cardinal Mazarin pouvait m'acheter une telle manigance avec ses preuves ! À Marseille, je connaissais bien un homme qui avait été proche de Marie de Chevreuse durant la cabale des Importants, à la mort de Louis XIII. Je suis allé le voir et je lui ai demandé comment la contacter car j'avais une affaire à lui proposer. J'étais sûr qu'elle serait prête à acheter des papiers qui pourraient nuire au ministre. Deux mois plus tard, un homme s'est présenté chez moi. Un nabot effrayant. Il m'a dit être le marquis de Fontrailles.

— D'Astarac ! jura Fronsac entre ses dents.

— Vous le connaissez ?

— Oui, continuez[1].

— Je lui ai expliqué que je détenais vingt-cinq vraies-fausses lettres de provision pour des offices de conseiller, toutes signées de Mazarin. Qu'elles soient rendues publiques et le ministre serait balayé par le scandale ! D'Astarac m'a dit être prêt à me les acheter cinquante mille livres en or. Après quoi il m'a accompagné à Aix avec l'argent. Je devais lui remettre les lettres dans l'après-midi ; le matin, j'avais un rendez-vous important avec M. Gaufridi.

— Et alors ?

— C'était le jour de votre arrivée. Intrigué par votre venue, j'ai écouté à la porte lorsque vous étiez chez M. Gaufridi. Je me demandais qui vous étiez pour faire déplacer le comte d'Alais. Quand j'ai entendu que vous alliez voir Frégier, je me suis précipité dehors. D'Astarac logeait dans la rue Saint-Esprit, à l'hôtellerie *Le Lion et le Sarrasin*. Je l'ai prévenu et je suis revenu.

---

1. Louis d'Astarac, marquis de Fontrailles, fut l'âme de la conspiration de Cinq-Mars et joua un rôle fondamental dans la cabale des Importants aux côtés de Marie de Chevreuse. Dans la première entreprise, il chercha à tuer Richelieu et dans la seconde Mazarin. Petit et bossu, Richelieu l'appelait le Monstre (voir *Le Mystère de la Chambre Bleue* et *La Conjecture de Fermat*).

— Ainsi, c'est une pure coïncidence qui est la cause de la mort de Frégier ? Et nous avons failli descendre à cette auberge, soupira Louis. Quelle farce !

Il poursuivit :

— Vous n'êtes donc pas allé voir Frégier ?

— Non, c'est Fontrailles qui y est allé. Et pour une raison que j'ignore, lui ou un des hommes de main qui l'accompagnait l'a tué.

— La raison est pourtant évidente. Il ne voulait pas que Frégier nous parle. Ensuite ?

— Dans l'après-midi, j'ai revu Fontrailles. Il m'a dit devoir quitter Aix. Que Frégier n'avait pas chez lui les lettres et que c'était à moi de les retrouver et de les lui faire parvenir. Il m'a promis de m'envoyer alors cinquante mille livres.

— Et vous êtes allé voir Romani ?

— Non ! Voyez-vous, je ne connaissais pas le rôle de Romani. Je savais seulement que Frégier avait un complice, mais j'ignorais tout de lui. Le soir, je devais travailler avec le secrétaire de M. Gaufridi, j'ai pourtant pris le temps d'aller voir Balthazar Rastoin pour l'informer de la mort de Frégier et lui demander de me conduire à son complice. On m'a annoncé qu'il venait de partir. J'ai alors voulu rencontrer Blanche. Elle aussi avait disparu ! Je me suis donc rendu chez Daret. J'avais prise sur lui. Je lui ai dit d'engager quelques hommes et de vous faire peur pour que vous quittiez la ville rapidement. Vous me gêniez trop. Mais on ne devait pas vous faire de mal, juste vous effrayer. Après votre départ, j'aurais eu le temps de trouver le complice de Frégier et de lui expliquer calmement la situation.

— Seulement Daret a raconté une histoire invraisemblable à Dominique Barthélemy qui a essayé de me tuer. Pourquoi aurait-il agi ainsi si ce n'étaient vos ordres ?

— Je ne sais pas. Je vous jure que je ne lui ai jamais dit de vous tuer. Au contraire, je lui ai seulement dit de vous faire peur.

— Que lui avez-vous appris de plus sur nous ?

— Pas grand-chose. Je n'avais guère de temps, le secrétaire de M. Gaufridi m'attendait et nous avions beaucoup de travail. D'ailleurs nous avons dû partir le lendemain pour Marseille. J'ai juste répété ce que j'avais entendu : que vous étiez envoyés par Mgr Mazarin…

Il réfléchit un moment.

— Ah, oui ! Je lui ai dit aussi que vous aviez déclaré, en plaisantant, au comte d'Alais que votre domestique, Gaufredi, était l'oncle du président.

— Vous lui avez dit ça ?

— Oui. Il m'a d'ailleurs demandé de le décrire. Ce que j'ai fait. C'était facile, il ressemblait tant au président !

Louis hocha la tête, puis regarda Gaufredi, qui lui aussi avait compris. Daret s'était souvenu de l'agression qu'il avait organisée quarante ans plus tôt. À l'époque, il avait dû apprendre que sa victime était le bâtard des Gaufridi. Et il lui fallait se débarrasser de ces gêneurs. Par exemple en tuant celui qui dirigeait leur groupe. Il lança à l'avocat :

— Continuez plutôt…

— Le soir du bal, j'ai essayé de demander à Daret ce qui s'était passé, mais il est parti très vite après l'incident. Je suis alors rentré à *la Mule*. Et pendant la nuit, j'ai été garrotté par Romani et son cousin. Ils m'ont bâillonné et enfermé dans un grenier où ils m'ont battu.

Ils voulaient savoir pourquoi j'avais tué Frégier. Je leur ai dit que ce n'était pas moi, mais ils ne m'ont pas cru.

— Pourquoi ne pas avoir parlé des cinquante mille livres proposées par le marquis de Fontrailles ?

— J'étais entre leurs mains. Ils auraient pris l'argent et m'auraient tué.

Louis tiqua, mais l'avocat ne remarqua rien.

— Ensuite ?

— Ils m'ont laissé attaché sans eau ni nourriture pendant deux jours. Je les ai entendus comploter votre mort car ils pensaient que vous les soupçonniez. Ils ont essayé avec des truands déguisés en moines, je crois.

— En effet.

— C'était une idée de Romani : son cousin lui avait expliqué que des faux pénitents avaient déjà massacré quelqu'un à Aix ainsi, il l'avait entendu dire par le prévôt. Et il savait que Saint-Marc était le responsable présumé de l'affaire. Il s'était dit que le prévôt, après votre mort, enquêterait sur Puget et que personne ne le suspecterait. Comme ça n'avait pas marché, ils ont décidé de vous tendre un piège. Et par la même occasion, ils m'ont transporté d'abord dans l'hôtel de Simiane, puis ils m'ont placé sur l'échafaud, où ils comptaient m'y laisser mort. C'était un moyen de se débarrasser de mon corps.

Louis resta songeur un long moment. L'histoire se tenait et confirmait ce qu'il savait. Gueidon n'était pas l'adversaire redoutable qu'il avait soupçonné. C'était juste une petite fripouille. En fait, mis à part ses manigances, on ne pouvait lui reprocher que des délits mineurs. Des délits qui, certes, le conduiraient sûrement aux galères. Pourtant, sur l'échafaud, c'était lui qui l'avait averti du piège et il lui en était reconnaissant. Il ouvrit la porte.

— Bauer ! Libère provisoirement M. Gueidon et accompagne-le à la cuisine pour qu'il boive et se restaure. Gaufredi, trouve du papier, de l'encre et une plume.

S'adressant à l'avocat, il ajouta :

— Sous la surveillance de MM. Bauer et Gaufredi, vous allez mettre par écrit tout ce que vous venez de me dire. Je reviendrai plus tard chercher votre confession.

Fronsac quitta la cave et rejoignit Raffelis dans sa bibliothèque. Il le trouva en fait dans sa chambre où il lisait, assis à son bureau. En l'entendant entrer, le magistrat leva des yeux amicaux vers lui.

— Excusez-moi, monsieur le marquis. Après ces événements, je ne pouvais dormir, alors je me suis mis au travail.

Louis l'approuva en hochant la tête.

— Je voudrais voir Gaston, si c'est possible, demanda-t-il. Je crois que l'affaire est éclaircie. Vous pourrez assister à l'entretien si vous le désirez, mais tout devra rester confidentiel.

Ils allèrent dans la chambre qu'occupait le procureur. Celui-ci avait repris conscience et souriait béatement devant les trois jeunes femmes qui lui tenaient lieu de gardes-malade en babillant continuellement. Elles s'arrêtèrent, un peu intimidées, en voyant entrer Fronsac.

— Ah ! Louis ! Je commençais à être inquiet. Que s'est-il passé ?

— Beaucoup de choses. Mais toi, comment vas-tu ?

— La balle est ressortie de l'autre côté, m'a dit le médecin. Rien n'est abîmé sauf le muscle. J'ai juste perdu beaucoup de sang. Deux jours de repos, m'a-t-il affirmé, et je serai debout.

— Bien. Dans ces conditions, d'ici deux jours, nous partirons.

— Comment ?

De Raffelis demanda aux jeunes filles de sortir, ce qu'elles firent avec force murmures de protestation. Alors Louis raconta la découverte des lettres, de l'or ainsi que la confession finale de Gueidon.

— Ce serait donc Daret le plus coupable, à part Romani bien sûr, et Fontrailles que nous trouverons toujours sur notre chemin !

— Il semble. Vois-tu, quand Gueidon a raconté notre venue à Daret, il a glissé que Gaufredi était l'oncle du président de la Chambre des requêtes. Et Daret a reconnu dans le portrait qui lui était fait celui qu'il croyait mort depuis quarante ans. Par ailleurs, l'homme savait, ou suspectait peut-être, que Barthélemy était le petit-fils de Gaufredi. En tant que secrétaire de Saint-Marc, ami intime d'Oppède, il pouvait surprendre de tels secrets. Alors il a convaincu Dominique de me tuer. Il comptait peut-être faire éclater le scandale après, ou faire accuser Gaufredi, qui peut savoir ! De toute façon, on va connaître l'exacte vérité car je vais le faire arrêter ce matin.

— Et Gueidon ?

— Il m'écrit une confession. Je n'ai pas de délits bien graves à lui reprocher. Il connaissait le chantage contre l'archevêque, mais ce n'est pas lui qui l'a organisé. Finalement, je préfère étouffer cette affaire. Quant à mon agression, il n'avait pas prévu qu'elle tourne ainsi. Alors, qu'il aille se faire pendre ailleurs, il est inutile de mettre l'affaire en justice.

— Et s'il avait menti ? interrogea Gaston, suspicieux comme toujours.

— Mais il a menti ! affirma Louis, en se moquant.

Gaston ouvrit de grands yeux.

— Que veux-tu dire ?

— Il m'a expliqué que Fontrailles était reparti avec l'argent qu'il lui avait proposé pour les lettres de provision, mais un peu plus tard, il m'a déclaré qu'il n'avait pas parlé à Romani, de peur que l'aubergiste ne prenne l'argent. Donc l'or est ici et il espère bien le garder. De toute façon, je ne croyais pas que Fontrailles eût pu repartir ainsi. Ces cinquante mille livres n'étaient rien pour la Chevreuse. Il les a certainement laissées à Gueidon, à charge pour lui de trouver les lettres. Ainsi, ils le tenaient. Et cet or, Gueidon va me le remettre. Sa punition, ce sera de se débrouiller avec Mme de Chevreuse, qui lui réclamera ou les lettres ou l'argent !

On frappa à la porte. C'était le prévôt.

— Daret est mort. Il s'est pendu ce matin. Son domestique vient de me prévenir.

17

Du jeudi 16 mai au vendredi 31 mai 1647

Louis dormit quelques heures avant de retourner voir Gueidon. Il avait auparavant longtemps médité sur le rôle du marquis de Fontrailles dans cette énigme du clos Mazarin. Certes, Mme de Chevreuse était derrière la manigance mais Louis s'inquiétait aussi du rôle qu'auraient pu jouer d'autres adversaires de Mazarin, en particulier le coadjuteur de Paris, Paul de Gondi, son ancien compagnon au collège de Clermont. On lui avait en effet rapporté l'année précédente que Fontrailles s'était beaucoup rapproché de lui.

Après s'être lavé et habillé de linge propre, et surtout après avoir noué soigneusement ses rubans noirs à ses poignets, Louis retrouva Bauer et Gaufredi qui jouaient aux cartes dans les cuisines. Ils lui remirent la confession rédigée par Gueidon. Celle-ci reprenait intégralement ce que l'avocat avait déclaré.

Ils descendirent ensuite ensemble dans la cave. Il n'était pas midi quand ils pénétrèrent dans la sombre cellule. Gueidon, hirsute, sale et meurtri, était encore allongé sur la paillasse. Clignant des yeux pour essayer de reconnaître le visiteur, il se releva maladroitement. Louis remarqua que le misérable pouvait se déplacer sans trop de difficultés et il s'adressa à lui courtoisement, mais sans aucune aménité.

— Voici ce que j'ai décidé sur votre sort, monsieur Gueidon. Je suis prêt à vous libérer à deux conditions. Tout d'abord, il me manque une des lettres de provision. Je veux savoir où elle se trouve. Ensuite, vous allez me remettre les cinquante mille livres que vous a laissées le marquis de Fontrailles.

Gueidon blêmit. Louis remarqua que ses mains et ses lèvres tremblaient. Il se contrôla pourtant et protesta en balbutiant :

— J… j'ignore tout de cette lettre ! Frégier… les avait remises à… à Romani. Je le sais car il me les a montrées… quand j'étais prisonnier. Demandez… à Romani !

— Romani est mort. Il m'a pourtant avoué qu'il y avait vingt-cinq lettres. Il en manquait donc une dans le portefeuille que j'ai retrouvé chez lui.

— Je ne sais pas. Je vous le jure !

Le ton paraissait sincère. Louis s'y laissa prendre. Cette erreur devait coûter cher à la Provence.

— Bien. Parlons de Fontrailles, alors, dites-moi tout ce que vous savez sur lui.

— Je vous l'ai dit… Fontrailles est reparti avec l'or… Il n'a rien laissé. (L'avocat secouait la tête comme un diable.) Pourquoi l'aurait-il fait d'ailleurs ?

Mais sur ce point, Louis savait qu'il mentait. Il regarda l'avocat avec une grimace de lassitude et de tristesse. Ensuite, il eut un geste d'impuissance pour lui déclarer en soupirant :

— Je vous ai proposé un marché. Mais puisque vous ne pouvez me fournir les deux renseignements que je vous demande, je vous abandonne au prévôt et au procureur du roi. Ils ouvriront une instruction criminelle et vous administreront la question préliminaire dès ce matin. J'insisterai pour que l'on passe directement à la question préalable avec les coins car l'affaire est grave. Et si vous ne parlez pas, vous resterez estropié, puis je veillerai à ce que l'on vous envoie aux galères où vous ne vivrez pas vieux. Sachez que même sans vous, je saurai ce qu'a fait Fontrailles. Voyez-vous, je connais bien la duchesse de Chevreuse. Je vais lui écrire que j'ai retrouvé les lettres et elle me fera savoir si le marquis de Fontrailles vous a laissé l'argent. Un marchandage est toujours possible avec elle, surtout si elle désire étouffer la vérité. Simplement la tractation se fera sur votre dos.

Gueidon était livide. Visiblement partagé entre la crainte et la cupidité. Mais il comprit qu'il ne pourrait garder à la fois l'or et la liberté. Son corps entier donna l'impression de s'affaisser, de s'effondrer, et il murmura :

— Vous avez raison… J'ai l'argent… mais une partie seulement.

Il leva un regard amical vers Louis avant de proposer :

— Libérez-moi et je vous le ferai porter.

— Bauer. Coupe-lui un doigt, ordonna froidement Louis.

Bauer sortit un gros couteau de chasse de sa cuirasse et, le visage indifférent, s'avança vers l'avocat dont les yeux écarquillés occupaient maintenant tout son visage. Le Bavarois lui saisit violemment une main.

— Non ! Pitié ! hurla l'autre. Je vais vous mener où j'ai caché l'argent.

— Enfin ! Vous devenez raisonnable. Est-ce loin ?

— Non, c'est dans la ville. À quelques minutes d'ici.

Il était définitivement terrassé.

— Nous allons y aller maintenant, décida le marquis de Vivonne. Vous allez vous tenir entre Bauer, Gaufredi et moi. Si vous essayez de vous enfuir, le prévint-il, ils vous logeront une balle dans un genou. Est-ce compris ? Pourrez-vous marcher jusqu'au lieu où vous avez placé l'or ?

Gueidon se leva. Il faisait pitié : livide, décharné, hagard.

— Oui, monsieur.

Ils sortirent de la pièce.

De Raffelis les ayant entendus les rejoignit dans le porche de la maison.

— Avez-vous besoin d'aide, monsieur le marquis ?

— Non, et merci. M. Gueidon va nous mener quelque part. Nous serons de retour d'ici une heure ou deux.

— Prendriez-vous votre collation avec moi ? Ce serait un grand honneur. Un repas tout simple sans ma famille et mon entourage.

Louis hésita. Mais il est vrai qu'ils n'avaient plus d'auberge où aller. Et Gaston était logé ici.

— J'ai un peu peur d'abuser, hésita-t-il. Mais c'est d'accord… pourriez-vous alors inviter deux autres convives ?

— Certainement !

— Votre prévôt nous a aidés et il a maintenant le droit de savoir. J'aurais apprécié qu'il soit parmi nous ainsi que Dominique Barthélemy, qui se trouve chez M. Forbin-Maynier.

— Ce sera fait. Je vais immédiatement les faire prévenir.

Ils sortirent.

Le soleil était déjà haut dans le ciel bleu lavande. La chaleur et l'animation mercantile des jeux de la Fête-Dieu s'emparaient à nouveau de la ville. Tous les Aixois étaient dans les rues.

— Où allons-nous ? demanda sèchement Gaufredi à l'avocat, un pistolet à silex au poing, partiellement recouvert de son manteau.

— Au bout de la traverse Paradis. C'est un ancien cimetière. Je vais vous guider.

— C'est inutile, je le connais, répliqua le reître.

Ils contournèrent le palais par l'église de la Madeleine, puis descendirent la rue des Salins. Partout des marchands avaient installé leurs tréteaux et leurs étalages. Les mules, les chariots, les bœufs et les chevaux encombraient la chaussée déjà couverte de fumier et de boue malgré le nettoyage sommaire fait la veille par les *boueurs*, qui ramassaient le gros des immondices dans des charrettes pour les jeter de l'autre côté des courtines.

Avec la chaleur qui s'annonçait, l'odeur était suffocante.

Dans combien de temps auront-ils encore la peste ? songea Louis avec inquiétude.

Ils longèrent l'hôtel de Gaufridi et descendirent la Grand-Rue-Saint-Esprit fort lentement tant la cohue était importante. Bauer se tenait contre Gueidon, qui n'aurait pu s'éloigner d'un pas.

À droite, ils prirent la rue Bauvezet[1] également fréquentée par une multitude de badauds et de chalands. Pendant qu'ils se frayaient difficilement un chemin en jouant des coudes, Gaufredi expliquait à Louis, tout en surveillant l'avocat :

— Il y a trois ou quatre cents ans, cette rue Bauvezet était en dehors de la ville car la porte de Marseille se trouvait plus haut[2]. C'était en fait un sentier avec un petit belvédère d'où on avait une jolie vue sur la campagne. Un Aixois y fit construire une petite église : Notre Dame du Belvédère, qui devint en provençal Notre-Dame-De-Bauvezet. D'où le nom de la rue.

En haut, ils prirent à gauche pour déboucher sur une placette fraîche et curieusement propre.

— C'est ici que se trouvent les greniers de la ville. C'est la place de l'Annonerie-Vieille, poursuivit-il.

Là, ils tirèrent encore à gauche dans la rue de l'Aumône (rue de l'Aumône Vieille). Gaufredi, décidément intarissable, raconta encore que, dans le passé, se trouvait un couvent le long du chemin qu'ils suivaient, couvent où les mendiants pouvaient recevoir l'aumône. Et le nom était resté à la traverse. Il ajouta que c'est dans un bâtiment, aujourd'hui disparu, de cette même

1. Bédarrides.
2. La porte de Marseille a été détruite, mais il en reste la rue des Marseillais.

ruelle, qu'avait été signé l'acte d'union entre le Bourg Saint-Sauveur et la ville Comtale. C'était en 1357, précisa-t-il, l'année qui avait précédé l'attaque de la ville par le sinistre Arnauld de Cervole, l'Archiprêtre[1].

En bas de la rue s'ouvrait, à leur droite, un porche voûté qui traversait une maison. En levant la tête, on apercevait le plancher de l'étage. Le passage[2] aboutissait à un chemin de terre qui conduisait dans un vaste terrain vague sur lequel avaient été érigés, il y a bien longtemps, quelques petits monuments funéraires. Ceux qui subsistaient encore n'étaient que ruine. En bordure des maisons qui entouraient la parcelle, on pouvait aussi remarquer quelques maigres jardins maraîchers.

— Nous sommes dans un ancien cimetière, expliqua Gaufredi. D'où le nom de la traverse Paradis pour y accéder. Les Aixois ne le fréquentent guère.

— En effet, approuva Gueidon. Un de mes amis y possède la chapelle mortuaire de sa famille. (Il la désigna au fond de la parcelle.) C'est une des rares chapelles encore solides. Elle a une porte qui ferme à clé et dont j'ai fait une copie. Pour moi, c'est une sorte de coffre-fort à Aix, où je peux mettre en sécurité des papiers ou de l'argent. Les gens d'ici croient que je viens pour prier.

Ils le suivirent. L'herbe folle était assez haute, mais un étroit sentier était tracé jusqu'au monument, sans doute par les petits animaux sauvages qui hantaient le lieu. La grille qui le fermait était épaisse et solide. Gueidon sortit une clé de son pourpoint et

---

1. Voir *L'Archiprêtre et la Cité des Tours.*
2. Qui existe toujours !

ouvrit la serrure avec force grincements. Il entra dans
le caveau suivi de Louis. L'intérieur était minuscule et
on ne pouvait pénétrer à plus de deux.

La tombe était vide et triste, toutes les décorations
avaient été arrachées ou détruites. Sur le sol se trouvait un petit cruchon de faïence jaune, ébréché, avec
encore quelques fleurs séchées à l'intérieur. Gueidon se
retourna vers le chevalier, les paupières baissées.

— Il me faut desceller une pierre. Donnez-moi un
couteau.

— Laquelle ? Montrez-moi la pierre, ordonna
Louis avec méfiance.

L'avocat hésita, puis la désigna du doigt.

— Cette dalle.

Louis appela Bauer et fit signe à Gueidon de sortir. L'avocat resterait sous la garde de Gaufredi.

Fronsac expliqua ensuite au Bavarois ce qu'il
devait faire. Bauer sortit son couteau de chasse et le
passa dans la rainure de scellement de la pierre. La
dalle se souleva aisément. Il la tira à lui sans effort.
Une cavité assez large apparut dessous. Il y avait à
l'intérieur des dossiers ainsi qu'un gros sac de cuir aux
armes de la duchesse de Chevreuse.

Bauer tira la sacoche avec difficulté. Elle pesait
près de vingt kilogrammes et, après l'avoir ouverte,
ils constatèrent qu'elle était emplie de louis d'or et de
pistoles espagnoles. C'était apparemment la totalité
des cinquante mille livres laissées par le marquis de
Fontrailles. Il y avait aussi d'autres petites bourses
au-dessous ainsi qu'un beau pistolet ciselé en argent.
Bauer empocha le tout avec satisfaction.

Louis feuilleta longuement les documents, toujours à la recherche de la lettre manquante. Elle n'y était pas, donc Gueidon avait peut-être dit la vérité. Sur ce point en tout cas, il se trompait.

Ils sortirent avec le sac. Louis regarda longuement Gueidon dans un silence pénible. Il hésitait encore sur la décision à prendre. Pouvait-il en savoir plus sur Fontrailles ? Il en doutait maintenant. Gueidon n'était qu'un rouage et n'avait rien dû apprendre. Enfin, il se décida :

— Monsieur Gueidon, vous êtes une crapule. Mais j'ai retrouvé ce que je cherchais et cela ne m'apporterait rien de vous faire condamner. De toute façon, vous vous êtes toujours arrangé pour ne pas trop vous écarter de la loi et j'aurais trop peur de perdre mon temps à vous poursuivre. Je ne tiens pas à rester plus qu'il n'est nécessaire à Aix et à devoir témoigner à votre procès. Vous êtes donc libre et j'espère que vous vous ferez pendre ailleurs. Cependant, n'oubliez jamais que votre silence est le prix de votre liberté. Et de votre vie.

Gueidon le regarda, incrédule. Ensuite, il jeta un regard fou vers Gaufredi et Bauer, qui semblaient indifférents. Libre ! Il était donc libre ! Il ne subirait pas la question ! Il ne finirait pas sa vie aux galères ! Il s'éloigna un moment à reculons, et subitement s'enfuit en courant. Bauer se mit à rire en faisant un bruit tonitruant, ce qui effraya les chats qui hantaient le terrain vague et qui surveillaient la scène avec beaucoup de mécontentement.

— Peux-tu porter ce sac ? lui demanda Louis. Il est bien trop lourd pour moi.

Le reître mit la grosse sacoche sur son épaule. Gaufredi avait récupéré les petites bourses et le pistolet que le Bavarois avait posés entre-temps.

Ils rentrèrent tous fort satisfaits chez M. de Raffelis.

Ils étaient sept à table.

Les couverts avaient été placés dans le bureau du magistrat et ils pouvaient donc parler sans crainte ni contrainte. Gaston était confortablement installé sur un fauteuil, Bauer essuyait son assiette avec béatitude. Gaufredi et son petit-fils échangeaient quelques paroles à voix basse. Le prévôt, enfin déridé, venait d'écouter l'histoire complète de l'énigme – maintenant résolue – du *clos Mazarin* contée par le marquis de Vivonne.

Quand Louis eut fini de parler, Bauer intervint, ce qui était exceptionnel :

— Vous ne nous avez pas tout dit, monsieur le chevalier. Sur l'échafaud, vous saviez que c'était Romani le coupable, avant même que je vous l'apprenne. Par quel miracle…

— Il n'y a pas de miracle, Bauer, l'interrompit Louis en souriant. Jamais avec moi ! Simplement une déduction.

Tous attendaient l'explication, car Bauer avait raconté à Gaston et Raffelis ce qui s'était passé lorsqu'il avait ramené le corps de Romani.

— Je suis parti de l'idée – fausse – que Frégier avait été tué par son complice. Mais que ce complice aurait pu aussi être le maître de Frégier. Peut-être son commanditaire. Alors pourquoi n'aurait-il pas été le propriétaire de la maison de débauche du courtier en fesses ? J'ai demandé à maître Lagier de faire une enquête auprès des notaires aixois pour savoir à qui appartenait le bordeau de Frégier. Hier soir, vous vous en souvenez, j'ai reçu ce pli, apporté par son neveu.

Il le montra à l'assistance. Le pli contenait uniquement deux mots : *Pierre Romani.*

Il y eut un long silence d'admiration. Louis poursuivit :

— Évidemment, c'était insuffisant. Je connaissais le coupable présumé, mais il fallait le prendre sur le fait. C'est pourquoi j'ai décidé d'aller malgré tout au rendez-vous. Cependant, j'ai sous-estimé Romani. C'était un ancien soldat particulièrement redoutable. C'est d'ailleurs ce qui m'avait fait le soupçonner un peu plus tôt : vous souvenez-vous comme il avait – apparemment – perdu son sang-froid après l'attaque des pénitents ? Ce comportement était singulier pour un homme qui avait combattu vingt ans. Et puis, l'aprèsmidi où Blanche nous a quittés, il n'était pas à l'auberge, il était parti avec sa mule. J'ai songé qu'il était peut-être à sa recherche. Tout cela faisait beaucoup de coïncidences. Par contre, j'ai commis une erreur : lorsque Bauer a tué Boniface Romani, je n'ai pas tout de suite pensé qu'il était complice de son cousin, j'ai supposé que le notaire s'était trompé de prénom, ou peut-être que Boniface était envoyé par Forbin.

» Certes, quand Bauer a apporté le corps de l'hôtelier, j'ai immédiatement vu, à ses vêtements, que ce n'était pas Forbin. Ce ne pouvait être que notre aubergiste. Vous voyez, il n'y a rien de surnaturel.

Il ajouta avec sourire grimaçant :

— Pourtant, si j'avais été sûr de moi plus tôt, j'aurais deviné que Romani était encore dans les environs, et qu'il était dangereux. J'aurais dû penser que, s'il avait tué Blanche avec un mousquet, il pouvait recommencer. Et Gaston n'aurait pas été blessé. Vous voyez, je ne suis pas infaillible.

— Quand bien même, nous étions une cible facile, le rassura Gaston. N'importe lequel d'entre nous aurait pu être touché.

— Pour moi, tout n'est pas encore clair. Qui est ce marquis de Fontrailles ? demanda le prévôt. Et que vient faire ici Mme la duchesse de Chevreuse ?

— C'est une longue histoire, soupira Gaston. Louis d'Astarac, marquis de Fontrailles, est un nain bossu d'une laideur repoussante. Il est pourtant de bonne noblesse, il a de l'instruction et il est pourvu d'une intelligence prodigieuse. Mais c'est un démon au physique comme au moral. Il fut longtemps le pire ennemi de Richelieu à la suite de l'incident suivant : un jour le Cardinal se présenta chez un ambassadeur et trouva dans l'antichambre Louis d'Astarac. Il s'adressa alors à lui ainsi en le narguant : « Rangez-vous ! Ne vous montrez pas ! Cet ambassadeur n'aime pas les monstres ! »

» Après ça, Astarac a tenté plusieurs fois d'assassiner Richelieu. La première fois, ce fut à Amiens, il y a dix ans, avec la complicité de feu le comte de Soissons et de Gaston d'Orléans. L'entreprise avait échoué, mais Fontrailles était resté l'homme lige des deux princes de sang. En 1641, il s'était rapproché de *monsieur le*

Grand, le Grand Écuyer Cinq-Mars, et c'est lui qui avait manigancé le complot qui devait entraîner sa perte[1]. C'est Fontrailles qui avait apporté au roi d'Espagne le projet d'accord des conjurés. Quand Richelieu fut averti de la conspiration, Astarac alla voir le marquis d'Effiat pour lui conseiller de s'enfuir.

» « Je ne risque rien, mon ami, lui avait assuré ce dernier avec suffisance. Je tiens le roi !

» — Comme vous voulez, avait ricané le nabot, fort dépité, mais laissez-moi vous dire une chose : vous êtes grand, vous serez encore d'une assez belle taille lorsqu'on vous aura ôté la tête de dessus les épaules, mais en vérité, moi je suis déjà bien trop petit pour rester avec vous ! »

» Et, déguisé en capucin, il s'était enfui, vers l'Angleterre. L'année suivante, il revint en France. Louis le Juste et Richelieu étaient morts et il se rapprocha du duc de Beaufort, le fils du duc de Vendôme, pour éliminer Mazarin. Beaufort et sa maîtresse, l'inassouvissable duchesse de Montbazon, n'étant que des imbéciles sur qui il ne pouvait s'appuyer, il demanda l'aide de la duchesse de Chevreuse alors en exil à Bruxelles. Tous deux ont monté cette cabale contre le cardinal Mazarin – mais surtout contre la reine – que M. de La Rochefoucauld a nommée la cabale des Importants. Fontrailles publiait partout les vertus imaginaires de M. de Beaufort et de ses amis. Après la victoire de Rocroy par le duc d'Enghien, les Importants se sont effondrés. Il ne restait plus à Beaufort et à Astarac que

---

1. Voir *Le Mystère de la Chambre Bleue*, même éditeur.

de tenter d'assassiner Mazarin à la sortie du Louvre, sur le pont même où Concini avait été tué. Ils essayèrent et échouèrent grâce à mon ami Fronsac, qui avait pénétré la machination.

— Gaston exagère. Il est vrai que j'ai été mêlé à ces événements malgré moi, cependant mon rôle fut bien secondaire[1].

Louis ne souhaitait pas en dire plus. Et il savait que Gaston tairait le rôle du marquis de Fontrailles dans l'affaire d'espionnage qu'ils avaient résolue ensemble et qui avait failli ruiner les chances de la France au congrès de Munster[2].

— Mais la duchesse de Chevreuse ? Quel rôle joue-t-elle maintenant ? demanda de Raffelis.

Sur la duchesse, Fronsac pouvait parler plus librement. Tout le monde connaissait son passé de comploteuse.

— Marie de Chevreuse, vous le savez, a été de toutes les cabales contre feu le roi. Richelieu l'a finalement exilée et, à sa mort, Louis le Juste a imposé qu'elle ne rentrerait jamais en France. Las ! Mazarin et la régente l'ont laissée revenir, il y a quatre ans. Aussitôt remise dans les bonnes grâces de la reine, elle a commencé à dénigrer, à humilier et à discréditer Mgr Mazarin. En outre, elle faisait circuler de petits billets désagréables ou orduriers envers Anne d'Autriche. Lorsque la régente l'a su, et après la tentative d'assassinat dont Gaston vient de vous parler, Marie de Che-

---

1. Ces événements sont narrés dans *La Conjuration des Importants*.

2. Voir *La Conjecture de Fermat*, éditions J.-C. Lattès.

vreuse a dû quitter rapidement la France pour éviter la prison. Depuis, toujours en exil, elle garde des liens étroits avec l'Espagne. Ce sont les Espagnols qui ont dû donner les cinquante mille livres au marquis de Fontrailles.

» Si, avec cette somme, elle avait réussi à obtenir ces fausses lettres de provision, elle aurait pu gravement discréditer Mazarin, qui aurait sans doute perdu sa charge. L'Espagne en aurait été fort satisfaite et Marie de Rohan encore plus, car elle hait ce ministre qu'elle a jugé sot et qui pourtant l'a vaincue !

— Je comprends, fit le seigneur de Roquesante en hochant la tête pensivement.

Il aurait aimé en savoir plus, mais il se doutait que le marquis de Vivonne ne lui dirait rien d'autre. Finalement, il demanda :

— Qu'allez-vous faire maintenant, messieurs ?

— Nous partirons demain si Gaston peut voyager, décida Louis. Il vaut mieux quitter la ville avant les grosses chaleurs et, dans la voiture, il pourra se reposer. Auparavant, j'irai faire mes adieux à M. Gaufridi, au comte d'Alais et à M. de Forbin-Maynier ainsi qu'à sa tante. J'ai aussi une visite indispensable à faire à une dernière personne.

— Louis, ma jambe a été bien soignée et elle n'est plus douloureuse. Je préfère que nous restions un jour de plus à Aix, que nous vendions la voiture et que nous rentrions à cheval. Nous irons bien plus vite. J'ai hâte d'être à Paris.

Louis hésita.

— T'en sens-tu capable ?

— Tout à fait.

— Alors, c'est décidé.

— Et moi, proposa Raffelis, je suis prêt à vous acheter votre voiture, j'en cherche une et si elle me convient, nous pourrons faire affaire.

Gaufredi avait suivi la conversation de loin. Louis avait remarqué que depuis qu'il avait retrouvé son passé, il était plus distant, plus mélancolique, plus distrait aussi. Il s'adressa à lui.

— Ami, es-tu certain de vouloir rentrer avec nous ?

Le reître fronça les sourcils et jeta un regard interrogatif au marquis.

— Vous voulez donc vous séparer de moi, monsieur ?

— Évidemment pas, mon vieux camarade, je te dois trop depuis trop longtemps. Simplement, je me demandais si ta vie n'était pas ici maintenant. Avec ta famille.

Il montrait Dominique du regard. Le reître ne répondit pas. Louis continua en s'adressant à l'assistance :

— Il nous reste encore une chose à régler. Nous partagerons les diverses sommes saisies à Romani et à Gueidon. Ce sont des prises de guerre qui paieront nos frais. Restent les cinquante mille livres de Fontrailles…

Chacun attendait la suite et Louis poursuivit :

— Cet argent n'est plus à personne puisqu'il appartient sans doute à l'Espagne. Nous le partagerons en cinq. Chacun d'entre nous recevra dix mille livres, proposa-t-il à Gaston.

— Et qui est le cinquième ? demanda le procureur.

— Ce sera Dominique. Cela lui permettra de s'acheter une charge d'officier et de s'établir.

— Pensez-vous que je puisse rester ici ? Réellement ? demanda alors timidement Gaufredi.

— Sincèrement. Et quand tu désireras revenir à Paris, si cela arrive, alors tu t'installeras à Mercy, chez moi, où tu auras toujours une place. Tu m'as laissé tes économies en garde. Je sais qu'il y a près de dix mille livres. Je vais donc te laisser ma part en plus de la tienne. Je me paierai sur ton argent et je t'enverrai un décompte. Par maître Borrilli.

Gaufredi regarda son neveu, hésitant. Puis ses amis. Mais sa décision était prise. Il resterait à Aix. Après quarante ans d'errance, il finirait ses jours chez lui. Et riche. Il pourrait acheter une maison et y vivre avec son petit-fils, et peut-être un jour, ses arrière-petits-enfants.

— Il reste encore les quarante-cinq mille livres de Mazarin, fit observer le prévôt.

— Ceux-là, je m'en charge, assura Louis.

En début d'après-midi, accompagné de Bauer et Gaufredi armés jusqu'aux dents, Louis se rendit à cheval chez le notaire Borrilli.

Ils laissèrent leurs montures dans la petite écurie contiguë à la maison du notaire, sous la surveillance d'un gros palefrenier au visage rubicond. Ils se firent ensuite ouvrir la porte et demandèrent à voir le notaire.

Bauer portait deux lourdes sacoches qu'il avait transportées en croupe sur son cheval. Maître Borrilli les reçut d'autant plus vite qu'il avait hâte de savoir ce que venait encore lui demander l'intendant de justice ! Il les fit asseoir dans sa bibliothèque et leur fit servir du vin cuit.

— Avez-vous vu la personne dont je vous ai parlé, monsieur le marquis ? s'enquit le notaire avec un peu d'inquiétude.

— Je l'ai vue, je lui ai parlé et tous les mystères ont été résolus, maître, mais je ne reviens pas vous voir à ce sujet. Je désire aujourd'hui faire un acte notarié. Mes amis seront les témoins. Il s'agit d'un acte extraordinaire que vous garderez dans vos papiers les plus secrets. Vous le rédigerez seul, ici et devant nous. Seul vous en garderez connaissance.

Il se leva.

— Bien, comme vous voulez…

Le notaire était évidemment interloqué par le cours des événements.

Dans un lourd tintamarre de ferraille, Fronsac posa la double sacoche sur une table devant eux.

— Il y a là-dedans quarante-cinq mille livres. L'acte doit préciser qu'elles sont à remettre à Mgr Michel Mazarin. En paiement des droits sur le *clos Mazarin*.

— Mais je croyais que tout avait été déjà payé ?

— Vous vous trompez, fit sèchement Louis. Là est le paiement. Unique, définitif et intégral.

— Et qui est le remettant ?

— Il n'y en aura pas. Il s'agit d'un don anonyme.

Le mot de surprise est bien faible pour décrire l'attitude qu'eut le notaire. Pourtant, docilement, il s'installa à la table, se saisit de papiers et de plumes et se mit à écrire. Deux ou trois fois, il demanda une précision à Louis, puis le pria de relire l'acte. Louis acquiesça, fit signer les témoins et réclama un double. Quand tout fut terminé, le marquis de Vivonne prit le double, le glissa dans son pourpoint et laissa l'argent. Ensuite, choisissant à son tour plume et papier, il écrivit :

Monseigneur,
Frégier, Romani et Blanche de Naples sont morts. Les lettres de provision ont été retrouvées et seront détruites par votre frère.

Il ne signa pas, ferma le pli et, ayant fait chauffer un morceau de cire du notaire, il plaça son cachet de cire sur le billet. La seule trace qu'il y aurait.

— Pouvez-vous faire porter cette somme à Mgr Mazarin ? Ainsi que ce billet. Il est en ce moment à l'archevêché m'a-t-on dit.

— Je vais y envoyer sur-le-champ quatre laquais et mon premier commis qui ont l'habitude de ces transports, approuva le notaire qui ne tenait pas à garder le sac d'écus trop longtemps.

Ainsi, tout rentrerait dans l'ordre, jugea le marquis de Vivonne. Et plus tard, personne ne saurait rien. Jamais.

Le vendredi fut consacré aux préparatifs du départ.

M. de Raffelis et Bauer se rendirent à l'hôtellerie de *la Mule Noire*. La voiture convenait au magistrat et Louis la lui vendit le prix qu'il l'avait payée. Il lui céda aussi deux chevaux. Bauer se chargea de leurs affaires et ramena leurs bagages dans la maison de la Grande-Rue-Saint-Jean, où ils devaient loger jusqu'à leur départ fixé au lendemain.

Pendant que Gaston restait en galante compagnie à se reposer, Louis, accompagné de Gaufredi et de son petit-fils, se rendit chez le président de la Chambre des requêtes. Il lui raconta seulement une partie des événements. Il n'était pas nécessaire qu'il sache tout. Ensuite, il lui expliqua qu'il rentrait à Paris, l'énigme du clos Mazarin étant résolue. Enfin, il lui parla de son ami.

— Votre oncle restera à Aix avec son petit-fils. Aidez-les si vous le pouvez, lui demanda-t-il.

L'oncle et le neveu tombèrent dans les bras l'un de l'autre. Gaufridi appela son fils, Jean-François, un jeune homme de vingt ans environ et il lui expliqua la situation. En ces temps encore féodaux où les clans familiaux jouaient un grand rôle, deux hommes solides de plus leur seraient utiles. Louis savait qu'ils seraient acceptés. Il poursuivit :

— Dominique courtise la fille du secrétaire de votre ami Beaumont. Jusque-là sans succès car le père s'y oppose. Mais il est riche maintenant, il pourra acheter une charge dès qu'il s'en libérera une, il en a les compétences et désire devenir conseiller.

— Je parlerai à Beaumont et à son secrétaire, assura Jacques Gaufridi. Il n'y a aucune raison pour que ce mariage n'ait pas lieu et il resserrera les liens entre nos deux maisons.

Louis repartit seul. Les Gaufridi avaient tant à se dire.

Après cette visite, Louis avait décidé de rencontrer une dernière fois Forbin-Maynier. Mais il voulait encore un peu réfléchir à ce qu'il lui dirait. Il se rendit donc au couvent des Minimes où il demanda au frère concierge à être conduit sur la tombe de son ami, Jean François Niceron, qui y était enseveli depuis un an[1].

Il resta là quelques minutes à méditer en se remémorant le jeune mathématicien qui l'avait aidé tant de fois.

Puis il se rendit à l'hôtel du baron d'Oppède.

Il fut reçu immédiatement chez Forbin-Maynier, qui l'accueillit plutôt aimablement.

— J'ai appris que vous aviez retrouvé les lettres, lui dit le magistrat avec un peu de dépit dans la voix.

— Les nouvelles vont vite, fit semblant de s'étonner Louis.

— Je suis bien informé. Il suffit de payer, répliqua le baron avec cynisme. J'ai appris aussi que vous partiez en laissant beaucoup de cadavres derrière vous.

— Je n'y suis pour rien, monsieur le baron.

— Alors, bon voyage, monsieur. Et essayez de convaincre votre ministre de ne pas agir contre nous.

Louis secoua la tête.

---

1. Voir *La Conjuration des Importants*, même éditeur.

— Je n'essaierai même pas, monsieur le baron. Mais je connais suffisamment ce ministre pour vous dire qu'il n'attend de vous que votre amitié et votre fidélité. Aimez-le et servez-le, et votre fortune sera assurée. J'interviendrai auprès de lui s'il le faut et, si vous en avez besoin, vous pourrez toujours faire appel à moi.

Forbin-Maynier ne répondit pas. Cinq ans plus tard, il devait se souvenir de la recommandation de Louis. Pour la suivre.

Enfin, le marquis de Vivonne se rendit chez le gouverneur de Provence, dans le Palais Comtal. Ce fut une simple visite de courtoisie. Alais n'avait vraiment pas apprécié la venue de Fronsac, mais il était trop grand seigneur pour avoir affiché son opinion. Le départ de cet intendant de justice était pour lui un soulagement, mais il voulut donner l'impression de n'y accorder aucun intérêt. Quant à la réussite de la mission du marquis, elle ne pouvait que lui profiter.

Après quoi, Louis revit Claire-Angélique. Elle avait changé et le bonheur était dorénavant inscrit sur son visage.

Ils partirent le samedi matin.

Au début, ils voyagèrent lentement car la blessure de Gaston le faisait encore souffrir, cependant au bout de quelques jours, le rythme et la longueur des étapes s'allongèrent. À la fin du mois de mai, ils aperçurent les murailles en ruine de la capitale et les tours de Notre-Dame.

Leur première étape fut bien sûr au Palais-Royal. Mazarin les reçut immédiatement, renvoyant les visiteurs qu'il avait. Louis ne reconnut pas le ministre tant il avait l'air épuisé, amaigri.

— Alors, monsieur Fronsac ? lui jeta-il, les yeux fiévreux.

— Voici les lettres, monseigneur. Vingt-cinq ont été écrites, je n'en ai hélas retrouvé que vingt-quatre.

Mazarin eut une grimace d'insatisfaction. Louis poursuivit, impassible.

— J'ai cependant récupéré les quarante-cinq mille livres de la vente du clos Mazarin. Je les ai rendues à votre frère avec un mot anonyme. Il n'a plus rien à craindre. Tous ceux qui ont participé au chantage contre lui sont morts. Sauf un, mais celui-là ne dira jamais rien.

— Morts ? Vous les avez tués de sang-froid ? s'offusqua le ministre.

Mazarin préférait payer que tuer. Il répugnait au sang et détestait la violence gratuite.

— Non, rassurez-vous, sourit Gaston. L'un d'entre eux a tué ses complices, un autre s'est suicidé, les derniers sont morts en nous combattant. Légitime défense !

— Bien. Bien.

Un faible sourire éclaira le visage de l'Italien.

— Vous m'apportez un soulagement. J'ai tellement de difficultés ici que je n'aurais pu tenir si cette affaire s'était retournée contre moi.

Il ouvrit un tiroir.

— Voici cinq mille livres, monsieur Fronsac. Ce n'est pas un paiement, je vous l'ai déjà fait, c'est juste une récompense.

— Et ceci est un mémoire complet que nous avons écrit pendant le voyage. Tout y est dit, déclara Louis en empochant l'argent.

— Merci. Je le lirai avec attention, et je le détruirai. Aucune trace ne devra être laissée de cette affaire. Je compte aussi sur votre discrétion.

Louis hocha la tête en concluant :

— Deux hommes nous ont aidés : le prévôt d'Aix et un magistrat intègre, M. de Raffelis.

— Je ne les oublierai pas, assura Mazarin.

Gaston rentra chez lui et retrouva sa maîtresse. De son côté, Louis se rendit à l'étude de ses parents, mais ils étaient à Mercy et son frère gardait l'étude. Il se reposa un peu et repartit chez lui. Une nouvelle journée de voyage accompagné de l'impassible Bauer. Le soir, il était en vue de sa seigneurie.

Son retour fut fêté. Bauer mangea et but toute la nuit. Louis dut raconter en détail ses aventures à Julie, à ses parents et à Margot Belleville, son intendante, ainsi qu'à l'époux de celle-ci, Michel Hardoin. Mais sans donner trop de détails ou de noms.

C'est là qu'il apprit de la bouche de Julie les raisons de la fatigue du ministre : aux complications du congrès de Munster, aux difficultés de financement de l'État, aux grondements du peuple pressuré, à la sédition permanente des Grands, s'ajoutait désormais une querelle religieuse associée à une opposition parlementaire. En janvier, le pape avait condamné comme hérétique une partie de l'ouvrage d'Antoine Arnaud que Louis avait apprécié et médité quatre ans plus tôt : *De la fréquente communion*. La réponse des jansénistes à la bulle papale, un pamphlet terrible, avait été brûlée en place de Grève pour satisfaire le Saint-Siège.

Cette intrusion de la papauté dans les affaires de la France n'avait pas été tolérée par le Parlement, dont la majorité des membres était déjà janséniste. Depuis trois semaines, ils exigeaient une intervention du roi, donc de Mazarin. Pour Broussel, chef de file des parlementaires, le pape n'avait pas à réduire l'autorité du roi en donnant des ordres en France. Et sous sa direction, le Parlement venait de rendre un arrêt cassant la bulle papale.

Ainsi, Mazarin était attaqué sur tous les fronts.

Durant les mois suivants, il réussit cependant à biaiser, à approuver les uns sans trop contrarier les autres, à *combinazioner* comme il disait et, l'affaire d'Aix oubliée, il put à la fois satisfaire provisoirement le Parlement en acceptant qu'il casse la bulle papale, mais aussi contenter le Saint-Siège en interdisant la publication de l'arrêt parlementaire.

Le pape lui en sut finalement gré et, le 7 octobre 1647, Michel Mazarin, archevêque d'Aix, devint enfin cardinal.

Louis avait gagné vingt mille livres, soit deux années de revenu de son domaine, grâce à cette enquête. Et Dieu sait s'il en avait besoin. Il put faire construire un pont sur l'Ysieux, une église dans le village de Mercy et enfin meubler sa maison.

C'est à Mercy justement que Louis apprit, par une visite que lui fit Gaston, l'arrestation de Louis d'Astarac ! Le marquis de Fontrailles, qui avait organisé le complot de Cinq-Mars, qui avait tenté de tuer le roi puis son ministre Mazarin, qui avait dirigé le réseau d'espionnage de l'Espagne, venait d'être enfermé à la Bastille !

Sous le ministère de Richelieu, on aurait assisté à un procès exemplaire suivi d'une exécution publique. Mais il n'y avait guère que des présomptions sur les crimes de Fontrailles – encore que cela n'aurait pas arrêté le Grand Satrape ! – et le marquis d'Astarac gardait beaucoup d'amis puissants, comme la duchesse de Chevreuse, Paul de Gondi, M. de La Rochefoucauld et surtout Monsieur, l'oncle du roi.

À dire vrai, ces gens-là n'étaient pas tous ses amis, mais ils savaient que si un procès avait lieu, Fontrailles parlerait et que ce serait à leur détriment. Ils intervinrent donc auprès de Mazarin et de ses proches, en particulier en s'adressant à M. de Chavigny.

Le Parlement lui-même prit la défense du républicain Fontrailles et le cardinal avait trop de difficultés pour rester rigide. Il négocia et, finalement, Fontrailles fut libéré à la fin de l'année.

Cet emprisonnement ne le corrigea point car, un an plus tard, il se plaça à la tête des premiers frondeurs. Lors de la journée des Barricades – en août 1648 – il se retrouva au côté du coadjuteur et fut blessé au bras. Ensuite, il aida le duc de Beaufort à s'évader de Vincennes, puis organisa la Fronde contre le roi.

Petit à petit, l'énigme du *clos Mazarin* se dissipa dans la mémoire du marquis de Vivonne. La lettre manquante semblait avoir été définitivement perdue et il pensait ne plus jamais en entendre parler. Il y eut d'autres enquêtes et d'autres affaires à résoudre, sans compter qu'il devait aussi regarder ses enfants grandir.

Condé eut d'autres victoires et Mazarin d'autres ennemis.

Gaston retrouva Armande de Brie et l'épousa, mais ceci sera conté dans une autre histoire.

Pourtant Louis avait tort d'oublier. La lettre n'était pas perdue et sa réapparition devait plonger la ville d'Aix dans une guerre civile, sinon atroce, en tout cas picrocholine, qui devait durer trois ans.

ÉPILOGUE

L'énigme du clos Mazarin résolue et les fausses lettres (presque toutes) retrouvées, le Premier ministre crut qu'il avait toute liberté pour agir à sa guise. En octobre 1647, quatre mois après le retour de Fronsac, il créa à Aix un second parlement en doublant le nombre de charges existantes. Sept postes de président et quarante-cinq charges de conseiller furent ainsi mis en vente. C'était une opération financière prodigieuse. Il est vrai que l'extension du parlement d'Aix était en partie justifiée par l'accroissement futur, mais présumé, de la ville avec le nouveau quartier Mazarin.

Seulement les magistrats étaient payés par les parties en litiges. Comme le nombre d'affaires judiciaires n'avait pas augmenté, la valeur des charges de l'ancien parlement s'effondra d'autant.

Il fut donc décidé que le nouveau parlement siégerait en alternance avec l'ancien. Chacun traiterait à son tour les affaires judiciaires pendant un semestre et la nouvelle chambre, à laquelle on adjoignit la Chambre des requêtes déjà existante et dont Gaufridi était président, fut appelée le parlement Semestre. Jacques Gaufridi en fut nommé président.

À la fin de l'année 1647, le prix du grain augmenta encore et la population aixoise connut la faim. Le mécontentement gagna donc toutes les classes sociales.

Déjà, tant à Paris qu'en province, des troubles éclataient un peu partout, toujours pour les mêmes raisons : les hivers étaient de plus en plus froids, les récoltes de plus en plus mauvaises, les impôts de plus en plus lourds.

Avant de relater les bouleversements qu'allait connaître la ville d'Aix, il nous faut brièvement rappeler les terribles événements qui marquèrent, à Paris, l'année 1648.

À la recherche d'argent à tout prix, le surintendant des Finances, Particelli d'Emery, décida début janvier de créer douze nouvelles charges de maîtres des requêtes.

Le Parlement s'y opposa à l'unanimité de ses membres ; aussi, le 15 janvier 1648, le jeune roi décida un lit de justice pour imposer sa loi et, chose extraordinaire, pour la première fois les magistrats protestèrent et refusèrent la décision royale !

Toutes les chambres, ainsi que les compagnies judiciaires : le Grand Conseil, qui réglait les problèmes administratifs, la Cour des comptes, qui traitait des sujets financiers, et la Cour des aides qui avait en charge la fiscalité, s'allièrent pour décider de délibérer en commun sur la réforme de l'État. Ce fut l'*arrêt d'Union*.

Le roi cassa cet arrêt.

Les magistrats passèrent outre et, en juin, décidèrent de donner une *Constitution* à la France. En juillet, les 27 articles de cette loi étaient prêts. Devant la détermination tant des parlementaires que de la noblesse et du peuple de Paris, la régente, Anne d'Autriche, dut céder sur les conseils de son ministre.

À l'automne, une chanson circula dans Paris :

> *Un vent de Fronde*
> *S'est levé ce matin*
> *Je crois qu'il gronde*
> *Contre le Mazarin.*

C'était la révolution. On la nomma la Fronde.

Tout le monde attaqua alors le ministre Mazarin affaibli. Les Grands, vaincus depuis la cabale des Importants, relevèrent la tête. Déjà en juin, le duc de Beaufort, l'artisan principal de la cabale, celui qui avait tenté de tuer le Premier ministre sur le pont dormant du Louvre le 30 août 1643, s'était évadé du fort de Vincennes où il était enfermé[1]. Paul de Gondi, coadjuteur de Paris et ancien condisciple de Louis Fronsac au collège de Bourbon, prit la tête de l'agitation populaire.

Le 26 août, la reine fit arrêter Broussel, un vieux parlementaire considéré comme l'âme de la révolte.

Paris se couvrit aussitôt de barricades et Broussel fut finalement libéré. Les échauffourées se poursuivirent cependant tout l'automne. M. de La Rochefoucauld et sa maîtresse, la duchesse de Longueville, la propre sœur du prince de Condé, rejoignirent les parlementaires en révolte autour du duc de Beaufort et du coadjuteur. Le prince de Condé avait refusé de se joindre à ce qu'il appelait avec mépris une *guerre de pots de chambre* !

---

1. Voir *La Conjuration des Importants*, même éditeur.

Le 5 janvier 1649, le jeune roi dut s'enfuir de Paris, dans la nuit, sous la protection de son cousin Condé, avec le reste de la petite cour qui lui était demeurée fidèle. Il avait dix ans et s'en souviendrait toute sa vie.

La guerre civile allait durer trois ans et être marquée par des renversements d'alliance incessants.

Pourtant, malgré cette situation insurrectionnelle, Jules Mazarin venait de remporter une formidable victoire : le 24 octobre 1648, la maison d'Autriche avait finalement signé le traité de Westphalie. L'œuvre de Richelieu, poursuivie par Mazarin, était enfin accomplie. C'était la fin de la guerre de Trente ans en Europe et c'est la France qui l'avait gagnée.

En mars 1648, Philippe Gueidon revint à Aix.

Il pensait avoir été oublié et il avait conservé par-devers lui la vingt-cinquième lettre de provision pour un poste de conseiller. Il avait décidé de tenter de l'utiliser pour obtenir une charge.

Le 18 mars, comme il en avait l'habitude, il descendit à l'hôtellerie de *la Mule*. Mais ce qu'il ignorait, c'est que l'affaire des fausses lettres avait été quelque peu ébruitée et que certains, à Aix, voulaient se procurer le précieux et dernier document, toujours pour entraver l'action de Mazarin.

Dans la soirée, un groupe de trente conjurés masqués venus de la Plate-Forme pénétra dans la grande salle de l'auberge où Gueidon mangeait tranquillement des pieds de porc farcis. Ils tinrent tout le monde en joue et l'un des mystérieux agresseurs s'avança vers l'avocat terrorisé. Il lui perça la poitrine d'un coup de baïonnette. Après quoi, l'assassin le fouilla et lui prit les papiers qu'il portait sur lui.

Gueidon mourut quelques jours plus tard.

L'un des assassins fut cependant capturé par le prévôt. Questionné, il refusa de parler et, jugé par l'ancien parlement, il ne fut pas condamné.

La fausse lettre de provision avait, elle, mystérieusement disparu.

Mazarin apprit le crime et devina le danger qu'il courait. Ce document égaré – en fait conservé par Gueidon – pouvait le gêner terriblement. Une fois n'étant pas coutume, il utilisa la force en exilant les conseillers qui avaient protégé les assassins de Gueidon, car il devinait que c'étaient eux qui possédaient le fâcheux document.

Quant au nouveau parlement Semestre, il devint sur son ordre le parlement officiel. L'assassinat de Gueidon devait dès lors être à l'origine de nouveaux troubles, encore plus graves, en Provence.

Ce que Mazarin ignorait, c'est que c'est Forbin-Maynier qui disposait en réalité de la fameuse lettre. On la lui avait remise alors même qu'il avait refusé de participer au complot et au crime contre l'avocat. Mais maintenant, c'était lui qui dirigeait l'opposition des parlementaires.

Le baron d'Oppède réunit alors plus de deux mille hommes en armes et fit savoir au ministre qu'il disposait de cette fausse lettre de provision, signée par son frère l'archevêque. Cependant, il informa aussi Mazarin qu'il ne recherchait pas l'affrontement et il lui proposa une transaction : la suppression du parlement Semestre ainsi que le remboursement des charges.

Colmarduccio, toujours prêt aux négociations, suivit son précepte habituel : *Tout accommodement est facile pourvu qu'on puisse le faire pour de l'argent.* Il accepta d'autant plus vite que les premiers troubles de la Fronde débutaient à Paris. Par précaution, il demanda cependant à son frère de quitter la ville d'Aix pour Rome. C'est là d'ailleurs que celui-ci devait mourir à la fin de l'année 1648.

Mais Gaufridi et les nouveaux membres du parlement Semestre refusèrent les remboursements proposés. Ils demandèrent au contraire à être incorporés dans l'ancien parlement. Ce que rejetèrent à leur tour Forbin et ses alliés.

Alais décida alors d'utiliser la force. Le gouverneur fit entrer des troupes dans la ville, après quoi, il nomma lui-même les consuls d'Aix, supprimant ainsi l'élection municipale traditionnelle.

Une rumeur incroyable se répandit rapidement dans la capitale de la Provence quant à l'arrivée de bourreaux turcs chargés spécialement de s'occuper d'Oppède et de ses amis. Les bourreaux n'étaient en fait que des acteurs et les potences des décors pour une pièce de théâtre !

Dans ce contexte de fureur et de tumulte, le mardi 18 janvier 1649, un des hommes de Saint-Marc regarda insolemment le gouverneur de Provence sur la place des Prêcheurs en refusant d'ôter son chapeau sur son passage. Interpellé sous le Portalet, l'ancienne porte de la ville qui se trouve toujours sur la place, l'impertinent y fut blessé après une brève échauffourée avec des soldats.

L'effervescence gagna dès lors rapidement toute la ville, dont les notables s'armèrent. Le comte d'Alais plaça par précaution deux régiments de gardes sur la place, devant le palais.

Le lendemain, c'était le jour de la Saint-Valentin, l'émeute éclata durant la procession qui avait lieu chaque année pour honorer ce saint. Dans la nuit, les magistrats aixois hostiles à Mazarin s'étaient réunis sous la direction du baron d'Oppède, qui avait fait distribuer de l'argent à la populace pour être certain de son soutien.

Les parlementaires armés se précipitèrent au palais, pourtant protégé par les deux régiments. Au vu de la foule en délire dirigée par les magistrats, les soldats prirent peur et se réfugièrent à l'intérieur de l'édifice. Alais, pris au piège, fut assiégé dans ses appartements. Toutes les rues environnantes furent rapidement couvertes par des barricades tenues par Forbin, Saint-Marc et Rascas du Canet, l'époux de Lucrèce de Forbin-Soliès, *la Belle du Canet*.

Une négociation commença alors, pour laquelle Gaspard de Venel servit d'intermédiaire entre les deux factions. Alais dut finalement capituler et fut fait prisonnier par les rebelles. Il resta enfermé en otage dans le Palais Comtal alors que ses troupes devaient quitter la ville.

Pendant ce temps, les maisons des officiers du Semestre furent pillées par la populace. La maison de Jacques Gaufridi fut attaquée, saccagée et sa bibliothèque brûlée. Forbin-Maynier eut pourtant le temps de le faire prévenir par Dominique Barthélemy et il put quitter la ville et la Provence. Il devait en rester exilé durant plusieurs années.

La plupart des autres officiers *Semestres* subirent le même sort.

L'ancien parlement reprit tranquillement sa place. Alais accepta, sous la contrainte, que le parlement Semestre fût supprimé et que les nouveaux consuls d'Aix, qu'il avait pourtant nommés, soient chassés.

Au même moment, à Paris, le jeune roi s'était enfui de la capitale et se trouvait à Saint-Germain, abandonné de tous et dans un dénuement proche de la misère. L'anarchie s'étendait dans tout le pays et il n'y avait plus de pouvoir en France.

Mazarin négocia.

Cette année-là, il négocia sur tous les fronts et, comme il savait si bien le faire, il recula souvent, biaisa autant qu'il put, promit beaucoup et ne respecta que peu. Comme il devait l'expliquer plus tard à son filleul le roi : *Il ne faut pas que Sa Majesté ait aucun scrupule de se raccommoder avec des gens qui lui ont fait du mal… La règle de conduite ne doit jamais être la passion mais l'intérêt de l'État.* Des négociations eurent même lieu à Paris avec les parlementaires provençaux en présence de Mazarin et du prince de Condé qui menaça les rebelles de les faire périr à coups de bâtons s'ils continuaient à décrier le comte d'Alais. Le prince chassa d'ailleurs les Aixois de la capitale et Mazarin dut reprendre les négociations dans son dos. Elles aboutirent finalement en mars 1649 à une amnistie envers les rebelles.

Durant les deux mois de troubles, le comte d'Alais était enfermé dans ses appartements. Encoffré, dira-t-on.

Après le *traité de paix*, les Aixois le libérèrent. En sortant, il déclara avec arrogance et courroux :

— Les Bourbons sont avares et cléments, les Valois sont libéraux et vindicatifs.

C'était une déclaration de guerre contre la ville d'Aix.

Aussitôt dehors, le comte rassembla ses fidèles et les anciens membres du parlement Semestre. Tout juin, il parcourut la campagne aixoise avec ses troupes, brûlant et détruisant les bastides des parlementaires proches d'Oppède.

C'en était trop pour ces magistrats ! Ces bastides, c'était leur lieu de villégiature, de repos et de retraite. Ils armèrent des troupes pour se défendre et la bataille finale eut lieu le 19 juin. Ce fut le *combat du Val*. Les rebelles y furent écrasés et Alais put enfin marcher sur Aix.

La vengeance était à portée de sa main. Il la voulait complète et surtout sanglante.

Mais Mazarin n'était pas Richelieu. Les représailles et les châtiments importaient peu pour lui. Il voulait avant tout sincèrement la paix et le comte d'Alais dut renoncer à son carnage sur ordre du ministre, qui possédait encore certains pouvoirs.

Quelques jours après le combat du Val, Pierre de Beaumont, que Fronsac avait rencontré au bal du gouverneur, et dont le secrétaire de son père venait d'accepter le mariage de sa fille avec Dominique Barthélemy, rentra à Aix furtivement pour voir ses parents et féliciter les amoureux. Il fut reconnu par les amis de Saint-Marc, poursuivi par une troupe de bouchers et de bouchères, tous armés de couteaux et de tranchoirs, lesquels aux cris de : *À mort le Semestre* l'attrapèrent et le découpèrent en quartiers, encore vivant.

Après cet effroyable crime, la situation resta précaire quelques mois. Heureusement, le 10 août 1649, une déclaration du roi demanda à chacune des parties de mettre bas les armes.

Le calme étant un peu revenu en ville, les consuls prirent la décision de créer une rue de l'Archevêché à la place des murailles qui bordaient le sud de la ville. L'agitation se raviva aussitôt ! Beaucoup de magistrats, poussés par leurs épouses et leurs filles, s'y opposèrent et, finalement, en décembre, ce fut le parlement et non les consuls qui décida qu'à l'emplacement des remparts serait aménagé un *Cours à Carrosses* pour la promenade des Aixoises et des Aixois.

On venait ainsi d'éviter (provisoirement) une nouvelle guerre !

À Paris, la fronde des parlementaires se terminait mais, en janvier 1650, le prince de Condé se révolta à son tour et fut arrêté avec son frère Conti et son beau-frère Longueville.

Ce fut le début de la fronde des princes, une période chaotique de deux années, où chacun trahit son camp et sa cause à tour de rôle sans s'en émouvoir. Mazarin accepta alors toutes les rebuffades en cherchant uniquement à préserver le roi. Il lui fallait tenir jusqu'en 1652, l'année de la majorité pour Louis XIV.

En Provence, le comte d'Alais étant un fidèle, un ami et surtout un parent de Condé (sa mère était la demi-sœur de la mère du prince), il fut révoqué en septembre 1650. Le baron d'Oppède et Saint-Marc prirent alors curieusement le parti du prince de Condé et, comme Saint-Marc parlait toujours de *sabrer* les partisans de Mazarin : *Je les sabrerai*, disait-il, *ou je les mettrai à la raison*, on les nomma les *Sabreurs*.

Mais tous les Aixois ne les suivirent pas dans cette nouvelle révolte. Ainsi M. de Grimaldi-Regusse, qui avait pourtant pris fait et cause contre Mazarin au début des premiers troubles, jugea que c'était une sédition de trop. Il regroupa des fidèles, tous juristes et hommes de robe qu'on nomma par dérision les taille-plumes, ou *Canivets*, et il déclara ouvertement soutenir Mazarin.

Ce fut à nouveau la guerre civile, cette fois entre les *Sabreurs* et les *Canivets*. Elle atteignit son paroxysme avec l'élection de Saint-Marc comme consul d'Aix.

Finalement, les *Sabreurs* perdirent pied, mais les échauffourées ne cessèrent pas pour autant. En 1652, Mazarin ayant réussi à reprendre les rênes du pouvoir et étant confirmé dans son poste de Premier ministre par le jeune roi, il nomma Louis de Vendôme comme gouverneur de Provence.

Louis de Vendôme, duc de Mercœur, était le fils du duc de Vendôme, qui avait tant comploté contre son demi-frère Louis XIII. C'était le petit-fils d'Henri IV et de Gabrielle d'Estrées. Autant son frère Beaufort était une brute que l'on surnommait le roi des Halles, autant Louis de Vendôme était un homme doux et bon. Autant son frère haïssait le cardinal, autant le duc de Mercœur l'aimait comme un père. Il avait d'ailleurs épousé sa nièce, Laure Mancini, malgré l'opposition du prince de Condé, révulsé par la mésalliance entre le petit-fils d'Henri IV et une roturière italienne.

Arrivé à Aix, le duc de Mercœur entreprit de raccommoder les partis. Il fit si bien que d'Oppède, ramené à la raison par une lettre du marquis de Vivonne, devint un fidèle de Mazarin. Nommé président du parlement, sa fortune devait alors aller grandissant et Mazarin put s'appuyer sur lui jusqu'à sa mort[1].

L'intégrité, le sérieux et la richesse de Henri de Forbin-Maynier firent de lui le premier président du

---

1. Voir *Le Disparu des Chartreux*, même éditeur.

parlement à compter de 1655, et cela durant seize ans. Son fils lui succéda dans la charge.

M. de Grimaldi-Regusse continua à s'opposer à Oppède, qu'il jalousait. Il y eut d'autres troubles, mais nous n'en parlerons pas ici.

Mercœur, devenu veuf, rencontra à Aix la si belle et opulente Lucrèce de Forbin, la *Belle du Canet*, elle aussi veuve. Ils eurent une liaison et le duc se fit construire, pour la recevoir, ce charmant pavillon près de la bastide de Gaufridi ; le pavillon Vendôme[1]. Plus tard, il voulut même l'épouser.

Une telle union était hors de question pour Mazarin. Les Vendôme étaient une des plus riches familles de France et leurs biens devaient rester à la Couronne. Mercœur fut donc nommé cardinal. Et c'est en cardinal qu'il continua à recevoir discrètement sa belle.

Pierre de Raffelis, le seigneur de Roquesante, était resté à l'écart des troubles qui déchiraient la Provence. En 1661, recommandé par Louis Fronsac et toujours aussi respecté pour son intégrité, il devint magistrat à Paris. Il fut, à cette époque, choisi pour être membre de la chambre de justice chargée de juger le surintendant Fouquet. Avec éloquence, et contre la position du jeune roi, il ne jugea pas que le ministre méritait la mort. C'est lui qui demanda le bannissement du royaume, que Louis XIV modifia, en l'aggravant, en une prison à vie. Dès lors, le roi Soleil décida de se venger du vertueux magistrat. Ce dernier fut exilé, perdit sa charge

---

1. Vous pouvez admirer le portrait de la *Belle du Canet* dans ce pavillon qui abrita ses amours.

et ses biens furent saisis. Mais même dans la misère, il refusa l'assistance de la famille de Fouquet. Jusqu'au bout, Pierre de Raffelis resta incorruptible. Devant tant de constance, le roi lui pardonna[1] finalement.

En 1660, le Cours à Carrosses fut ouvert à la circulation. En vérité, dès 1648 les premiers chantiers de construction d'hôtels avaient ouvert le long de ce qui devait être la rue de l'Archevêché.

Ce fut d'abord le cas de l'hôtel Maurel-Ponteves, devenu l'hôtel d'Espagnet, puis l'hôtel de Suffren en 1652.

Aix, la ville moyenâgeuse et sale que Fronsac avait découverte, le bourg insalubre ruiné par la peste, se transforma tout au long de ces années 1650. Les nouvelles et larges chaussées du quartier Mazarin, bordées de beaux hôtels, incitèrent les Aixois à élargir leurs anciennes ruelles. Les vieilles maisons furent détruites et, un peu partout, de nouvelles constructions furent édifiées à leur place, comme ce fut le cas pour l'hôtel de Châteaurenard.

En 1660, Louis Fronsac revint à Aix lors du séjour de Louis XIV et ne reconnut plus la ville[2].

Le fils de Gaufridi, Jean-François, quarante ans après notre histoire, réunit enfin assez d'argent pour réaliser le rêve de son père. Il vendit sa maison de la rue de l'Official pour acheter au prix de huit mille huit cents

---

1. Voir *Le Dernier Secret de Richelieu*, même éditeur.
2. Voir *L'Enlèvement de Louis XIV*, même éditeur.

livres l'espace en face de l'auberge *Saint-Jacques*. Là
où se trouvait *Lou Filadoux*.

Il y construisit l'un des plus beaux hôtels d'Aix[1].

Comme l'avait deviné le prévôt : *Il en coûta de
grandes sommes à l'Ordre de Malte pour satisfaire aux
prétentions du sieur d'Hervart, cessionnaire des droits
de l'archevêque, lesquelles furent réglées à vingt-cinq
mille huit cent quarante-deux livres quatre sols, par
arrêt du conseil du roi du 2 décembre 1654, rendu
entre le bailli de Souvré, ambassadeur de Malte à la
cour de France, et frère Hercule de Berre, prieur de
Saint-Jean*[2].

Finalement, dans le nouveau quartier, il n'y eut
pas de fontaine avec la statue du ministre. À l'emplacement prévu, les Aixois en érigèrent une avec quatre
dauphins.

---

1. Actuellement un grand magasin.
2. Roux-Alpheran, *Les rues d'Aix*.

Les aventures de Louis Fronsac, l'homme aux rubans noirs, constituent une série d'épisodes où l'on retrouve les mêmes personnages. Par ordre chronologique, on peut lire pour l'instant :

Vous pouvez joindre l'auteur :
Aillon@laposte.net
http ://www.grand-chatelet.net
http ://louis-fronsac.site.voila.fr

Bibliographie

La plupart des faits décrits dans ce roman sont vrais. Mais d'autres sont imaginaires. Pour distinguer le vrai du faux, ou s'il désire plus de détails sur ce qui s'est passé à cette époque, le lecteur curieux pourra consulter les ouvrages suivants :

ARPA – Association pour la Restauration du patrimoine d'Aix, *Parcours au cœur de la ville*, 1993.

ARONSON Nicole, *Madame de Rambouillet*, Fayard, 1988.

BATIFFOL L. *La vie de Paris sous Louis XIII. L'existence pittoresque des Parisiens au XVIIe siècle*, Calmann-Levy, 1932.

BATIFFOL L. *La duchesse de Chevreuse, une vie d'aventures et d'intrigues sous Louis XIII*, Hachette, 1924.

BOYER J., *Le patrimoine Architectural d'Aix-en-Provence*, Roubeau, 1985.

CORNE H., *Le cardinal Mazarin*, Hachette, 1867.

CROUSAZ-CRETET P. (de), *Paris sous Louis XIV*, Plon, 1922.

FOISIL M., *La vie quotidienne au temps de Louis XIII*, Hachette, 1992.

GUTH Paul, *Mazarin*, Flammarion, 1972.

HANOTAUX G., *La France en 1614*, Nelson.

HOFFBAUER M.F., *Paris à travers les âges*, Inter Livres, 1993.

MAGNE E., *La vie quotidienne au temps de Louis XIII*, Hachette, 1942.

MANDROU R., *La France aux XVIIe et XVIIIe siècles*, PUF, Nouvelle Clio.

Ouvrage collectif, *Histoire d'Aix-en-Provence*, Edisud, 1977.

ROUX-ALPHERAN, *Les rues d'Aix*, réédition aux Presses du Languedoc, 1985.

TALLEMANT DES RÉAUX, *Historiettes*, Bibliothèque de la Pléiade, édition établie et annotée par A. Adam, 1960.

THIOLLER M.M., *Ces dames du Marais*, Atelier Alpha Bleue, disponible au musée Carnavalet, 1988.

Petit complément sur les prix,
les mesures et les salaires

Voici quelques chiffres, quelques valeurs permettant de se faire une idée des conditions de vie financière et monétaire en 1647. Ces données sont approximatives, elles varient en fonction de la spéculation liée aux récoltes et de la qualité des produits. Des variations de 1 à 5 sont possibles.

Les mesures
Les mesures de l'Ancien Régime variaient souvent d'une ville ou d'une province à l'autre. Voici cependant des ordres de grandeurs.

• *Monnaie de compte* :
• livre ou franc = 20 sous
• sou = 4 liards = 12 deniers
Pièces :
• L'écu au soleil était, jusqu'en 1640, la principale monnaie du royaume. Avec un poids d'environ 3,5 grammes d'or, il valait la moitié d'un louis. Louis XIII avait réformé le système monétaire en 1640 en créant le louis d'or de 10 livres, qui en vaudra vite le double ! L'écu d'argent de 3 livres remplacera alors peu à peu l'écu d'or, qui sera

cependant frappé jusqu'en 1654. La pistole valait environ 10 livres. Le liard valait 3 deniers. Le blanc était une pièce de 10 deniers faite de billon, un mélange de cuivre et d'argent. En fait la valeur des monnaies changeait continuellement (Déclaration royale du 23 mars 1652 : *...les louis d'or et la pistole seront exposés pour onze livres, les écus d'or pour cinq livres quatorze sols et les louis d'argent pour trois livres six sols...*).

• Existent aussi des pièces locales comme les écus de Savoie ou de Béarn.

Distances :
• pied (parisien) = 30 cm ou 12 pouces
• pouce = 12 lignes
• toise = environ 2 mètres ou 6 pieds
• lieue (de poste) = 4 km ou 2000 toises

Ces mesures sont variables : le pied d'Aix-en-Provence fait 9 pouces et 9 lignes ; existent aussi localement : le pas, la corde (de 20 pieds), la verge (de 26 pieds), la perche (de 9 pieds et demi), la bicherée, la septerée, etc.

En surface on connaît l'arpent : 1/2 hectare et l'arpent parisien : un peu plus d'1/3 d'hectare.

Poids :
• livre (de Paris) = 16 onces ou 2 marcs (489 grammes)
• once = 8 gros
• gros = 3 deniers
• denier = 24 grains

Attention : existe aussi la livre de 12 onces !

Les revenus

Le salaire journalier d'un ouvrier était de 10 sols, soit environ 100 livres par an. Celui d'un manœuvre était de 5 sols. Celui d'un ouvrier très qualifié pouvait atteindre une livre.

Le rendement d'un hectare de blé était d'une tonne et le prix d'une tonne de blé de 200 livres.

Une famille pouvait vivre très simplement avec 300 livres par an, bourgeoisement avec 1000 à 2000 livres.

Les prix

Un kilo de pain valait 2 sous. Un homme mangeant un kilo de pain par jour (minimum pour survivre) dépensait donc 30 à 40 livres par an. Un kilo de viande coûtait 1/2 livre, la majorité des gens n'en mangeaient pas. Voici quelques autres prix :

1 cheval, 1 bœuf	100 livres
1 mouton	10 livres
1 poule	1 livre
1 bouteille de vin	3 sous
1 dot de mariage de petit bourgeois	5000 livres
1 chemise	2 livres
1 chapeau	1 livre
1 vêtement complet	10 livres

La location annuelle d'une maison représentait 300 livres, d'un hôtel 1000 à 5000 livres. À l'achat, on peut multiplier par 100 le prix d'une location.

Remerciements

Je dois remercier ici Chantal Brevier, Michèle Demaria et Jean-Philippe Présent pour avoir accepté si volontiers d'effectuer le travail ingrat de relecture de mon manuscrit.

L'aide considérable que m'apporte M. Ferrand, conservateur à la bibliothèque Méjanes (mais en réalité tout le personnel de cette si riche bibliothèque) me permet d'éviter de trop graves erreurs historiques. S'il en reste, je suis le seul responsable.

Enfin, je dois remercier ceux qui m'apportent des renseignements toujours précieux sur les lieux et l'histoire de la Provence. Quant à mon épouse, ma mère et ma fille cadette, toujours premières lectrices, elles restent les plus sévères juges des premières versions de mes ouvrages.

Composition réalisée par Asiatype

Imprimé en Espagne, par LIBERDÚPLEX (Barcelone)

Dépôt édit. : 80244-05/2007
Édition 01